Carnifal

robat gruffudd

y Lolfa

Argraffiad cyntaf: Medi 2004
Hawlfraint yr awdur a'r Lolfa Cyf., 2004

*Mae'n anghyfreithlon i atgynhyrchu neu ddefnyddio
unrhyw ran o'r nofel hon at unrhyw bwrpas, ar wahân
i adolygu, heb ganiatâd ysgrifenedig y cyhoeddwyr
ymlaen llaw.*

Y clawr gan yr awdur

Rhif Llyfr Rhyngwladol: 0 86243 675 3

Cyhoeddwyd ac argraffwyd yng Nghymru
gan Y Lolfa Cyf., Talybont, Ceredigion SY24 5AP
e-bost ylolfa@ylolfa.com
gwefan www.ylolfa.com
ffôn (01970) 832 304
ffacs 832 782

RO'N I'N HAPUS. Ond a oedd hi?

Estynnais am lasied o ddŵr. Ro'n i wedi chwysu'n arw, a'r galon yn dal i bwnio wedi'r ymrafael.

Cododd ar ei heistedd ar y gwely a thanio sigarét, ond er mor hoff ydw i o ambell i Banatella, nid dyma'r lle na'r amser.

Taflais fy mhen yn ôl ar y glustog a chau fy llygaid. Roedd y CD Chet Baker, y trwmpedwr cŵl pumdegol, yn dal i chwarae. A'r cwlrwydd yna ro'n i ei angen rŵan. Rhyfedd bod y cyfnod hwnnw'n cynnwys y fath hafan o heddwch: rhyw haf bach perffaith cyn cynnwrf y chwe degau.

A chynnwrf ges i heno, hefyd. Roedd o i gyd fel breuddwyd, i gyd mor sydyn ac annisgwyl. Ro'n i'n ei hadnabod ers cwpwl o fisoedd, ond nid yn dda. Mae hi ar staff yr oriel newydd ac mi fues i'n busnesu yna ambell i ddiwedd pnawn, ar fy ffordd adre o'r Senedd. Dwi wastad wedi ymddiddori mewn celf, ac yn wir mae gen i gasgliad bychan o luniau yn y tŷ 'ma.

Ond yna'n sydyn neithiwr, fe daniodd y fflam.

Doedd hi heb baratoi – na minnau – ond dyma ni yma rŵan yn malu awyr, yn yfed gwin, yn caru hyd at ymladd, bron, fel petaen ni'n nabod ein gilydd ers blynyddoedd. Ces i fy synnu, yn wir, gan fy stamina fy hun.

"Wy'n mynd am *shower*," meddai toc gan godi o'r gwely a mynd at y gawod *en-suite*. Safodd yn hapus noeth wrth y switsh. "Lico'r steil, Meirion. Lico'r tŷ – *I'm impressed*."

"Diolch – a chymer dy amser," atebais. Yn dawel bach ro'n i'n gobeithio y byddai'n oedi tipyn dros y prosesau ymolchi. Ro'n i wedi ymlâdd ac yn amau'n gryf a allwn ei phlesio ymhellach.

Roedd o'n hawdd iddi hi. Ro'n i wedi bod yn yfed am ryw bedair awr cyn iddi hi ddechrau, a hynny wedi diwrnod hir ac wythnos galed yn y Senedd. Ro'n i wedi taro mewn i'r Bara Bara, y bar Japaneaidd, am wydryn neu ddau cyn mynd i agoriad yr Oriel a chael tipyn mwy yn fanno tra oedd hi ar ddyletswydd ac ar y Tŷ Nant.

Ac, wrth gwrs, mae hi'n hanner fy oed i.

"Meirion!" meddai gan daro'i phen rownd ymyl y gawod, y sbwng ar ei bronnau.

"Ie, Llio?"

"Base glased o siampên yn neis!"

"Be – siampên? Rŵan? Am dri o'r gloch y bora?"

"Pryd y'ch chi'n arfer yfed siampên, 'te – rhwng naw a deg y nos?"

"Ond dwi wedi cael llond cratsh o alcohol yn barod."

"Ond Meirion, nid alcohol yw siampên! Mae'n wahanol – mae'n clirio'r pen, yn deffro chi lan i gyd! Rhaid bo 'da chi botel neu ddwy yn y seler 'na."

Felly roedd hi wedi sylwi ar hynny, hefyd.

Ond doeddwn i ddim am ddampio ei brwdfrydedd. Ac oni fyddai'n ddathliad, i selio ein perthynas newydd?

"Iawn 'ta," atebais. "Mi gawn ni un gwydryn ola."

Codais o'r gwely a rhoi fy ngŵn nos amdanaf. O fewn y dilledyn sidan, du teimlwn yn ddiogel eto. Yn wahanol i Llio, dydi noethni llwyr ddim yn gyflwr dwi'n hollol hapus ynddo fo. Wrth ei phasio yn y gawod, ni allwn beidio sylwi arni'n tylino'i hun. Oedd, roedd hi'n dipyn o gatsh. Yn dal, yn siarp, yn hyderus – ac mi ddwedwn i yn gynnyrch un o ysgolion dwyieithog y De a Choleg Celf yn Llundain.

Roedd o i gyd yn rhy dda i fod yn wir, rywsut. Oedd yna garwriaeth go iawn wedi dechrau imi wedi'r hirlwm? Oedd hi, hefyd, wedi bod yn aros am rywbeth fel hyn?

Es allan i'r cyntedd ac i lawr i'r seler win, a nôl potel o Möet & Chandon a bwced oeri. Efallai'n wir y byddai'r gwin ffrydiol yn fy ailddeffro ar gyfer un sgwrs olaf, ddiog cyn noswylio. Wedi'r holl falu awyr am gelf a phopeth arall, roedd hi'n bryd am ychydig o agosatrwydd go-iawn.

Rhois y siampên ar fwrdd wrth ymyl y gwely, a thynnu'r *duvet* amdanaf gan edrych ymlaen at ei chroesawu ataf o dan ei gynhesrwydd. Yn y man cerddodd allan o'r gawod tuag ataf ond roedd hi'n dal yn wlyb – yn fwriadol wlyb.

Rholiodd y *duvet* yn ôl a gosod ei chorff llaith i lawr drosof, coes dros goes, braich dros fraich a'r bronnau bach pwyntiog yna yn cosi ar fy mrest. Yna gwasgodd ei hun arnaf a symud ei hun drosof mewn cylchoedd bychain, cosog.

Ond roedd fy nychymyg yn drech na'm corff. Tynnais fy hun i fyny ar y glustog a mynnu ei bod hi'n gorwedd ochr-yn-ochr â mi. Yn anfodlon, cydsyniodd, a rhoi ei phen ar fy mraich.

"Be ti'n feddwl o'r llun, Llio?" gofynnais gan gyfeirio at y llun ar y mur gyferbyn.

"Wy wedi gweud 'tho chi unwaith – *pure chocolate box*. Rhaid bod y boi yna, pwy bynnag oedd e…"

"Alain Legrand, artist Ffrengig o'r ddeunawfed ganrif…"

"…Alain Legrand wedi gneud cannodd o'r rheina a'u gwerthu nhw am fil o bunnau'r un. Ble cest ti e, gyda llaw?"

"Llundain. Siop fach oddi ar y King's Road."

"So nid yn Fenis?"

"Na – ond mi fues i yn y carnifal yno flynyddoedd maith yn ôl. Roedd o'n brofiad reit anhygoel. Ac wrth gwrs pan welis i'r llun yma wedyn, roedd yn rhaid i mi ei brynu."

Do'n i ddim am fanylu heno ar yr ymweliad yna, fy nhro cyntaf oll i Fenis. Es i yno am wyliau gyda'r teulu ac Elliw, y ferch, fynnodd ein bod ni'n mynd yno. Roedd hi newydd ddechrau yn yr ysgol uwchradd ac yn astudio drama.

Estynnodd Llio ei braich i lawr amdanaf ond ro'n i am ddal ati â'r sgwrs.

"Dwi ddim yn siŵr be ti'n feddwl wrth '*chocolate box*'. Mae 'na lot o lunia reit dda ar gefna bocsys siocled."

Craffodd eto ar y llun. "Dyw e ddim yn *bad*. Mae'r masgie'n eitha pwerus, wy'n cyfadde."

Ym mlaen y llun roedd merch hardd yn dal masg gwelw, arian o flaen ei hwyneb, yn edrych yn syth allan. Wrth ei hochr roedd clown, â het dal, glychog am ei ben, yn edrych arni hithau trwy fasg. Y tu ôl iddynt roedd yna dyrfa, i gyd mewn gwisg ffansi, yn cerdded ar lan ryw gamlas, efallai ar y ffordd Piazza San Marco.

"Ond y cwestiwn ydi, ai jyst masgia ydyn nhw, neu ydyn nhw'n cynrychioli rhywbeth arall?"

"Dywed ti, Meirion: ti yw'r *expert*."

"I'r gwrthwynab. Hoffwn glywad barn arbenigwraig go iawn – un sy wedi cael addysg gelf."

Craffodd hi eto ar yr wynebau. "Wel mae'n eitha amlwg, on'd yw e. Ar y chwith, Prydferthwch; ar y dde, Ffolineb."

"Ffolineb yn gwirioni ar Brydferthwch?"

"Deg mas o ddeg, Meirion," meddai gan fy nhynnu i fyny gerfydd fy mreichiau, rholio'r *duvet* yn ôl, swingio'i hun drosof, ac eistedd i fyny ar fy ngliniau. Yna pwysodd i lawr arnaf a'm cusanu ond roedd hi'n chwerthin, yn mwynhau ei phŵer drosof. Roedd yna olau'n dal i ddod o'r gawod, yn rhoi rhimyn o oleuni angylaidd bron i'w gwallt golau.

Doedd dim cwestiwn pwy oedd Prydferthwch, a phwy oedd Ffolineb heno.

Ond ro'n i'n gwrthryfela yn erbyn fy *rôle* israddol. Bron na theimlwn ei bod hi'n cael rhyw bleser sadistaidd o hyn. Eto roedd yr olygfa ohoni o'm blaen i – yn hardd, yn hyderus fel na all ond yr ifanc fod – yn un a fwynhawn ac a gofiwn am amser hir.

"Ond y siampên!" cofiais. "Rhaid i ni ddathlu!"

Ceisiais ymryddhau oddi wrthi ond gafaelodd yn fy mraich a'i dal i lawr.

"Hei? Be 'di hyn, Llio? Ti oedd isio'r siampên!"

"Wy'n dal ishe'r siampên."

"Felly be 'di'r broblem?"

"Does 'na ddim problem, Meirion…"

Cododd o'r gwely a nôl y botel a'r bwced, a sefyll ym mynedfa'r gawod a'r baddon. Yna edrychodd arnaf yn heriol. Ar unwaith fe sylweddolais ei bwriad. Ond allwn i mo'i gwrthod. Codais o'r gwely a'i dilyn, gwydryn siampên ym mhob llaw.

Plygodd a throi'r tap ymlaen a gwasgu un o'r sachau sebon

oddi tano. Roedd hi wedi diffodd golau'r gawod gan adael dim ond y golau bach o gyfeiriad y gwely. Gosodais y gwydrau ar rimyn y baddon a llithro i mewn ati i'r dŵr sebonllyd. Roedd Chet Baker yn dal i chwythu'i drwmped diog, y CD nawr ar ei drydydd tro ar y system sain. Cymerodd Llio'r sbwng, ei socian yn y dŵr, a'i rwbio'n ysgafn dros ei bronnau cyn plygu ymlaen a rhoi'r un gwasanaeth i mi.

Yna eisteddodd yn ôl a dweud, "A nawr y siampên 'na, yntefe?"

Dadbiliais y croen arian oedd am wddw'r botel, troi'r rhwydyn metel, ac fe neidiodd y corcyn i ben draw'r stafell. Ar unwaith arllwysais y gwin i mewn i'r gwydrau. Trawais fy ngwydryn yn erbyn ei gwydryn hi ac eistedd gyferbyn â hi, fy ngoesau ar led a'i thraed yn goglais ar fy nghanol.

"Iechyd da, Merion," meddai. "Ond dylet ti gofio un peth ambiti masgie."

"Be, felly?"

"Nid i fod yn brydferth o'dd pobol yn eu gwisgo nhw, ond er mwyn cuddio'u hunain, fel bod neb yn gwybod pwy oedden nhw pan o'n nhw'n gwneud pethe drwg."

"Dim rhyfadd 'mod i'n licio'r llun, felly! Mae'n bwysig bod yn ddrwg, weithia."

"Ga i'ch dyfynnu chi ar hwnna?"

"Ond nid i'r *Welsh Mail*."

Chwarddodd a goglais ei thraed yn fy erbyn. Edrychodd i'm llygaid yn heriol gan hanner gwenu 'run pryd. Roedd hi'n chwarae â mi, on'd oedd? Ond beth oedd yr ots. Caeais fy llygaid. *Que sera, sera*. Roedd fy nghwpan yn llawn.

Ymlaciais i'r jazz araf, i faldod cynnes y dŵr sebonllyd,

i'r bysedd hirion a anwesai, yn awr, fy mannau mwyaf sensitif. O'r diwedd yn dechrau ymateb, dywedais, "Ti'n eitha arbenigwr, Llio. Gen ti'r fformiwla – rhyw fformiwla wyrthiol."

Taflodd ei phen yn ôl. "'Sdim byd gwyrthiol ambiti fe, Meirion. Y'ch chi jyst yn cymysgu bàth, siampên, sebon, jazz cŵl a Llywydd Plaid Cymru – wel, beth mwy ma' merch moyn?"

–2–

MI FYDDA I'N LONCIO bob bore, bron. Mae o'n un o'r arferion bychain, pendant yna sy gen i sy'n rhoi rhyw fath o batrwm i 'mywyd prysur, blêr. Ond a Llio gen i, ac wedi'r fath noson ag a gawson ni, roedd angen cryn ewyllys i godi o'r gwely dim ond i gadw at arferiad ro'n i wedi'i osod arnaf fy hun.

Ar yr un pryd, roedd o'n esgus i ymryddhau oddi wrth sefyllfa reit lethol yn 'i ffordd, ac anghyffredin i mi, os nad iddi hi. Yng ngolau gwyn y bore wedyn y mae darganfod a oes mwy o sail i berthynas nag alcohol a chwant.

Roedd hi'n dal yn gysglyd pan ddychwelais o'r gegin a dywedais wrthi fod 'na frecwast ysgafn yn disgwyl amdani ar y patio. Yna rhois fy nhracwisg amdanaf a'm *trainers* a dechrau rhedeg, yn llai sicr nag arfer, o Man Gwyn i lawr at y llyn.

Roedd hi'n fore bendigedig o Fai a gwyddwn ar unwaith i mi wneud y penderfyniad iawn. Treiddiodd yr awel ysgafn trwy fy nghymalau brau a'm deffro'n wyrthiol i'r dydd newydd.

Un ffordd neu'r llall, mi fyddai heddiw'n ddydd i'w gofio. Y pnawn 'ma roedd Cymru'n chwarae De Affrig yn un o gêmau pwysicaf Cwpan Rygbi'r Byd, ond rŵan bod Llio gen i, roedd yna un penderfyniad ar ôl: p'un ai i fynd i'r gêm hebddi, neu weld y gêm efo hi yn un o dafarnau'r Fro.

Ac nid am y Fro Gymraeg dwi'n sôn, gyda llaw.

Ond yna canodd y blydi Siemens gan grynu fel fferet yn erbyn fy nghlun. Safais yn anfoddog yn fy unfan. Blydi Lloyd oedd yno. Prin fod yna'r un dydd yn pasio heb imi fod yn siarad â John Lloyd, Is-lywydd y blydi sioe 'ma.

"Meirion, sut mae… bore braf?"

"Ydi mae'n debyg ei bod hi." Ond gwyddwn nad canmol y dydd oedd pwrpas yr alwad.

"Meirion, ti'n gwybod am argyfwng y Baltig?"

Y Baltig? Be nesa? Un peth wyddwn i'n bendant: doedd John Lloyd na'r un dyn byw yn mynd i sbwylio fy nydd i heddiw.

"Am be ti'n sôn rŵan, John?"

"Meirion, mi wn i sut wyt ti'n teimlo… ond mae'n rhaid dy fod ti'n cofio'r cyfarfod gawson ni nos Fercher dwetha?"

"Ydw, ond dwi ddim yn cofio'r un sôn am argyfwng."

"Wel mae pethau wedi gwaethygu, wedi gwaethygu'n arw," meddai mewn llais meddyg. "Ti'n darllen y papurau?"

"Ydw, mwya'r ffŵl."

"Felly mae'n rhaid dy fod ti'n gwybod bod sŷbs y Rwsiaid wedi symud i mewn yna erbyn hyn?"

"Dwi'm yn amau. Ond rhaid i ti ddallt un peth, John: dwi ddim yn mynd i achub y Baltig i chdi heddiw. Gen i lot o betha 'mlaen."

"Ond mae heddiw'n gyfle rhy dda i'w golli. Mae pawb yma yn sgil y parti neithiwr a'r gêm fawr wrth gwrs – felly rwy wedi trefnu cyfarfod byr."

Rhegais dan fy anadl. "Cyfarfod *byr*? Ydi hynna'n bosib?"

"Mi fydd drosodd cyn y gêm, rwy'n addo. Ac mae Syr Huw yn dod, gyda llaw."

Synnais at hynna. "Be – Syr Huw 'i hun? Dydi o ddim yn arfar dod i'n cyfarfodydd mewnol ni."

"Nag yw, ond mae e'n dod i'r un yma. Fe gytunodd yn y parti neithiwr."

Checkmate. Felly doedd gen i ddim dewis. Syr Huw ydi Llywydd y Senedd, fi ydi Llywydd y Blaid, felly os oedd o'n mynd, yna roedd yn rhaid i minnau. Mae'r pethau yma'n syml iawn yn y bôn ac felly dyna gladdu'r Tro yn y Fro.

"Ond y gêm, Lloyd: ti'n hollol siŵr am y gêm? Gen i docyn gwerth canpunt."

"Meirion, dyna'r gwarant sy gen ti y bydd e'n gyfarfod byr. Hanner awr wedi hanner, iawn? A brechdanau hefyd."

"Wel os wyt ti'n cynnig *brechdanau…*" atebais yn sarcastig, a chladdu ewin fy mawd yn y botwm. Diflannodd yr enw *Lloyd* o safn y Siemens ac yn hapus ar hynny, o leia, stwffiais o'n ôl i boced fy nhracwisg.

★ ★ ★

Ailgychwynnais loncian, ond cefais drafferth ailgodi stêm. Do'n i ddim ar fy ngorau, wedi'r noson hwyr, yr alcohol, y diffyg cwsg, a phob dim arall. Doedd dim pwynt imi dwyllo fy hun.

Ond y Baltig? Pam y blydi Baltig? Do, fe gawson ni gyfarfod wythnos diwetha, ac un digon diflas oedd o hefyd. Ond felly y mae hi mewn gwleidyddiaeth: mae'n 'argyfwng' yn rhywle o hyd – y Baltig heddiw, y Balkans fory, Belarwsia drennydd. A'r oll i ddim pwrpas ymarferol, wrth gwrs. Dydan ni'n newid dim byd, dim ond sôn yn dragwyddol am newid pethau. Mae llygaid y ffôl ar bellafoedd y ddaear, ys dywed y Llyfr Mawr.

Ro'n i'n falch o weld Llio'n disgwyl amdana i wedi imi ddringo'r llethr i fyny i Man Gwyn. Roedd hynny'n arwydd da. Gorweddai'n ôl ar y *sunlounger* gan socian yr haul. Doedd dim mwy amdani na'r bra a'r nicer oedd ganddi neithiwr – rhai glas tywyll myglyd oedd yn berffaith ar gyfer arddangos ei chroen hufenog a oedd, fe sylwais, yn gynnyrch rhywbeth mwy dibynadwy na'r hinsawdd Gymreig.

"Mae'n *gorgeous* yma, Meirion," meddai gan gilagor ei hamrannau.

"Titha'n *gorgeous* hefyd," atebais yn ddiffuant. "Mwy o goffi?" cynigiais gan arllwys paned i ni'n dau.

"Grêt!" atebodd gan godi ar ei heistedd. "'Sda ti *sunblock,* gyda llaw?"

"Oes, gen i sawl math. A' i nôl nhw i ti rŵan."

Dyna wnes i a chael mwynhau'r pleser o'i gweld hi'n gwasgaru'r hylif dros ei breichiau a'i bronnau gan lithro'i bysedd o dan ei bra. Rhyfedd sut roedd hynny'n fwy rhywiol hyd yn oed na'r pethau wnaeth hi i mi neithiwr yn y bàth.

"Wi ffili dod dros y Llanfihangel 'ma," meddai gan orwedd yn ôl eto. "O'n i'n gwbod bod nobs y Senedd i gyd yn byw 'ma, ond mae mor dawel, *really rural.* O'n i wedi dishgwl gweld rhyw fath o Beverly Hills, nage cefen gwlad fel hyn."

"Mae yma bentra, hefyd, cofia. Weli di mohono fo o fa'ma. Mae o tua milltir i lawr y lôn y tu ôl i ni. Fanno y mae Syr Huw a'r lleill yn byw."

Craffodd. "Tu ôl i'r coed 'na?"

"Ia, mi fedri di weld tyrrau ei dŷ o."

"Palas, wy'n siŵr."

"Na, castall sy ganddo fo. Fel sy'n gweddu i farchog, wrth gwrs."

"Chi'n jocan! Dyw e ddim wir yn byw mewn castell?"

"Wel ydi, i bob pwrpas ymarferol."

Rhoddodd y tywel dros ei thalcen a thaflu'i phen yn ôl. "Cestyll, marchogion, llynnoedd, coedwigoedd, ac awyr las wrth gwrs. Meirion, nage Beverly Hills yw hyn, ond Bro Afallon!"

"Naci, ti'n mynd i Fro Afallon ar ôl i ti farw," dywedais, gan eistedd i lawr gyda fy nghoffi a thynnu Panatella o'i becyn. "Os ti'n lwcus, hynny ydi. A dwi ddim yn meddwl y bydda i. Wel – dwi'n eitha siŵr na fydda i."

Meddai Llio, ei llygaid ynghau, "Ond os chi'n cael paradwys cyn marw, beth yw'r pwynt o'i gael e wedyn?"

"Dim llawar," cytunais gan dynnu ar y sigâr.

"A jyst chwe milltir o Gaerdydd. Mae'n gneud sens i fynd amdano fe nawr."

"Ti'n iawn, Llio. *Go for it.*"

"Ond chi wedi'i gael e'n barod."

"Ti sy'n deud."

Tynnodd y tywel oddi amdani, a gofyn: "Ga i dynnu hwn?"

"Wrth reswm."

"'Sai'n credu bo nhw'n lico *strap-marks* ym mharadwys."

"Na, mi fasa Pedr yn banio unrhyw un efo *strap-marks*. Dwi'n gweld rhesi ohonyn nhw'n cael eu troi'n ôl wrth y pyrth – merched i gyd efo *strap-marks*."

"Wi'n eu gweld nhw, hefyd," meddai gan hongian ei bra ar ysgwydd y gadair haul, a gwenu'n ddireidus arnaf.

Roedd hyn i gyd yn lot gwell a lot haws nag o'n i wedi'i ddisgwyl. Do'n i ddim am sbwylio'r naws trwy sôn am y blydi cyfarfod yna. Roedd yna hanner awr dda cyn y byddai'n rhaid i mi feddwl am symud. Tynnais dop fy nhracwisg. Cawn fwynhau ychydig o haul fy hun cyn mynd i dywyllwch Swyddfa'r Blaid, a'r malu cachu, a John Lloyd.

Tynnais ar y Panatella a chwythu'r mwg i'r awyr. Roedd hi'n iawn, mae'n braf yma. Ond ro'n i wedi blino erbyn hyn – ro'n i'n ffycd. Roedd hi wedi cau ei llygaid, ac yn y man sylwais ei bod hi'n cysgu. Diffoddais y sigâr ar garreg y patio cyn llithro i drymgwsg fy hun.

★ ★ ★

"Meirion…"

"Ie?"

"Wy wedi cael *brainwave*."

"Dywad ti, Llio."

Cododd ar ei heistedd yn y gadair gynfas. "Wi wedi penderfynu. Ewch chi i'r gêm, Meirion. Allwch chi ddim wastio'r tocyn 'na. A sa i ishe wastio'r haul. Fe arhosa i yma, os yw e'n iawn 'da chi."

"Ond…"

"Os bydda i'n starfo allen i jyst pigo mewn i'r ffridj…"

"Iawn – ond ti'm angen dy ddillad, dy betha?"

"I don't think so, cariad."

Do'n i ddim yn gwrthwynebu'r gair yna, ond roedd hynny'n gwneud fy mhenbleth yn waeth. Ro'n i'n dibynnu ar ei char hi i'm cael i'n ôl i'r ddinas ac i'r blydi cyfarfod yna. Yn ei Alfa Romeo hi y daethon ni'n ôl yma neithiwr – roedd hi wedi bod ar y dŵr *mineral* am y rhan fwyaf o'r parti yn yr Oriel. Ond ar y llaw arall do'n i ddim am sbwylio'r naws ar adeg mor gynnar a thyngedfennol yn ein perthynas.

"Llio – mae hynny'n iawn. Dwi'n hapus dy fod ti'n hapus yma. Ond ches i ddim cyfle i ddeud un peth wrthat ti. Pan o'n i'n loncian rownd y llyn, ges i neges am ryw gyfarfod uffernol o *boring* mae'n rhaid i fi fynd iddo cyn y gêm, yn swyddfa'r Blaid…"

"Ond Meirion," meddai'n llawen, "dyna setlo pethe! Ewch chi i'r cyfarfod, arhosa i yn yr haul. Wela i chi wedi 'ny, dim probs."

Roedd hyn yn anodd. Dylswn i wedi dweud wrthi'n blaen 'mod i angen pàs, ond gallasai hynny chwalu'r hud: ni fyddai yna ddim 'wedyn'. Ar y llaw arall mi allwn i ddal tacsi i'r ddinas – ie, syniad da, dyna'r ateb. Ond oeddwn i mewn difri'n gweld fy hun yn dychwelyd yma wedi'r gêm a'r miri a'r lyshio?

"Be sy'n bod, Meirion?" meddai'n siarp. "Well i chi weud yn syth os chi am i fi fynd."

"Na, meddwl o'n i am y cyfarfod 'na. Mi ga i dacsi i mewn – neu mi ffonia i Syr Huw. Dwi newydd gofio ei fod o'n mynd hefyd ac mae 'na tshans nad ydi o wedi gadael eto. *Relax,* Llio."

"Os chi'n siŵr…"

Na, doeddwn i ddim. Petawn i yn ei sefyllfa hi, faswn i ddim wedi manteisio yn y ffordd yna.

"Llio, mae 'na un peth arall. Mae'n rhaid i mi fod yn realistig ynglŷn â wedi'r gêm. Dwi ddim am i'n perthynas ni chwalu oherwydd rhyw gamddealltwriaeth gwirion. Mi fydda i'n ôl yma ryw ben, wrth gwrs, ond ti'n gwybod sut bydd hi: lyshio, cwarfod â ffrindia…"

Ond roedd Llio'n canolbwyntio ar daenu mwy o *sunblock* drosti'i hun.

Ar hynny canodd cloch y tŷ. Diawch, pwy allai fod yno? Es drwodd i'r drws blaen.

Ei gorff mawr yn llanw'r ffrâm, meddai Syr Huw, "Popeth yn iawn, Meirion?"

"Yn *champion,* Huw…"

"Digwydd mynd heibio ro'n i. Cymryd dy fod ti'n dod i'r cyfarfod bore 'ma, a meddwl y base'n syniad i ni gael gair bach ymlaen llaw – ond dylsen i fod wedi dy ffonio di wrth gwrs."

"Na, mae hyn yn berffaith, Huw. Mi adewais i'r car yn y Senedd."

"Dyna ro'n i'n amau. Call iawn. Tipyn o barti on'd oedd?"

"Oedd, arbennig o dda. Mi wna i jyst daflu siwt amdanaf. Ista i lawr am eiliad, Huw."

Rhuthrais allan i'r ardd at Llio a dweud, "Mae Syr Huw yma. Rhaid i mi fynd."

"Syr Huw?"

"Mae'n rhoi lifft i mi."

"Iawn, 'te – wela i chi."

"Ond…"

"Ond beth?"

"Wel – fe wnawn ni weld ein gilydd, yn gwnawn? Mae croeso i ti aros yma heno, wrth gwrs… P'run bynnag, dyma rif y Siemens. Jyst ffonia fi unrhyw bryd ac fe wnawn ni drefniada. Ac yn y cyfamser, mwynha awr neu ddwy ym mharadwys, 'de."

Es yn ôl i'r tŷ ac i'r ymolchfa a sblasio rhai hylifau dros fy ngweflau; yna rhoi siwt gotwm amdanaf a chrys agored, glas tywyll. Doedd heddiw ddim yn ddiwrnod i wisgo'n ffurfiol. Archwiliais fy hun yn y drych. O ystyried popeth oedd wedi digwydd i mi yn y 24 awr diwethaf, gallaswn fod yn edrych yn dipyn gwaeth.

-3-

SUDDAIS I FEDDALWCH lledr hufen y Volvo 5300SE. Yn dawel esmwyth fe lywiodd Huw y cerbyd trwy'r lonydd gwledig at Ddinas Powys ac aros ger y goleuadau traffig; yna edrychodd draw ataf â hanner gwên.

"Wel rho fi yn y pictiwr, Meirion."

Am eiliad o banig meddyliais am Llio – rhaid ei fod o wedi sylwi ar yr Alfa Romeo yn y dreif. Ond pam y dylwn i deimlo'n euog am hynny, dwn i ddim – rhyw adwaith Pavlovaidd yn tarddu o'm cefndir Anghydffurfiol, mae'n siŵr – a newidiais y tac mewn pryd.

"Dwi'n amau y galla i. Gawson ni gyfarfod mewnol o'r blaid seneddol nos Fercher dwetha, jyst i drafod y Baltig. I gyd yn afreàl braidd. John Lloyd ar gefn ei geffyl eto."

"Mae'n drefnydd effeithiol."

"Mae'n uchelgeisiol hefyd."

"Does dim o'i le ar uchelgais."

"Oes, ar fore Sadwrn y gêm."

Teimlai'r car fel crud, y gêrs awtomatig yn llithro trwy'i gilydd fel cyllell trwy fenyn. Dechreuais ymlacio o'r diwedd. Roedd 'na rywbeth braf mewn sgwrs wleidyddol, wedi gwres a gwylltineb y noson cynt.

Meddai Huw, "Ond mae'r Rwsiaid wedi croesi'r ffin. Mae eu llongau nhw yn nyfroedd Latfia."

"So what?"

"Wel maen nhw'n torri cyfraith ryngwladol, yn un peth."

"Be sy'n newydd am hynny?"

"Dim llawer – ond arwydd, efallai, fod yr arth Rwsiaidd yn ailddeffro."

"Wnaeth o 'rioed fynd i gysgu? Oes 'na *argyfwng?*"

"Anodd dweud. Sai'n credu bod gan y Rwsiaid unrhyw ddiddordeb yn Latfia. Mae hynny'n syniad ffantasdig. Eu diddordeb nhw yw'r olew sydd yn y môr."

"Dyna i gyd ydi o."

"I gyd?" meddai Huw â phwyslais gwahanol. "Mae'n tipyn gwareiddiad ni'n rhedeg ar olew."

"Ydi – am gwpwl o flynyddoedd eto."

"Ugain mlynedd, efalle?"

Edrychais draw ar Huw yn llywio ei Volvo 5300 traflyncus mor ddeheuig drwy'r traffig. Ydan ni'n sylweddoli ystyr be ydan ni'n ddeud? Ydi hyn i gyd i ddod i ben?

Dwn i ddim pam, dwi'n ei gael o'n beth ofer iawn i feddwl am Ddiwedd Gwareiddiad a hynna i gyd. Mae'n bosib bod Gwareiddiad ar fin diweddu ond, ar y llaw arall, gallai fod yn drobwynt achubol, mai'r peth gorau allai ddigwydd i'r byd ydi bod olew'n dod i ben, a phawb yn gorfod reidio i'r gwaith ar gefn beic. Wyddwn ni ddim, a beth bynnag does yna ddiawl o ddim allwn ni neud am y peth.

Dywedais, "Iawn – ond be sy ganddo fo i'w wneud efo Cymru?"

"Dywed ti wrtha i, Meirion. Ti oedd yn y cyfarfod nos Fercher."

"Rhaid i ti ofyn i Lloyd. Dim ond fo sy'n dallt y blydi busnes."

"Dwy ddim yn deall dy agwedd di at Lloyd. Ble fase'r Blaid

hebddo fe – ac Alun Sidoli wrth gwrs?"

"Ti'n iawn. Mae o'n mynd dan 'y nghroen i weithia, dyna i gyd. Ac mae o'n credu y gallasa wneud fy job i'n lot gwell na mi."

"Mae hynny'n ddigon naturiol, ac efalle'n beth da."

Roedd Huw yn iawn eto, wrth gwrs.

"Ond o ddifri, Meirion, mae e'n llygad ei le i godi'r pwnc. Fasen i ddim yn gwastraffu fy more Sadwrn fel arall. Mae'n amlwg yn awyddus i'r Senedd drafod y peth."

"Dwi'n cofio rŵan. Mi soniodd o am ryw gynhadledd yn Riga. Mae o am i ni fod yno, yn cynrychioli'r Genedl."

"Wel pam lai?"

"A Chymru'n arwain y gad yn erbyn y Rwsiaid! Maen nhw'n crynu yn eu sgidia'n barod!"

"Nid dyna'r pwynt," atebodd Huw yn llym. "Nid effaith Cymru ar Riga sy'n bwysig, ond Riga ar Gymru. Ry'n ni'n esgus ein bod ni mor rhyngwladol ein hagwedd, ond nonsens yw'r cyfan os nad ydyn ni'n gneud dim ar y llwyfan rhyngwladol."

Nid am y tro cyntaf, synnais at agwedd orgydwybodol Huw. Ond, ac yntau'n Llywydd Senedd Cymru, ddylwn i ddim cwyno. Fo sy'n iawn, wrth gwrs. Rydan ni'n ffodus ohono fo.

Roedden ni bellach yn hwylio i lawr y draffordd lydan i Gaerdydd, a Huw, fe sylwais, yn gyrru ar berffaith 70 milltir yr awr. Dyna'r gwahaniaeth sylfaenol rhyngddo fo a mi. Mae o'n gall, a'i fywyd personol yn adlewyrchiad o'i werthoedd solet. Cyn-fargyfreithiwr, tri o blant disglair, gwraig dda, buddsoddiadau doeth.

"Sut bydd Cymru'n gneud, ti'n meddwl?" holais yn y man.

"Ddim yn hawdd dweud. Mae'n fyd y gwledydd mawr, on'd yw hi?"

"Ond fe wnaethon ni'n wyrthiol i gyrraedd mor bell â hyn."

"Do, mewn ffordd. Jyst trueni bod angen gwyrthiau o hyd."

"Ond mae gynnon ni dalent."

"Mae angen mwy na thalent yn y maes rhyngwladol. Gwledydd eraill sy'n gosod yr agenda, yntê?"

"Ond efo Jarvis ar yr asgell, Willis yn y cefn…"

Chwarddodd Huw yn uchel. "Ti ddim yn gall, Meirion – neu falle dy fod ti… mynd i'r gêm, wrth gwrs?"

"Y tocyn yn saff yn fy waled." Doedd dim troi'n ôl rŵan – ond mi wyddwn i hynny o'r dechrau, wrth gwrs. Rhyfedd sut mae merched yn gallu drysu pen rhywun.

Llithrodd y Volvo rhwng y breichiau bwaog a godai'r draffordd i mewn i Fae Caerdydd. Gweodd Huw'r car yn gelfydd trwy'r trofannau ac yn y man roedden ni ym maes parcio'r Llywydd.

"Gwell i mi beidio cael 'y ngweld yn mynd mewn i Swyddfa'r Blaid yn hwn," meddai Huw gan ddiffodd yr injan. "Anaml iawn y bydda i'n cytuno i fynd i'r math yma o gyfarfod fel rwyt ti'n gwybod. Ga i lifft gen ti?"

Roedd fy BMW i – hen un du, *sportif* – yn disgwyl amdanaf ym mhen arall y maes. "Â chroeso."

Estynnodd am *briefcase* o'r sedd ôl. "Rwy'n disgwyl cwpwl o negeseuon yn y swyddfa 'na. Mi fydda i'n ôl mewn deng munud."

"Dim brys, Huw, mi fydda i'n falch o'r awyr iach."

Cerddais o'r maes parcio at ymyl y dŵr. Llyncais awyr y môr
i mewn i'm hysgyfaint a chrwydro at sedd gyfagos. Eisteddais
a llacio fy nghymalau ac yna ymestyn am Panatella. Mae o'n
help bychan, weithiau. 'A woman is a woman but a cigar is a
smoke', fel maen nhw'n deud.

Ond mae'n ddweud rhy hawdd, wrth gwrs. Doedd effaith
y nos ddim wedi cilio, Llio yn dal yn fy meddwl, ei heffaith
yn dal ar fy nghorff. Tydi'r petha 'ma byth yn syml. Mae 'na
wastad bris i'w dalu. Ond roedd o'n werth o. Beth bynnag
ydi'r pris – ac mae o'n gallu bod yn hallt – o leia 'dach chi
wedi byw.

Trois rownd tuag at adeilad newydd y Senedd – palas o wydr
wedi'i goroni ag aderyn o haearn: un o eryrod Eryri, ein
symbol o ryddid. Cerddai pobl i fyny ac i lawr y grisiau at y
piazza canolog. Ar ddydd Sadwrn braf fel hyn, dod am dro y
mae llawer ohonynt, dod i edmygu'r adeilad a'r Bae. Dod i
weld Senedd Cymru, dod i fwynhau ein prifddinas – a dyna
ydi hi, un mor fywiog a chosmopolitan â'r un yn Ewrop.

Roedd y ddinas ar ei gorau neithiwr. Roedd o'n barti gwych,
a phawb yno, y *movers and shakers* i gyd, yn wleidyddion,
artistiaid a gwŷr busnes. Galwch chi o'n *A-list* Cymreig,
ond mi fynnith rhai gwyno am hynny hyd yn oed – fel 'tai
gennym ni fel Cymry ddim ond yr hawl i gael un *C-list* lwyd,
Sofietaidd. Mae gennym ein cwynwyr proffesiynol, on'd
oes, y bobl yna y mae'n rhaid iddyn nhw fod yn drist i fod
yn hapus. Mi gwynan nhw am Gaerdydd, am yr iaith, am
y Broydd, ac am y Blaid wrth gwrs – ac un peth sy'n siŵr,
rŵan bod gennym ni Oriel Gelf Genedlaethol, mi wnân nhw
gwyno am honno, hefyd.

Roedd staff yr Oriel ar eu gorau neithiwr, hefyd, o'r croeso
swyddogol a'r siampên i'r croeso mwy personol wedyn.

Sylwais arnyn nhw'n trafod y cynfasau'n fywiog a gwybodus gyda'r gwesteion. Yn eu hirwisgoedd du a'u cennin pedr melyn, roeddan nhw'n genhadon hardd, hyderus dros Gymru. A do, mi syrthiais am un ohonyn nhw. Oedd rhywbeth o'i le ar hynny? Mae hi'n rhydd, rydw i'n rhydd. Jyst bod y cyfan mor sydyn, rywsut – yn ormod, rhy fuan. Beth oeddwn i'n wir deimlo amdani, do'n i ddim eto'n siŵr. Ond un peth sy'n bendant – 'dach chi byth yn ennill y gêm yna, y gêm rywiol. Y cyfan allwch chi neud ydi trio'i chwarae hi.

Faint o ddewis sydd gan ddyn yn ei fywyd, efo merched, neu fel arall? Tybed ydi dyn, wedi troi yr hanner cant 'ma, yn dod at yr un pwynt, beth bynnag oedd troeon ei yrfa? Dwi wedi poetsio yn academia ac efo'r celfyddydau; rŵan mae gen i yrfa wleidyddol, am ei gwerth hi.

Ar hap y digwyddodd hynny, ac ar hap y ces i'r llywyddiaeth. Neu felly mae'n ymddangos. Ro'n i mewn job efo Sine Cymru ar y pryd, ac yn troi mewn cylchoedd Cymreig yn Llundain. Digwyddais daro ar Sidoli mewn clwb yno, un noson. Fe'm perswadiodd i gynnig am sedd yng Nghaerdydd gan ddadlau bod cefndir yn y cyfryngau yn sail ardderchog i yrfa wleidyddol. Mi enillais y sedd trwy ddrws cefn y rhestrau cenedlaethol ond cyn bo hir fe'm perswadiwyd i daflu fy enw i'r ras lywyddol er mwyn osgoi rhwyg rhwng chwith a de – ac mi lithrais i mewn rhwng y ddau arall.

A Lloyd oedd y tu ôl i hynny, hefyd, fel y deallais i wedyn.

Codais o'r sedd a cherdded at faes parcio adran Syr Huw, adran y Llywydd. Mae o wedi cyrraedd, o bosib, y swydd uchaf yng Nghymru. Do, mi gafodd ei siâr o lwc, ond mae 'na ffactor arall, on'd oes?

Gallwch chi chwarae fel mynnoch chi â'r darnau ar fwrdd bywyd – y swyddi, y llefydd, y merched – ond yr un ydi diddordebau a dyheadau sylfaenol dyn. Maen nhw'n deud mai'r gosb derfynol i ddyn ydi cael be mae o'n wir ddymuno. Mae Syr Huw wedi cyrraedd y pwynt yna. Tybed ydw i?

Rydan ni'n cyrraedd i'r un man yn y diwedd, ac yn gorffen yn yr un lle. Ac yn mynd i Fro Afallon wedyn. Ond na, meddai Llio, mae hi yno eisoes. Mae'n bosib fy mod i'n teimlo hynny weithiau. Os felly, be dwi'n neud rŵan? I beth, mewn difri, ydw i'n rhuthro i gyfarfod dibwynt arall?

Beth petawn i'n taflu'r Siemens yma i'r dŵr? Beth petawn i'n dechrau deud Na? Yn ailflaenoriaethu. Yn ildio'r llywyddiaeth. Yn dechrau sgwennu, efallai. Yn cyflawni ambell i hen freuddwyd bersonol, ambell i uchelgais academaidd. Mae gen i amser ar ôl. Does gen i ddim gwraig i'm clymu. Fe allwn i wneud y cyfan, petawn i'n gwir ddymuno.

Ac yna sylweddolais mai'r unig beth sy'n fy nal i'n ôl ydi bod Llio'n dweud y gwir. Fy mod i eisoes ym Mro Afallon. Oni wnes i brofi ychydig bach o nefoedd neithiwr?

–4–

TANIAIS Y BMW *injection*, a gyrru'n boenus o araf trwy'r traffig tua Swyddfa Plaid Cymru ym Mharc y Goedlan. Yn y cyfamser roedd Huw'n brysur yn ffonio am dacsi ar ei ffôn bach. O'r diwedd llwyddodd i gael un ar gyfer dau o'r gloch o'r Swyddfa i'r Stadiwm. Ro'n i'n dipyn hapusach wedyn.

Cynhaliwyd y cyfarfod yn swyddfa Alun Sidoli, Rheolwr Gyfarwyddwr y Blaid, ar y llawr cyntaf. Mae hi'n ystafell braf mewn stryd eang, ddeiliog yn ardal Parc Cathays, y waliau'n wyn i gyd oni bai am rai posteri lliwgar Catalwnaidd. Mae gan y boi chwaeth: llenni Fflemaidd ar y ffenestri, planhigion *yucca* ar y siliau.

Dim ond chwech ohonom oedd yno. Agorodd Alun Sidoli – un cyfandirol ei olygon a'i enw – y cyfarfod yn ei ddull llyfn arferol. Pwysleisiodd natur gyfrinachol y cyfarfod, diolch i Huw am ddod, a'n hatgoffa am y drafodaeth yn y cyfarfod wythnos diwethaf.

Yna trosglwyddodd yr awenau i Ieuan Glyn, ein Cyfarwydd-wr Polisi hirwyntog. Dechreuodd draethu, yn ei ddull angladdol arferol, am y cefndir ac am hanes porthladd Kaliningrad, dinas Almaenaidd a roddwyd i'r Rwsiaid wedi'r Ail Ryfel Byd, a'i leoliad filwrol strategol ar waelod Môr y Baltig.

Ers dros wythnos bu sỳbs Rwsia'n symud i fyny o Kaliningrad gan groesi'r ffin ryngwladol rai dyddiau'n ôl. Roedden nhw'n hongian yn y môr gyferbyn â Riga, prifddinas Latfia, ac roedd yna longau eraill, rhai ag offer cloddio olew, yn tin-droi y tu allan i'r ffin forwrol.

Soniodd am y trafodaethau aflwyddiannus ynglŷn â gosod pibellau o'r meysydd olew yng nghanol Rwsia trwy Latfia a Lithwania i mewn i Kaliningrad. Do'n i ddim, fy hun, yn deall y broblem. Pam na fasan nhw'n gadael i'r Rwsiaid gael eu pibellau?

"Sut bynnag 'dach chi'n edrych ar y sefyllfa," aeth Glyn ymlaen, "mae'r Rwsiaid wedi torri cyfraith ryngwladol, ac wedi tresmasu ar sofraniaeth Latfia, ac efallai'n defnyddio'r ffrae am olew fel esgus ar gyfer ymosodiad milwrol."

Bu ysbaid o dawelwch wrth inni dreulio'r llymru yma.

Doedd dim pwynt imi eistedd yno fel delw. "Mae yna berygl o orymateb, on'd oes. Yr olew sy'n bwysig yn y *scenario* yma. A wela i ddim pam na allai'r gwledydd yma gytuno â'r Rwsiaid ynglŷn â'r blydi pibellau, a gwneud arian allan o'r peth."

"Ble mae NATO'n sefyll?" gofynnodd Huw. "Onid ydi Latfia'n aelod o NATO?"

Ond roedd yn rhaid i Sue Lewis leisio'i barn. Mae Sue yn iawn, hyd yn oed os ydi hi wedi ei hailddiffinio ei hun fel *Parisienne* ers esgyn yn AS Ewropeaidd (ar y rhestrau wrth-gefn). Byddai ei siwtiau tywyll a'i sodlau uchel yn iawn ar ferch hanner ei hoed a'i phwysau.

"'Sda'r Amercanied ddim diddordeb," meddai Sue yn gynhyrfus. "Mae e'n warthus. Maen nhw a'r Rwsied yn dyall ei gilydd yn rhy dda. Os nad yw *interests* America'n cael eu bygwth, allwch chi anghofio am NATO. Ewrop yw'r unig obaith."

"Ond beth mae Ewrop wedi'i neud?" holodd rhywun. "Diawl o ddim!"

"Nace fi yw Ewrop," meddai Sue, efallai'n groes i sut oedd hi'n teimlo.

"Nid yn unig hynny," meddai'r llall, "mae'r gwledydd bach newydd wedi dechrau troi yn erbyn yr Undeb Ewropeaidd."

Yn awr torrodd Lloyd i mewn. Mae'n feistr ar ailgyfeirio trafodaeth ar yr union eiliad cywir. "Beth bynnag am hynna i gyd," meddai, "y sefyllfa heddiw ydi bod sofraniaeth gwledydd y Baltig wedi ei sathru heb wich o brotest gan nag America, Ewrop, na Lloegr."

"Felly Cymru fach yn taro gwich, ac yn achub y byd?"

Trodd Lloyd ataf yn gas. Rhyfedd a difyr sut mae casinebau sydd ynghudd mewn sgyrsiau preifat yn dod i'r wyneb mewn trafodaethau cyhoeddus.

"Mae achub y byd yn dipyn o gontract," atebodd, "a 'dyn ni ddim yn mynd i wneud hynny pnawn 'ma. Ond os caiff y byd ei achub o gwbl, mae'n weddol siŵr y digwydd hynny mewn cannoedd os nad miloedd o gamau bychain. Y cam bach yr ydyn ni'n sôn amdano y bore 'ma ydi trefnu bod yna gynrychiolaeth o Gymru yn mynd i gynhadledd Cyngor y Baltig yn Riga.

"Mi allai fod yn gyfarfod hanesyddol," meddai wedyn, gan godi'i lais. "Am y tro cyntaf, gwledydd bychain Ewrop yn dod at ei gilydd i drafod eu buddiannau nhw heb y gwledydd mawr. Fe allai arwain at rywbeth mwy, rhyw fath o gynghrair newydd, hyd yn oed."

"Dwi ddim yn siŵr am hynny," meddai Huw. "Ond fe allai'r cyfarfod yma ddeffro Ewrop i wneud rhywbeth."

Wedi mwy o drafod, cytunodd Huw i roi lle yn ystod Amser y Llywydd yr wythnos ddilynol i drafodaeth a chynnig, os ceid cytundeb ymlaen llaw o fewn y glymblaid Plaid Cymru-Llafur. A'm tasg i, fel Llywydd y Blaid, oedd trefnu hynny efo Deri Smith, yr arweinydd Llafur, yn y dyddiau nesa.

Doedd hynny ddim yn broblem i mi. Mae Deri'n gymydog i mi yn Llanfihangel y Pwll ac fe'i gwelwn, fwy na thebyg, yn y gêm. Cymeriad dawnus, difyr, deheuol. Cytunais i godi'r mater efo fo, ond doeddwn i ddim yn mynd i golli cwsg dros y blydi peth yma.

Cydiodd Alun Sidoli yn fy mraich ar y ffordd allan. "Diolch am gytuno i daclo Deri, Meirion. Dwi'n gweld yr holl beth yn bositif iawn i'r Blaid ac i'r Senedd. A gyda llaw, dwi wedi derbyn neges ddiddorol gan ryw Maya Dulka. Ry'ch chi'n ei nabod hi, dwi'n credu."

"Maya Dulka?"

"Mae hi'n gweithio i'r llywodraeth yn Vilnius ac yn gwneud rhywfaint â'r gynhadledd yma."

"Dwi'n cofio rŵan. Mi gwrddais â hi mewn cynhadledd rai blynyddoedd yn ôl. Cyfieithydd, os dwi'n cofio."

"Mae hi'n anfon ei chyfarchion cynnes atoch ac wedi gofyn imi anfon e-bost ymlaen atoch, a dwi wedi gwneud hynny."

"Iawn, felly," atebais yn sychlyd.

"*Atodiad,* Meirion – dwi heb ei ddarllen."

Roedd yna'r awgrym lleiaf o grechwen ar wyneb Sidoli ond yna trodd Lloyd ataf efo plataid o frechdanau gwyn. "Ddim yn rhy anghyfleus, gobeithio? Mi gawn ni i gyd weld y gêm – ond rhaid i ni ennill mwy na gêm o rygbi, on'd oes, gyfeillion? Gallai hyn fod yn ddechrau rhywbeth mawr – yn gam cyntaf Cymru ar ei thaith ryngwladol go iawn!"

"Cofiwch fod yn rhaid i Deri Smith gytuno gynta," meddwn gan roi brechdan gaws a phicl yn fy safn. "Mae ganddo fo ei syniada'i hun, fel y gwyddoch."

"Mi wn i y gwnewch eich gorau, Meirion."

Roedd Huw yn aros amdanaf yn y cyntedd islaw, a'r tacsi wedi cyrraedd.

"Millennium Stadium," gorchmynnodd Huw, *"VIP gate, A2."*

Ond Maya? meddyliais, wrth i'r tacsi gropian tua'r Stadiwm. Roedd hynna'n annisgwyl. Cofiais amdani, a'n perthynas ddifyr ond eto anfoddhaol. Merch dawel, annibynnol, na ddes i fyth i'w nabod yn iawn. Rhaid bod tair blynedd wedi mynd heibio ers ein cysylltiad diwetha. Tybed beth oedd ganddi?

-5-

DALIODD YR HEDDLU y dorf yn ôl i greu llwybr i ni, ac i mewn â ni i'r prif *Hospitality Suite*. Roedd y sŵn y tu mewn yn fyddarol. Gan blygu fy mhen fel bachwr ar gyfer sgrym, mentrais i mewn i ganol y clindarddach.

Roedd yr ystafell yn orlawn o wleidyddion a phobl fusnes a sêr cyfryngol, i gyd yn gweiddi a chwerthin a churo cefnau a gwasgu gwasgau. O'n blaen ymagorai ffenest eang yn cynnig golygfa ysblennydd o'r maes. Gallaswn fod yn y Colosseum yn Rhufain cyn gornest yn anterth yr ymerodraeth.

Ar unwaith cynigiodd gweinyddes hardd wydryn o siampên i mi a'm tywys at y bwrdd bwffe. "Mwynhewch eich hun, syr, gyda chyfarchion Telecom Cymru," meddai'n serchog, a logo newydd gwyrdd-a-choch *TC* yn pefrio ar lapel ei siwt goch. Drachtiais yr hylif poplyd. Wedi brechdanau anorecsig Lloyd, fe aeth yn syth i'm pen.

Yna gafaelodd y cyffro ynof. Rŵan ro'n i o ddifri'n edrych ymlaen at y gêm. Wedi'r cyfan, nid bach o gamp yw i wlad fechan fel Cymru gyrraedd rowndiau cyn-derfynol Cwpan Rygbi'r Byd. Roedd De Affrig yn elyn o bwys, yn un o dimau cryfa'r byd. Ond rŵan, a'r Undeb newydd yn ei le a Chymro o'r diwedd yn hyfforddi, roedd yna obaith. Byddai'n achlysur i'w gofio yn gymdeithasol, yn chwaraeol – ac yn fetaffisegol.

Dwi wrth fy modd efo'r malu cachu dadansoddol sy'n ffynnu fel ffacbys o gwmpas gêm rygbi. Mae'n llawer difyrrach na'r gêm ei hun – yr holl gwestiynu eneidiol yna, y trafod ar bynciau mawr, sylfaenol fel gwir bwrpas chwarae, ysbryd y tîm, problem arian, hyder, strategaeth, ysbryd moesol a gwrhydri, creadigrwydd, gwir anian y Cymro... Sut y gallwn i fod wedi ystyried colli hyn i gyd heddiw? Gallai Llio rwbio *sunblock* dros ei thits tan ddydd Nadolig.

Ond damia, oedd hi'n dal yn y tŷ? Do'n i ddim yn hoffi'r syniad am ryw reswm, a chofiais am ein ymwahanu anfoddhaol. Penderfynais ei ffonio tra oeddwn i'n 'tebol i wneud hynny. Fe allai galwad gyfeillgar dawelu fy meddwl ar sawl pwynt. Cydiais yn y Siemens gan symud at y ffenest, ond yna syrthiodd llaw drom ar fy ysgwydd.

"Meirion bachan," taranodd llais y tu ôl i mi. "Shwt mae'i blân hi, gwas? Catw'n ffit rhwng y partïon 'ma i gyd?"

"Ydw, dwi'n jogio'n rheolaidd, wrth gwrs. Mae hynny'n help."

"Ti'n cal mwy nag ambell i jog, weten i. A ta p'un, *lonc* yw e'n Gwmbrâg."

"Lonc, felly – dwi'n loncian."

"'Na beth o'n i'n amau, ha ha ha."

Ond roedd hwn yn gyfle rhy dda i'w golli. Trois ato gan ailbocedu'r ffôn. "Deri – ga i fod o ddifri – ti ddim yn digwydd bod yn rhydd am air bach nos Lun neu nos Fawrth?"

"Anodd. Pwyllgore, pwyllgore. Ein diwedd ni i gyd fydd marw mewn pwyllgor. Fydda i ddim 'nôl tan yn hwyr."

"Mae hyn yn reit bwysig ...rhyw gydweithio Plaid-Llafur. Ond dim byd i roi'r byd ar dân, ti'n dallt? Oes gen ti awr yn rhydd rhywbryd wedyn? – mi allen ni gwrdd yn Le Gallois..."

Goleuodd wyneb Deri Smith. "Ti'n sharad nawr, bachan. Fe allen i atel y Pwyllgor dwetha 'na tua naw. Sdim rhaid i fi aros i'r diwedd. Base pryd wetyny'n syniad nêt. Wetwn ni hanner awr wedi naw, 'te, nos Fawrth?"

Ac ymlaen yr hwyliodd y pnawn: un hir, ardderchog,

cyffrous, hanesyddol. Fe gurodd Cymru Dde Affrig o ddau bwynt yn unig. Anhygoel. Buddugoliaeth brin i dalent a lwc dros ffitrwydd a disgyblaeth. Roedd Brenhines Ffawd o'n plaid, ein cicwyr ar eu gorau, a chais Wayne Edwards fel llinell o gynghanedd sain.

★ ★ ★

Dwi'n amau a fedra i ddisgrifio gweddill y diwrnod; yn fwy at y pwynt, dwi ddim yn siŵr ydw i eisiau gwneud hynny. Nodaf yn unig ambell *bearing* ar fap ordnans y gyfeddach – er na fydd hynny'n disgrifio'r profiad yn well nag y mae pwyntiau ar fap yn disgrifio'r profiad o deithio.

Wrth reswm, aeth hi'n wyllt o alcoholig wedi'r canlyniad. Mawr oedd yr ewfforia o sylweddoli fod Cymru wedi mynd drwodd i rownd derfynol Cwpan Rygbi'r Byd, yma yng Nghaerdydd. A deall wedyn bod Ffrainc wedi curo'r Alban yn y semiffeinal arall. Roeddan ni'n teimlo dros yr Albanwyr, a hwythau wedi llwyddo i guro Lloegr yn y rownd cyn hynny. Mi fyddai'n ffeinal bythgofiadwy, rhwng dau dîm Galaidd. Byddai hynny'n wych, wedi teyrnasiad mor hir, yn y byd rygbi, gan yr hil sacsonaidd.

Digwyddais daro ar Alun Fox, AS newydd, disglair Caerfyrddin; wedyn llwyddo i berswadio dwy o'r merched Telecom Cymru i ymuno â ni am bryd Eidalaidd. Ffoniais Antonio, rheolwr y Ristorante Roma yn Mill Lane. Dwi'n rhoi tipyn o fusnes yn ffordd 'rhen Tony. Doedd dim gobaith caneri am fwrdd ond wedi ychydig o berswâd, llwyddodd i gonsurio un o'r awyr i mi.

Fe ffarweliodd Huw a Deri â ni gan symud ymlaen i glwb hynafol y Cardiff & County gyferbyn â'r Stadiwm. Dwi'n cyfadda ei fod o'n lle digon hwyliog ar bnawn fel heddiw, ond dwi'n wahanol, dwi'n wirion ac roedd fy mryd ar daro'r ddinas mewn cwmni iau a harddach, a gweld be ddaw.

Dwi wastad wedi hoffi cwmni'r ifanc. Pan es i'n ôl i Fangor yn ddarlithydd chwarter canrif yn ôl, ro'n i'n byw a bod efo'r myfyrwyr yn eu caffis a'u hosteli a'u tafarnau ac yn yr Undeb hefyd, ac yno y dechreuodd fy niddordeb mewn gwleidyddiaeth radical.

Ond y canlyniad oedd esgeuluso fy nhraethawd ymchwil ac mi ges i drafferth cael cytundeb parhaol. Swydd go ryfedd oedd gen i beth bynnag, yn darlithio ar lenyddiaeth Saesneg yn yr adran Gymraeg ac ar lenyddiaeth Gymraeg yn yr adran Saesneg. Yn y diwedd symudais i Lundain at Sine Cymru lle'r oedd y cyflog yn tipyn uwch, ond yr un cyfle ar gael i droi ymhlith yr ifanc, yn gynhyrchwyr ac actorion ac actoresau.

Cydiais ym mraich Lisa, un o'r merched Telecom Cymru oedd yn dal yn ei siwt fflamgoch, *hostess* awyr. Gydag Alun yn gofalu am y llall, fe gerddon ni trwy'r strydoedd gorlawn i'r Ristorante Roma. Roedd yr awyrgylch yno'n hwyliog, os blêr, ac archebais botel o win yr un i ni. Ond wedi'r pryd bwyd diflannodd y merched i rywle. Aeth Alun a minnau ymlaen i'r Pavilion ond yna collais Alun yn rhywle ar y daith – roeddan ni'n taro ar ffrindiau ar bob cornel, bron. Ond mi wyddwn i fod yr Happy Animals ar ben y bil yng Nghlwb Ifor.

Yr Animals ydi'r grŵp mae Guto'r mab yn chwarae iddyn nhw. Rydw i a Guto ar delerau gwych, fel yr ydw i hefyd efo Elliw, fy merch. Er yn boenus ar y pryd, mi fûm i'n fwy ffodus na'r rhelyw yn fy ysgariad. Dwi'n dal i weld eu mam o bryd i'w gilydd a dwi'n hoffi meddwl ei bod hi'n mwynhau ei rhyddid, hefyd.

Doedd gen i ddim tocyn i'r gìg ond llwyddais i ddwyn perswâd ar un o'r bownsars – un o ychydig fanteision enwogrwydd – ac i mewn â mi.

Roedd y lle'n dagfa o gyrff, ond y *buzz* yn anhygoel. Roedd yna wasgfa ddifrifol ar y bar, ond ces i botel o Bud o'r diwedd. Do'n i ddim eisiau dim cryfach wedi llwyth y pnawn ac es i sefyll mewn cornel i arolygu'r talent ifanc, a chael ymgolli yn y diwylliant dinesig cyfoes yn ei holl gyffro.

Roedd delw *Running Man* yn rhedeg yn ei unfan ar un o'r waliau, yn eicon digidol hypnotig. Roedd o'n apelio ataf am sawl rheswm. Dynion yn rhedeg ydan ni i gyd, yntê, oddi wrth rywbeth 'dan ni'n ofni, tuag at rywbeth 'dan ni eisiau.

O dan y golau glas yn y canol, roedd 'na ddau DJ o Fanceinion mewn capiau *baseball* yn gwneud castiau ar y feinyls gan greu synau diddorol os undonog. Roedd un ohonyn nhw'n hanner noeth ond yn gwisgo strapiau du dros ei freichiau, efo stỳds bach arian arnyn nhw.

Ond y llall – y boi du – oedd y gorau o'r ddau. Roedd yn cael hwyl arbennig ar greu rhyw drydar electronig efo'r botymau ar ei ddesg, a neidio a dawnsio yn ei unfan yr un pryd. Sut y gallai wneud y ddau beth, ddeallwn i ddim, ond roedd o'n feistr ar y grefft, mae'n rhaid gen i.

Sylwais fod Guto wedi dod yn ôl o'r bar.

"Be 'di hwn, felly, Guto: *garage* 'ta *techno* 'ta *hiphop* 'ta be?"

"Math o *industrial trance.* Dim byd sbesial, jyst stwff canol-y-ffordd."

"Cwestiwn gwirion iawn felly fasa gofyn pryd ma'r dôn yn dechra?"

"Gwirion iawn, Dad. Hon *ydi'r* dôn."

"Felly toes 'na ddim melodi fel y cyfryw?"

"Be 'di melodi, ond nodau? *What you hear is what you get.*"

"Dwi'n gweld – felly dydi'r peth 'i hun byth yn dechra? Dim ond rhyw addewid o hyd ac o hyd. Am ryw reswm gwirion, dwi'n disgwl i rwbath ddilyn, ond dydi o byth yn dŵad."

Edrychodd Guto arna i'n dosturiol braidd. "Rhwbath fel bywyd, ia?" meddai o'r diwedd, gan wenu. "Dyna'r broblam, yntê. Rhaid ti ddysgu stopio disgwyl. Nei di fyth ddallt os na ti'n rilacsio go iawn. Rhaid ti jyst gollwng fynd, gadal i'r rythm redag trwydda ti."

Yna amneidiodd ataf, "Ty'd rownd i gefn y llwyfan, Dad. Gen i rwbath alla neud y tric i chdi." Ymbalfalon ni rhwng y cyrff a Guto, fe sylwais, yn cael tipyn mwy o sylw na mi gan y merched. "Tria hwn, jyst snyffia chydig bach bach ar y tro trwy un ochor o dy drwyn."

Ond doedd arna i ddim angen cyfarwyddiadau. Adnabyddais y stwff yn syth – côc oedd o – mewn pecyn o bedwar *sachet*. Torrais fy ewin ar un ohonynt a llinellu'r powdwr ar gefn fy llaw a'i anadlu i mewn, ychydig ar y tro. Do'n i ddim angen llawer, ro'n i wedi cael mwy na digon o alcohol – ro'n i'n ei neud o o barch i Guto.

Cadwais y gweddill yn fy mhoced. Efallai y baswn i fwy o'i angen rywbryd eto. Ond roedd y dôs bach yn ddigon. Ar unwaith cliriodd fy mhen. Rŵan roedd y bas yn pwmpio mwy na sŵn i mewn i mi. Dyma rythm bywyd ei hun. Rhaid 'mod i wedi dechrau taflu'n hun o gwmpas.

"*Hold on,* Dad – *relax,* ddeudis i!"

Ond ei anwybyddu o wnes i. Ro'n i wedi ymlacio'n llwyr. Roedd Guto'n iawn. Dwi'n ffŵl henffasiwn ac yn disgwyl am bethau o hyd. Nid felly mae'r ifanc. Dydi Llio'n disgwyl am ddim: pam ddyliwn i?

Distawodd y disgo a dyma'r Happy Animals yn cymryd y llwyfan. Ro'n i'n anifail hapus hefyd. Mi ganon nhw gwpwl o rifau araf, 'Little Chef Blues' a 'Satin City', a'r gân Gymraeg 'Syco Lan y System', cyn symud ymlaen at eu hemyn wleidyddol sosialaidd, 'Jesus Castro Son of Man', ac roedd y lle'n wenfflam. Os ydi'r byd i gael ei achub o gwbl, fe ganwyd anthem y chwyldro y noson honno.

Os ydach chi'n chwilio am brofiadau newydd, rydach chi'n eu cael nhw: dyna beth arall nad ydw i erioed wedi'i ddeall. Dydi bywyd ddim i fod mor syml â hynna. Ond curwch, ac fe agorir i chi; gofynnwch, a chwi a gewch. Curwch ar ddrws y Cardiff & County, ac fe gewch chi noson o uwchgymysgu cymdeithasol. Ond curwch ar ddrws Clwb Ifor, ac fe gewch chi ail ieuenctid, a'ch rhyddid hen yn ôl.

-6-

DWI WEDI SÔN YNGHYNT am un o'm harferion dibwys.
Un arall ohonynt – ond nid mor ddibwys, chwaith – ydi
mynd i'r eglwys. Prin yr ydw i'n methu gwasanaeth boreol
pan fydda i adra. Mi allech ei alw fo yn rhyw fath o loncian
ysbrydol, ond mae'n llawer mwy na hynny, wrth reswm.

Mi fûm i bron â'i methu hi y bore wedyn. Yn ffodus, fe
lyncais dipyn o ddŵr cyn noswylio, o bosib o ganlyniad i
ffroeni'r powdwr gwyn yna. Do'n i ddim yn cofio gneud
hynny, ond mae'n rhaid bod grym yr arferiad wedi f'achub i,
heb yn wybod i mi.

Fe allach chi ddadlau fod yr arferiad o fynd i arferiad yn
bwysicach na'r arferiad ei hun. Ar ryw wedd, does 'na ddim
cymaint o ots beth ydi o. Mae pob arferiad yn rhyddhau dyn
o'r orfodaeth i wneud penderfyniadau o hyd, ac felly, yn
baradocsaidd, yn gneud dyn yn fwy, ac nid yn llai rhydd. A
dyna, efallai, y cyfiawnhad gorau dros draddodiad, nid dim
cachurwtsh adweithiol, adain-dde.

Mi gerddais o Man Gwyn i'r eglwys, fel y bydda i bob tro.
Mae eglwys Llanfihangel yn un hynafol a hardd, ei thŵr
cyn hyned â'r ddeuddegfed ganrif. Yn bwysicach na hynny,
mae'n eglwys fywiog dan fugeiliaeth effro y Rheithor Siôn
Rhydderch. Roedd yno nifer dda: Deri a'i wraig, Huw
a'r teulu i gyd, hefyd Simon Barne, arweinydd newydd y
Ceidwadwyr. Ymgiliais i fy sedd arferol yn y cefn.

Roedd y neges, fel arfer, yn gyfoes a chrafog heb fod yn
sgrechlyd a phropagandaidd. Heb ddeall pam yn hollol, mi wn
fod eglwysi'n bethau angenrheidiol. Os af i ddinas dramor, mi

fydda i fel arfer yn ffoi i ryw hen eglwys am hoe rhag miri a thwrw bywyd.

Cofiais am Maya a'r tro i'r eglwys ar Fryn Wawel, yn Krakow. Roedd ei llythyr gen i yn fy mhoced ac edrychwn ymlaen at ei ailddarllen wedi'r oedfa. Cofiais sylwi arni'n plygu ac ymgroesi er ein bod mewn cwmni digon brith ar y pryd. Ro'n i'n eiddigeddu at ei gallu i wneud hynny mor rhwydd a difeddwl. Mae crefydd fel yna – beth bynnag fo'i gynnwys – yn cynnig patrwm i ni, rhyw gyd-destun neu faes disgwrs i ni osod ein bywydau pitw ynddo fo.

Oedd Maya'n grefyddol? Oedd hynny'n bwysig? Oes raid 'credu' mewn Duw i fod yn grefyddol? Ydw i'n grefyddol, ond heb gredu yn Nuw? Onid y peth pwysicaf ydi'r arferiad o fynd i'r eglwys, ac yna gadael i beth bynnag ddaw, i ddŵad?

Cyfarchais y Rheithor a chydnabod ambell gymydog. Ond do'n i ddim mewn hwyliau i amlhau geiriau. Sylwais fod Deri'n dawelach nag arfer, ei wraig y tro hwn yn gneud y siarad i gyd. Ond ar y ffordd allan, gafaelodd yn fy mraich, a sibrwd yn ddrygionus, "Dicon gyta ni i ddiolch amdano fe heddi, Meirion bach!"

"Roedd yn ganlyniad digon gwyrthiol," atebais dan fy anadl.

Yna ffois oddi wrth y dyrfa fechan at y llwybr coediog a ddringai i fyny efo glan yr afon. Roedd hi'n fore braf arall, a Llanfihangel ar ei orau. Ychydig islaw'r bysgodfa, eisteddais ar foncyff hwylus, ac agor llythyr Maya. Ro'n i wedi'i allbrintio yn union cyn gadael y tŷ, ond yn dal yn ansicr pam sgwennodd hi o: ai'r wleidyddiaeth oedd yn bwysig, neu oedd yna ffactor arall, mwy personol?

★ ★ ★

Helô Meirion,

Sut mae ers oesoedd? Cofio Prâg, cofio Krakow?

Mae llawer wedi digwydd ers hynny, i mi'n bersonol. Dwy ddim bellach yn cyfieithu na sgwennu'n broffesiynol, er fy mod i'n dal i droi fy llaw at ambell i beth creadigol. Rwy'n dal yn Vilnius ond yn gweithio yn y gwasanaeth sifil, ac yn dal heb ailbriodi.

Ti'n cofio ni'n trafod 'Ffilm a Gwleidyddiaeth' yn un o'r cynadleddau yna? Wel erbyn hyn mae Gwleidyddiaeth wedi dod yn lot pwysicach yn fy mywyd i na Ffilm, er 'mod i'n hiraethu weithiau am y cyfnod braf yna. Roedden ni newydd gael ein rhyddid yn ôl, ond nawr maen nhw am ei gipio fe oddi wrthyn ni eto.

Wneith y Rwsiaid ddim newid eu lliw mwy na sebra. O'r blaen, yr Americaniaid oedd y gelyn. Nawr, maen nhw'n gweithio law yn llaw â nhw.

Dwi wedi anfon manylion y gynhadledd at eich Prif Swyddog, Alun Sidoli. Dwi'n gwybod y bydd gennyt ti, Meirion, y dychymyg i sylweddoli arwyddocâd be fydd yn digwydd yn Riga. Rhaid i ni'r gwledydd bychain ddod at ein gilydd. Wnaiff neb arall edrych ar ein holau ni.

Cawsom ein dinistrio – ond y dim – gan y Dwyrain. Nawr mae Ewrop a hyd yn oed America'n cefnu arnon ni. Fe gytunon ni, on'd o – ti'n cofio'r noson gawson ni yn Krakow? – mai'r gwledydd bychain ydi gobaith y byd.

Ges i sioc o weld dy enw di ar wefan Plaid Cymru. Wnes i ddim meddwl y buaset ti'n troi'n wleidydd. Ond dwi'n falch, hefyd. Mae'n ymddangos bod bywydau'r ddau ohonom wedi cymryd tro i gyfeiriadau tebyg.

Ond mae yna rywbeth arall mwy personol yr hoffwn ei drafod â ti, petaen ni'n gallu cyfarfod. Ti'n cofio Tomaso, y cynhyrchydd ffilm gwrddon ni yn Krakow? Wel, mae wedi marw'n sydyn.

41

Roedd hynny'n sioc mawr i mi. Os wyt ti'n gallu dod i Riga, hoffwn i drafod rhywbeth ynglŷn â hynny, hefyd.

Gobeithio y gelli ddod. Elli di drefnu hynny? Buasai'n braf cwrdd eto. Mae fy manylion personol islaw.

Gyda chofion cynnes,

Maya

Tomaso druan. Y gorau sy'n marw'n ifanc, yntê – y rhai na allwch eu dychmygu nhw'n hen. Ond ro'n i'n dal yn methu credu'r peth. Mae'r wybodaeth yna wastad yn cymryd amser i dreiddio i'r ymennydd. Y dygymod anfodlon, yr orfodaeth i ad-drefnu'r celfi yn stafell y pen. I ladd y person ynom ein hunain, fel petai.

Roedd o efo Maya a minnau yn Krakow, yn y gynhadledd ffilm, a'r miri yna i gyd. Clwb Jazz Harry's, yr eglwys ar y bryn, y cabaré wedyn – ac wrth gwrs Dan yr Angylion, y bwyty lle buon ni. Rŵan mae o efo nhw, yr angylion.

Roedd o'n dawnsio fel angel yn Harry's, mewn seler ym mherfeddion Krakow, yn ei grys-T coch. Doedd o ddim yn gall. Mi fyddai wastad yn gwisgo rhywbeth coch neu oren o dan ei grys am eu bod nhw'n lliwiau cynnes, yn lliwiau bywyd, medda fo. Mi fyddai'n aml yn dweud, wedi rhyw hwyl arbennig, "Life, I love it" – ond rhowch chi'r geiriau yna ar bapur, a dydyn nhw'n golygu dim.

Cynhyrchydd ffilm di-waith oedd o. Cawson ni gwmni'n gilydd am y rhan fwyaf o'r gynhadledd yna. Rhaid bod rhyw bum mlynedd oddi ar hynny, ond mi welais i Maya wedi hynny ym Mhrâg, mewn cynhadledd arall. Cawson ni gwpwl o nosweithiau dymunol, os chwerwfelys braidd, efo'n gilydd. Mi fuon ni'n trafod gwleidyddiaeth ond do'n i ddim yn cofio i ni wneud unrhyw ddatganiad megis o bolisi, fel yr oedd ei lythyr yn ei awgrymu.

Roedd hi'n ferch ddiddorol a reit annibynnol a rywsut yn hipiaïdd. Cyfieithydd, ac roedd gen i ryw go ei bod hi'n barddoni hefyd. Des i nabod ambell i ferch arall yn well na hi yn ystod fy nghyfnod o jolihoetio cynadleddol dros Sine Cymru – ac yn dipyn gwell, hefyd.

Plygais yr allbrint a'i roi yn fy mhoced. Allwn i ddim meddwl yn gwbl glir. Roeddwn i'n dal yn frau iawn wedi profiadau'r penwythnos: y rhyw, y gêm, y miwsig, y côc. A rhyfedd nad oedd Llio wedi cysylltu. Byddai'n rhaid i mi gael gafael ar ei rhif cartref wedi dychwelyd i Man Gwyn.

Y gwir ydi, do'n i heb gael merch draw i Man Gwyn ers tua chwe mis. Roedd hynny'n rhan o'r broblem, mae'n siŵr. Ers terfynu'r achos â Margot, mi driais gadw'n glir o ymrwymiadau benywaidd. Ond dydi hynny ddim yn bosibl, wrth gwrs. Mae rhai'n gallu'i wneud o, ond dwi wastad yn syrthio i'r trap.

Cynhyrchydd ffilm o Ganada oedd Margot, a ffliwtydd – ond yn well cynhyrchydd na ffliwtydd, ddwedwn i. Cwrddon ni yn Llundain pan o'n i'n gweithio yno. Dechreuodd y garwriaeth tua dwy flynedd ar ôl fy ysgariad oddi wrth Nia.

Roedd yn garwriaeth gythryblus a melodramatig ond fuaswn i fyth am fod heb y profiad. O edrych yn ôl, doedd dim gobaith i'n perthynas barhau. Roedd hi'n teithio'n gyson gyda'i gwaith a chyda'r band jazz yma, ac roedd ganddi waed Iddewig oedd yn peri ei bod hi'n fythol wrthnysig. Ond dwi'n eitha siŵr i'n carwriaeth fod yn un ffyddlon a phriodasol yn wir, am gyfnod hir – er i'r wasg fachu ar bob cyfle i'm disgrifio fel rhyw Gasanova diedifar, yn arbennig wedi imi ddechrau ymddiddori mewn gyrfa wleidyddol.

Allwch chi ddim ennill, wrth gwrs. Os 'dach chi'n driw i'ch partner, ond heb y papurau cyfreithiol hollbwysig, rydach chi'n rhywiol drachwantus; ar y llaw arall, y gost o gadw annibyniaeth yw syrthio ar ochr y ffordd bob hyn a hyn – er difyrrwch pellach i'r wasg, os digwyddan nhw glywed. A dyna fu fy nhynged i.

Dechreuais gerdded yn ôl tua Man Gwyn. Gyda rhyddhad sylwais fod y dorf o flaen yr eglwys wedi clirio. Fel arfer ar ddydd Sul byddaf yn mynd am ginio i'r Plough and Harrow, hen dafarn ardderchog ger Llanilltud Fawr. Ond nid heddiw: roedd gen i ormod ar fy meddwl.

O leiaf doedd Maya ddim yn gymhlethdod, yn yr ystyr yna. Doedd dim rhaid i mi ateb ei llythyr hyd yn oed. Wyddai hi ddim i sicrwydd fy mod i wedi'i dderbyn. Ond mi fyddwn yn ei hateb. Dwi'n credu mewn cwrteisi. Yn wir, dechreuodd y geiriau ymffurfio yn fy meddwl. Oedd, roedd hithau hefyd wedi llwyddo i'm haflonyddu.

Eto, roedd y cyfan mor ansicr. Go brin y byddwn yn teithio i Riga ar fusnes y Senedd. Duw a ŵyr be ddigwyddai i'r cynnig ddydd Mercher. Os na fyddai Deri Smith yn hoffi'r syniad, fyddai yna ddim cynnig o gwbl. A hyd yn oed petai'r cynnig yn llwyddo, mi fyddai'r ddirprwyaeth i Riga yn un amlbleidiol – ac os o'n i'n nabod Lloyd a Sidoli o gwbl, mi fyddan nhw'n rhoi eu henwau eu hunain ar ben y rhestr.

Doedd dim pwynt imi fwydro 'mhen am yr holl beth. Ond Llio: roedd hi'n wahanol. Byddai'n rhaid i mi gysylltu â hi. Roedd hi'n dal yn gyffur yn y gwaed, yn bwniad yn y pen.

-7-

Tomaso! Llifodd yr atgofion amdano yn ôl i mi am ein crwydriadau yn Krakow gydag o a chyda'r ddwy actores ddi-waith fyddai'n ei ddilyn i bob man. A chofiais yn glir 'mod i'n hoff o'r blydi boi. A do, mi gawson ni amser da, a lot o hwyl. Nid bod dim byd arbennig wedi digwydd, chwaith. Fo'i hun oedd yr adloniant.

Byddwn yn mynd i bob math o gynadleddau a gwyliau yr adeg honno, wedi'r chwalfa â Margot. Roedd o'n ddull reit ddymunol o fyw, a Sine Cymru'n talu'r holl gostau wrth gwrs. Chewch chi ddim gwell gwyliau na chynhadledd. Cwmni bywiog, deallus; dim prinder o dalent benywaidd; ac wrth gwrs y lleoliad hardd, hynafol, Ewropeaidd. A'r cyfan wedi'i drefnu drosoch.

Wrth reswm mae 'na rai agweddau negyddol. Yn anochel mi fydd yna ryw uwch-academydd neu brif swyddog yn mynnu traddodi anerchiad Saharaidd o sych i gyfiawnhau ei hun a'i sefydliad – ond mae tynnu'r rheini'n greiau yn rhan o'r hwyl, hefyd.

Roedd Krakow yn braf, o ran lle, o ran tywydd. Gwledd bensaernïol, yn gorlifo o ieuenctid y Brifysgol Jagiellonaidd. Cynhaliwyd yr Ŵyl Ffilm mewn nifer o sinemâu ar draws y ddinas, a'r trafodaethau gyda'r pnawn mewn hen balas baróc ar lan yr afon – a'r lleoliad ei hun fel set ar gyfer ffilm.

Mae gan y Pwyliaid draddodiad gwiw mewn ffilm ond nod y trefnwyr oedd dangos gwaith y 'to newydd' a phrofi fod pethau'n symud ymlaen wedi cwymp Comiwnyddiaeth. Ond doedd y stwff yna ddim patsh ar glasuron fel *Lludw a Diemwntau* a gynhyrchwyd dan drefn yr oeddan nhw, erbyn hynny, yn ei diarddel.

Sylwais gyntaf ar Tomaso yn ystod yr egwyl coffi. Ro'n i'n amheus o'r boi yn y dechrau gyda'i wisg theatrig a'i ystumiau *camp*, ond wedi dechrau sgwrsio des i weld nad *poseur* mohono, ac fe'm perswadiodd, trwy ei swyn naturiol, i'w dretio am bryd o fwyd yn y Pod Aniolami – 'o dan yr angylion' – sef bwyty drutaf Krakow, erbyn deall wedyn.

Roedd Maya'n digwydd sefyll wrth yr un bwrdd coffi – wyddwn i ddim pwy oedd hi, ar y pryd – a hefyd y ddwy actores baentiedig a fyddai wastad efo Tomaso. Ymhen dim cytunwyd i fynd allan gyda'n gilydd y noson honno. I be arall mae cynhadledd yn dda?

Un byr braidd oedd o, efo gwallt mawr du yn neidio dros y lle. Gwisgai hen siwt ddu, crys gwyn ffrilog, crys-T coch oddi tano, a rhosyn yn ei lapél. Roedd yn gynhyrchydd ffilm a oedd, fel y ddwy actores, yn ddi-waith, ac fe dalwyd eu costau, dwi'n weddol siŵr, gan ryw gwmni ffilm trugarog o Krakow neu Warsaw.

Roedd y pryd bwyd yn ddramatig o ddrud, hyd yn oed yn ôl fy safonau i yr adeg honno, a dim ond *starter* a gwin gymerodd y ddwy actores, chwarae teg iddyn nhw. Yn hongian ar ysgwyddau Tomaso, hongient hefyd ar ei ffraethinebau a'i ddoethinebau gan chwerthin ar bob *bon mot*. A dyna ddechrau ar noswaith o adloniant a oedd yn werth pob *zloty* goch.

Dyfynnaf ef yn ei Saesneg toredig. *"I Krakovian,"* meddai'n falch. *"Krakow, old capital of Poland. Warsaw have the government, the money, the bureaucrats, the shit. Krakow Royal City, Krakow spezial. For Krakovian, tradition important.*

"You know story about the Indian Princess? She throw seven diamonds in the air, and they fall on the most holy places on earth – and one land in Poland on Wawel Hill… You know the song, 'I

Fall In Love Too Easily'?" Gwenodd y ddwy yn ôl yn hapus. *"Me, too. Every time is first time for me. When I fall in love, I climb Wawel Hill to Royal Castle, and I post letter in the Post Office there, and they stamp it Polska Number One. The Castle I show you tomorrow…*

"And you have heard the trumpeter? Every day on the hour the tune is cut short, in memory of a guard shot by the Tartars. Even on the radio you hear it. And you hear it live – not a recording. Tradition important in Krakow."

Roedd ganddo reolau pendant ynglŷn â bwyta. *"After first course, we go for smoke. Upstairs, Roman smoke room. We take time, no eat fast. Rafael, the proprietor, he build the room. He understand tradition. A meal take all night, so he build room just for smoking. He Quality Man, but he no cook. He know how to hire, that's all. But he's very careful when he hire: only hire the best. So when I come here, I no ask Rafael what to eat: I ask his cook."*

Cymerodd ddracht gofalus o'r gwirod Pwylaidd. *"Rafael, he's like Wajda. Wajda was theatre man, more than film. He always go back to theatre for ideas. But he no understand lighting. He hire me to do lighting. He no say, Tomaso do this, Tomaso do that. He just say to me, 'Hey man, give me early morning light coming through that window' – that's all. I gotta work it out."*

Wedi gorffen y *starter* ac wedi'n cynhesu gan y gwirod melyn, aethom i fyny ar gyfer yr egwyl ysmygu. Chwipiodd Tomaso baced o sigarennau drud o'i boced. Roeddent wedi eu modrwyo ag ymylon o aur, fel ei fysedd ef ei hun.

"I only smoke the best. If I can't afford, I smoke nothing. Better smoke nothing than smoke shit. Smoking only do good for you. So I have plan for to make little bit money. I print little labels to stick on box, say SMOKING GOOD FOR YOU; RELAX GOOD FOR YOU; BE HAPPY, BE HEALTHY – SMOKE. What make cancer is the sign that say CANCER, not the smoking. I will

47

make money this way, one day. Or maybe not – who knows?" Yna gwenodd ar yr actoresau a chwifio'i sigarét aur.

"Look at this room," meddai wedyn. *"Fountain, statue of sexy Roman girl. We smoke here, we relax. It's tradition. Rafael, he great guy – Quality Man. I explain: Quality Man no care about money. Tonight, you have money, but next week, next month – maybe nothing. So tonight, you pay. Next time, I pay. It no matter!"*

Roedd yn hawdd iddo ddweud hynny, a minnau'n talu am y cyfan, a'r bil yn codi â phob brawddeg a ddôi o'i enau. *"Rafael very intelligent too,"* aeth ymlaen. *"He ran the biggest yarn factory in Poland. But communist government no like him, think he have golden goose. So they make things difficult for him, then he go bust. They are bastards. But every millionaire go bust once. Five years ago, I pay for meal for Rafael. Now, he buy meal for me!"*

Wrth i ni ddychwelyd at y byrddau, eglurodd ychydig ymhellach am y drefn economaidd. *"I tell you one thing for free, my friends: marketing kills the market. I know about sound, have idea for promoting JB sound systems. Good quality – but expensive. Marketing is: find out what people want. But people want shit. So you make shit for them and shit is cheap.*

"Same with films. Bad films drive out good films. I make two good films in Poland, then nothing. I go America, get a good job – five years. Then they give me pager, you know bloody pager? Go bleep bleep all day, all night. Then one day I say Fuckit, enough. But no worry – I go back to Krakow, where I like. But enough – I talk too much."

Yna fe'n cyflwynodd i rai o'i reolau bwyta ac yfed. *"Now we have red wine. But you must mix with water. Important: best for eating. And no drink cold beer. Much cold beer make man cold, drain out warmth, life. Polish sweet vodka nice, also Polish mead with honey. I always take honey, never sugar. Often, I carry a jar in my pocket… You drink what you need. With food, too. You need five elements: sweet, sour, salty, bitter, warm. So you eat what you need. No rules."*

Rhaid bod yr actoresau wedi clywed hyn o'r blaen, ond doeddan nhw ddim yn poeni. Aeth y noson yn ei blaen yn hwyliog. Ar ryw bwynt, pan sylwodd Tomaso fod y merched a Maya'n sgwrsio'n frwd ymhlith ei gilydd, amneidiodd arnaf.

"I need smoke, Meirion. You come, too?"

Codais eto a'i ddilyn yn ôl i'r lolfa Rufeinig i fyny'r grisiau. Eisteddasom ar ymyl y ffynnon o dan y Rufeines ifanc, noeth. Cynigiodd sigarét i mi ac fe'i cymerais yn erbyn fy arfer. Wedi iddo gynnau'r ddau â thaniwr oedd hefyd yn aur, meddai'n gynllwyngar, *"I like girls. You, too?"*

Ni allwn wadu hynny.

"Everybody think I playboy. But I'm no playboy – believe it. If no fuck – no problem. I no fuck Andela and Maria, not any more. I no care, they my friends ...Tonight I enjoy, Meirion. You listen, you give me energy, warmth. So maybe I have girl tonight. But if no girl, OK, tonight was not girl night. I'm happy, it was not to be.

"But tell me, you hear me talk about five element for food. You think I talk shit?"

Dim o gwbl, atebais: mae pawb yn dilyn syniadau negyddol, Americanaidd am fwyd a iechyd o hyd. Yn lle meddwl am be sy'n dda, meddwl o hyd am osgoi be sy'n wael.

"You are right, man. I have written book about food. Greek lady, she give me ideas. She say: eat all the elements! Eat everything! This is the truth. And very good idea to make money..."

Cytunais. Ni allai fethu petai'n cyhoeddi llyfr yn dweud ei fod yn iawn i bawb fwyta beth bynnag maen nhw eisiau. Yn wir, mae'n fformiwla sydd eisoes wedi profi'n broffidiol iawn i rai awduron.

"You understand, Meirion! It's so simple! This is what I do, too. I want to publish book, but to make money, you gotta have money. It's always the problem. I need support, so first I photocopy pages to show around. This book is very strange. Things happen – I no understand."

Chwythodd gylch o fwg i fyny at y Rufeines. *"People either like book very much, or no like. Intelligent people – people positive for life, people like you – they buy at once, give money, read straight away. But others, like my sister, who is sick, and really need it – she say no! That's life! You give to people who no need; people who need, they don't take! It's crazy!*

"But I tell you about Miss Poland. Legs right up to here, curves in all the right places. Very beautiful. She get job as government spokesman, but she country girl, she nice, and everybody know: she likes it! I go to her, I write in book for her, 'For warmth, for life, for you – please support.' And she say yes – she will write a message for me. She will come back, don't know where, don't know when – but she will come back to me, I know it: the most beautiful girl in Poland! And I will publish the book and make money."

Diffoddodd ei sigarét, a thynnu un arall o'r pecyn a'i gynnau'n ofalus gyda'i daniwr aur.

"Let me tell you something about sex. The woman always takes. I always give. The woman give her beauty, her body. No give herself. I give myself – I give everything. And let me tell you something else. Never pay for it, Meirion. I knew girl for one month. Very nice, beautiful, we get on well, but she made me pay for it. Never do it, Meirion. Worst ever – better wank!"

Sugnodd yn araf ar y sigarét, ac edrych allan drwy'r ffenest ar doeon tywyll Krakow.

"Tell me," meddai, *"your girl, she nice?"*

Eglurais mai newydd gwrdd â Maya yr oeddwn i.

"But she is nice," meddai. "I know it. Quiet, but nice. I like women. Helmut, he like children; me, I like women.

"Helmut, he was my boss. Great guy, German, very intelligent, but hippy. We work in Wienna, do gardens for the very rich. You know Hindergasse? – all Jews, all millionaires. But every year, he go five weeks vacation to Abyssinia to get weed – he smoke. Then I do the gardens, tap in the secret codes. It's trust, you understand?

"Beautiful Jewess, she alone, she ask me to sit down in garden. Then she bring out coffee jug, china cups, silver tray and she ask me to talk. Yes, she pay me to talk. No gardening, no fucking, just talk. But when we do the gardens, we do them very, very well, Helmut and me. But I talk too much now, too – we go back to the girls, yes?"

Gwelwn fod Maya wrth ei bodd o weld Tomaso'n ôl. Wrth fwynhau'r coffi a'r gwirodydd – i gyd ar gost Sine Cymru, wrth gwrs, ond roedd fy nghydwybod bellach wedi'i lleddfu gan ddadleuon ardderchog Tomaso – fe awgrymodd ei gynllun ar gyfer gweddill y noson.

"Tonight, spezial night. We have enjoyed good, warm food and wine – now we enjoy good, warm music. We go to Harry's Jazz Club. Very hot group there tonight, black guys. Muhamad, he play tonight, guitarist. You must see. And only 10 Zloty. What is 10 Zloty? Pff – nothing!

"I explain: proprietor of Jazz Club, Feliks. He is like Rafael, around fifty. He own three restaurants here in Krakow. All make big money. But jazz: he make no money from jazz. He must pay musicians, many costs. But jazz for him, the most important thing in life. He, too, Quality Man."

Daeth yr amser i mi dalu'r bil ac fe fanteisiodd Tomaso ar y cyfle i'm cyflwyno i Rafael ei hun, dyn tawel a edrychai'n debycach i athro ffiseg na pherchennog bwyty gwychaf Krakow. Wrth i mi dynnu'r cerdyn credyd o'm waled, siarsiodd Tomaso fi, gan sibrwd yn uchel yn fy nghlust, *"And now – be generous, man! 20% tip normal in Krakow!"*

⋆ ⋆ ⋆

Arweiniodd Tomaso ni drwy strydoedd y ddinas. Roedd hi'n nos, y traffig wedi prysuro, a phobl ifanc yn barau ac yn griwiau'n gweu heibio i ni ar eu helfa am hwyl. O flaen Maya a minnau roedd ffigwr Tomaso'n igam ogamu, merch yn pwyso ar bob ysgwydd. Pan fyddai ganddo bwynt pwysig i'w wneud, byddai'n aros ar y palmant a chwifio'i freichiau fel pregethwr. Yna byddai'r actoresau'n ailgydio ynddo a chario 'mlaen i gerdded, yn driawd hapus, tlawd.

Weithiau byddai angen croesi'r briffordd. Gwnâi hyn yn y dull mwyaf peryglus gan anwybyddu'r dynion bach coch yn fflachio yn eu ffwnelau du. Gwelais un gyrrwr yn ei regi gan daro'i fys ar ei dalcen.

Atgoffodd hyn fi o ryw ffilm Eidalaidd. Mae 'na un, on'd oes, lle mae 'na gymeriad byr, bywiog, gwyllt yn ymhél â blonden dal a bronnog. Tybed ai actio yr oedd Tomaso trwy'r amser? A oedd o wedi ffeindio rhan oedd yn ei siwtio'n berffaith – ac wedi newid ei enw ar gyfer y rhan, o Tomasz i Tomaso?

Meddyliais: oni ddylem i gyd chwilio am ryw ran wych a gwirion ac actio honno yn lle trio mor galed i fod y peth tra *boring* ac amhosib hwnnw, 'ni ein hunain'?

Ni chofiaf bopeth a ddigwyddodd yn Harry's, ond cofiaf Tomaso yn tynnu'i siaced a'i grys sidan ffrilog a dawnsio gyda Maya yn ei grys-T oren, ei wallt a'i freichiau'n saethu i bob cyfeiriad. Newidiodd y band i rythm Bossa Nova a sylwais ar ystumiau rhywiol ac awgrymog Maya. Yna, wedi eitem arbennig o danllyd, aeth Tomaso i fyny at Muhamad a dweud, *"You spezial, man!"* Atebodd Muhamad yn ôl, efo gwên lydan, wen, ddanheddog, *"And you spezial too, crazy man!"*

Do'n i ddim wedi disgwyl y math yna o ddawnsio gan Maya ac ro'n i ychydig bach yn eiddigeddus. Yna, yn wridog o'r dawnsio, fe'm tynnodd i'r llawr ddawnsio. Pryfociodd: "Petaech chi'n Quality Man, fasech chi ddim yn eistedd fan'na fel delw!" A chawsom gwpwl o ddawnsfeydd mwy dioglyd gyda'n gilydd – doedd dim pwynt imi drio cystadlu â Tomaso. Ei llaw ar fy ysgwydd, fe fynnai ddawnsio'n reit glòs, ond wnes i ddim meddwl mwy am y peth.

Mae'n siŵr y gallasai Tomaso fod wedi gwneud fel y mynnai â Maya – roedd hi wedi dotio arno – ond gŵr bonheddig oedd Tomaso, ei hun yn Ddyn o Ansawdd. Tua diwedd y noson, gadawodd y merched ar lawr y ddawns, a dod draw at y bwrdd lle'r oeddwn i'n eistedd. Arno safai corniwcopia o ddiodydd ecsotig a melys yr oedd ef wedi'u hargymell a minnau wedi talu amdanynt. Gafaelodd yn un ohonynt a dymuno'n dda i mi.

Dim ond ni'n dau oedd wrth y bwrdd. Yr oedd fel petai'n awyddus i gael gair personol. Meddai, *"Jazz give me energy, warmth. I love it, I need it – but it's not enough for me."*

Atebais innau ei fod fel petai'n mwynhau bywyd i'r eitha.

"Yes life, I love it. But I – ideas man."

Pwysodd yn ôl yn y gadair, ychydig yn ddigalon, ei fysedd yn rholio bonyn tenau'r gwydr hir. *"I have ideas for films but no money. Always people steal my ideas. I talk too much, I trust too much, so I get nothing. All I ask is a little money and a chance to work – do real work. Every week I do half-hour spot on Radio Jazz Krakow. I know people enjoy it – they phone, they write to me – but I get just 100 zlotys. Real work, that's what I need. Real man needs real work. Understand?"*

Roedd yna olwg drist arno'n sydyn, rhyw olwg na welais

ganddo o'r blaen.

Mae'n fyd caled, oedd fy ateb llipa, gan ychwanegu nad oes yr un system yn berffaith.

Yna cododd ei hwyliau eto. Llanwodd fy ngwydryn o un o'r poteli lliwgar. *"Perhaps you are right. Maybe it was not to be. I was born late on a Saturday night, or Sunday morning. So perhaps it was destined to live by doing nothing much …Is it fate? But I don't believe it."*

Beth allwn i ei ddweud i'w gysuro? Weithiau mae'n well dweud dim. Cymerais ddracht o'r hylif euraid.

Yn y saib gwrandawon ni ar Muhamad yn cael hwyl arbennig ar ryw riff hir, tannau'r gitâr yn clecian fel bwledi rwber, a'r dawnswyr yn arafu ac yn sefyll, i'w edmygu.

Edrychodd draw ataf, wedi cynhyrfu, *"Let's go back,"* meddai gan godi o'i sedd. *"That man play crazy stuff. It's life – I love it!"*

★ ★ ★

Fe gwrddon ni eto am bedwar y pnawn wedyn yn y Castell. Buaswn i wedi ymuno â nhw ynghynt, ond doedd wiw imi golli sesiwn y bore ar 'Y Ffilm Geltaidd'. Ro'n i'n un o'r panel, a phetai un o'r bwrdd rheoli wedi digwydd clywed nad o'n i'n bresennol, mi faswn i mewn trwbwl. Rywust neu'i gilydd, llwyddais i falu fy ffordd trwy'r ddwyawr. Mewn difri, oes y fath beth â 'ffilm Geltaidd'? Ond os nad oedd, sut allwn i werthu fy ffilmiau?

Sylwais fod Tomaso a Maya'n reit wridog a thafotrydd. Yn amlwg cawsent ginio gwlyb ac estynedig yn un o selerau tywyll neu erddi cudd y ddinas. Ar y llaw arall, roedd yr actoresau, a oedd hefyd newydd gyrraedd, yn ffres a sbriws ac wedi ymbaratoi'n ofalus ar gyfer y nos Sadwrn. Roedd un ohonynt yn *platinum blonde,* ei gwallt hir yn gorwedd fel mat ar ei chefn, gwisg blaen, ddu a chefn-noeth – Berlinaidd iawn; y llall yn fwy 'mod' efo gwallt wedi'i gropio'n fyr a thlysau pinnau-cau yn hongian o'i chlustiau. Mi fuasen nhw'n drawiadol iawn ugain mlynedd yn ôl.

Dangosodd Tomaso y palasau brenhinol i ni, a'r eglwys, a'i hoff Swyddfa Bost. Bellach roedd yr haul yn araf fachlud dros Krakow: yr hen ddinas a'i thoeon yn fudrgoch islaw i ni, a'r afon yn troelli fel neidr aur o'i chwmpas.

Fe gerddon ni'n araf drwy'r strydoedd culion i lawr at ganol y dre. *"I have tickets for best cabaret in Poland,"* meddai Tomaso gan chwifio'r tocynnau – y talodd Maya, y tro hwn, amdanynt. *"Very lucky tonight. Very popular Saturday night – often sell out. It is best for music, best for drama, I promise."* Wedyn wrtha i: *"And Maya and me, we translate for you."*

Sylwais fod ei law am ei chanol, a'r ddwy actores y tu ôl. Ond a oedd Maya'n hyddysg mewn Pwyleg? Oedd hi'n siarad yr iaith, neu o leiaf yn cyfieithu ohoni? Pam lai – oni fu Vilnius yn ddinas Bwylaidd am ganrifoedd?

Roedd gennym awr a mwy i'w lladd, felly gwahoddais y cwmni am goffi a *torte* yn un o'r caffis agored ar sgwâr yr hen dre.

"You see golden roof," meddai Tomaso gan bwyntio at do pum canrif oed yr hen farchnad. *"That's why I smoke only gold-ringed cigarettes. Poland rich country, Krakow rich city – but people don't know it. People so stupid. It is sad. I tell you: Krakow richest city in the world for art and architecture. It's everywhere.*

"I go to art exhibition last month: Titian, Raphael. I gotta see the Madonna of Titian, but no money. I tell girl on the door, please I must see Madonna of Titian, or I die. So she let me in. The Raphael do nothing for me. But the Madonna of Titian, she smile at me when

*I smile at her; she stop smiling when I stop smiling. I was so happy,
I kissed the girl on the door. Then she smiled too – and her smile was
the best of all."*

Yn y man chwaraeodd y trwmped ei dôn doredig. Roedd hi
eisoes yn chwech o'r gloch y nos. *"You hear that,"* meddai'n
hapus, *"That man, he's real. That sound remind everybody that
Poland free country. Not like Germany, where you have Princes, and
everybody else serfs. In Poland, free men have same right as the king.
Poland not so strong, but more free."*

Cynhaliwyd y cabaré mewn hen seler o dan un o'r adeiladau
dinesig ar y sgwâr. Roedd y lle dan ei sang. Sylwais fod y
gynulleidfa'n reit hen a pharchus, y math o bobol fyddech
chi'n disgwyl eu gweld, nid mewn seler dywyll, ond yn
rhedeg y sioe yn y swyddfeydd eang uwchlaw. Doedd 'na 'run
twrist yn agos.

Eglurodd Maya ystyr yr eitemau: rhai'n dychanu'r Rwsiaid a'r
Almaenwyr, un sgets ddoniol am wraig yn trio'i gorau i adfer
bywyd rhywiol yn ei gŵr. Wedyn daeth ambell wleidydd
dan yr ordd, a chwpwl o gyflwynwyr teledu. Am yn ail â'r
dramodigau perfformiwyd eitemau cerddorol clasurol o safon
uchel, y datganiadau'n llawn asbri.

Doedd 'na ddim ymgais i newid y set. Hongiai llenni
trymion hufen y tu ôl i'r llwyfan, wedi'u plethu o gwmpas
un canolbwynt o olau gwyn a choch, sef lliwiau baner Gwlad
Pwyl. Daeth y sioe i ben â pherfformiad gan foi a oedd rywsut
yn debyg i Dafydd Iwan, ei ganeuon gwlatgarol yn amlwg yn
cyffwrdd â thant yng nghalon y gynulleidfa.

Ond nid Cymru ro'n i ynddi ond gwlad – roedd yn rhaid
i mi gyfaddef – oedd yn gryfach a balchach na ni. Eto, efo
naid o ddychymyg, mi allwn fod yng Nghymru hefyd. O ran
wynebau'r bobl, a'u ffordd gynnes, hyderus o siarad, mi allwn
fod ar faes yr Eisteddfod.

"Agree?" meddai Tomaso gan fy mhrocio. *"Best in Krakow, best in Poland. And music the best. Yes no jazz – but for jazz you go jazz club, no?"*

Doedd Tomaso ddim yn un i wastraffu geiriau ar ffarwelio ofer. Gwyddem na fyddem ni byth yn cwrdd eto. Doedd ganddo ddim cyfeiriad sefydlog, a go brin y byddai'n gallu fforddio mynd i Ŵyl Ffilmiau y tu allan i'w ddinas ei hun.

"Now we go night club, OK," meddai gan gydio yn y ddwy actores, *"– but Private Party."* Plygodd a chusanu Maya ar ei llaw. *"I remember Lithuania for ever, and I remember Wales too, Meirion."* Cydiodd yn fy llaw i. *"Quality Men not just in Krakow! One day, we will rule the world. Or maybe not."*

Roedd fy ateb yn fwy emosiynol nag a ddisgwyliais. *"But one thing I do know, Tomaso: you're a star, and I also know it's more important to be a star in real life than in a film!"*

Cydiodd yn fy llaw i eto, yna troi at Maya a'i chofleidio, cyn troi'n sydyn i ffwrdd.

Aeth Maya a minnau am ddiod i'r babell gwrw a godwyd ar ganol y sgwâr, lle'r oedd yna ddeuawd 'wmpa' yn trio codi stêm ar allweddell a drymiau. Bob hyn a hyn dôi bloedd swnllyd o gyfeiriad byrddaid o Almaenwyr meddw ar eu gwyliau. Codon ni wydryn yr un o'r cwrw melyn, poplyd, a rholyn o *Bockwurst* i lanw twll yn y stumog.

Wedi'i chyffroi gan y sioe – a phethau eraill, mae'n siŵr – parablai Maya'n rhydd. Yn amlwg, fe ddeallai'r cyfan gan ymateb yn ddwfn i'r elfennau gwladgarol. Ond gwyddwn y byddai yna benderfyniad anodd i'w wneud cyn bo hir gan fod Maya'n aros yn ardal y Castell, a minnau yn llety'r Brifysgol i'r cyfeiriad arall.

Aethom i un o'r caffes ar y sgwâr am ddiod olaf, un boeth a Phwylaidd y tro hwn. Croesai parau cariadus heibio i ni o'r chwith ac o'r dde. O'r pellter nofiai pytiau o'r miwsig wmpa draw atom fel sŵn o long yn y niwl. Ac roedd 'na leuad denau, croen lemwn, yn hongian uwchlaw'r hen neuadd farchnad ganoloesol.

Roedd yn anodd peidio bod yn rhamantus ac ro'n i'n asesu fy nhacteg pan ganodd y trwmpedwr ei hanner cân. Roedd hi'n hanner nos.

"Dyna fo eto," meddwn. "Fawr o job, nac 'di: gorfod edrych ar dy wats drwy'r nos i ganu dim ond hanner tiwn."

"Gwell na dim job o gwbwl," atebodd Maya, "fel Tomaso."

"Mae ganddo fo raglen ar Radio Jazz Krakow."

"Na, nid swydd yw hynny. Buodd e'n gweithio i Wadja ei hun."

"Mae'n siŵr bod 'na gannoedd wedi gweithio iddo fo dros y blynyddoedd."

"Ond dylai fod yn creu, yn cyfrannu, yn cyflawni."

"Dylai, ond nid fo ydi'r unig un."

"'Sai'n dweud hynny. Mae dynion fel fe wedi'u dala mewn trap, rhwng dwy system. Does dim lle iddyn nhw. Arian sy'n rheoli popeth nawr."

"Ond wnaeth sosialaeth ddim gweithio chwaith."

"O leia fe fuasai wedi cael gwaith o dan yr hen drefn."

"Ti'n siŵr? Meddylia am yr holl gynhyrchwyr ffilm Pwylaidd a Tsiec a ffodd i America."

"Fe driodd Tomaso America hefyd, a methu diodde'r lle."

Do'n i ddim yn siŵr i ble roedd hyn yn mynd â ni. "Wel, be 'di'r atab?"

"Dwn i ddim," atebodd Maya, "ond mi wn i un peth. Roedd

rhan o'r ateb yn y cabaré heno. Mae 'na werthoedd eraill, on'd oes – rhai sy'n para beth bynnag yw'r drefn."

"Wel buasai'r boi efo'r utgorn yn cytuno efo ti, dwi'n siŵr."

Chwarddodd Maya. "A tithe, hefyd, Meirion. Wyt ti'n cytuno?"

"Wel ydw, wrth gwrs."

"Wel pwy fase'n meddwl!" chwarddodd.

Edrychais draw ati'n sipian y *liqueur* ceirios, ond roedd hi'n edrych yn syth yn ei blaen ar y sgwâr a'r hen adeiladau a'r lleuad isel. Rhaid bod 'na lifeiriant o bethau'n rhedeg drwy'i phen. Petai Tomaso, ac nid fi, yn eistedd yma, dwi'n siŵr y buasai ganddi ddigon i'w ddweud.

Yna cofiais fod gen i un sigarét aur yn fy mhoced, un o rai Tomaso, yr oeddwn wedi'i derbyn o ran cwrteisi ond heb ei smygu.

"Malio 'mod i'n 'smygu?" gofynnais i Maya.

Edrychodd draw a phan welodd y rhimyn aur, meddai, "Dim o gwbl, Meirion."

Taniais y sigarét a thynnu arni unwaith, a'i phasio draw ati hi.

"I ti mae hi, Maya."

"Ond dwi heb smygu yn fy mywyd o'r blaen," meddai, gan ei rhoi yn ei cheg, a'i sugno'n ysgafn. Pesychodd, ac edrych draw ata i yn ferchetaidd a drygionus, ond sylwais fod ei llygaid yn llaith.

Roedd y lleuad croen lemwn yn dal i hongian uwchben yr hen neuadd farchnad. Fel Maya a minnau – ac fel y trwmpedwr yntau – roedd hi wedi'i rhewi gan yr eiliad, yn stond ar ganol ei thiwn. A doedd gen i, chwaith, ddim mwy o diwn i'w chwarae, y noson honno yn Krakow.

– 8 –

ROEDD YN FORE LLUN ac yn wlad a theyrnas wahanol. Roedd deng munud yn fy swyddfa yn ddigon i ysgubo atgofion ac emosiynau'r penwythnos allan o'r pen a diflannodd Llio, Maya a Tomaso gyda'i gilydd i ryw gell yn selerau'r ymennydd.

Edrychais allan drwy'r ffenest at yr olygfa dros y Bae draw i Benarth, ac ar y gwylanod yn deifio trwy ryddid yr awyr. Eisteddai rhesaid ohonyn nhw ar aden yr eryr o efydd, draw ar y chwith i mi. Am eiliad eiddigeddais atyn nhw a'u rhyddid.

Ond dychwelyd at waith oedd raid, ac at wythnos arall o galedwaith seneddol. Ar wahân i sesiynau agored y Senedd, mynychu pwyllgorau ydi prif ddyletswydd pob Aelod a rhaid ffitio popeth arall o'u cwmpas nhw. Es trwy fy nyddiadur gydag Anna, fy PA effeithiol a hyfryd.

Roedd yna sesiwn seneddol agored yn y pnawn, a minnau i lawr i eilio rhyw gynnig dibwys. Roedd yna gwpwl o gyfarfodydd busnes wedi'u clustnodi, un efo Jenny Stewart, ysgrifennydd preifat un o'r gweinidogion Llafur.

Gwas sifil proffesiynol yw hi – Rhydychen ac yn y blaen – ond mae'n un o'r rhai prin hynny sy'n hwyl ac yn help gwirioneddol i gael y glymblaid anodd yma rhyngon ni a Llafur i weithio. Does dim lol efo Jenny, ac os bydd yna gyfaddawd geiriol anodd i'w wampio mi fydd ei llygaid hi'n gwenu'n ddireidus gan groes-ddweud awgrymiadau swyddogol ei bòs. Rydan ni'n deall ein gilydd ac fel arfer yn llwyddo i sgwario'r cylch.

Roedd hynny'n fonws i edrych ymlaen ato; hefyd roedd gen i

fy nghyfarfod wythnosol efo Dave Hitt o'r *Welsh Mail*. Nid yr un pleser o gwbl, ond eto, hwyl o ryw fath. Rydan ni'n dau yn deall y gêm erbyn hyn ac yn mwynhau tynnu ar ein gilydd.

"Symudwch y cyfarfod yna efo Hitt ymlaen tan saith o'r gloch heno," dywedais wrth Anna. "Gen i lot ymlaen. Ac awgrymwch y Cutting Edge – neith o ddim gwrthod."

Ond gwyddwn un peth ynglŷn ag amserlen yr wythnos na wyddai Anna, sef y gallai rhywbeth godi yn Amser y Llywydd fore Mercher. Gofynnais iddi gadw bwrdd i mi yn Le Gallois ar gyfer nos Fawrth am 9.30 a chadarnhau hynny gyda PA Deri Smith ar y mewnrwyd. Hefyd roedd yna femos o'n i wedi'u llefaru i mewn i'r Siemens. Eglurais wrth Anna beth oeddan nhw, gan wybod na fyddai angen i mi edrych ar ei gwaith.

Ehedodd y bore ac yn ddiarwybod i mi, bron, mi ges fy hun yn siarad ar lawr y Senedd ar gynnig ynglŷn ag ariannu addysg feithrin. Unwaith eto, ro'n i'n hogi cleddyfau â Gareth Webb. Tori ifanc boldew, hunangyfiawn ydi o, wedi gadael Plaid Cymru, a dyna pam y mae o mor filain â mi wrth gwrs. Fel y rhan fwyaf o'r Torïaid, mae'n ymhyfrydu yn y rhyddid a'r sylw a gaiff ar feinciau'r wrthblaid, heb y cyfrifoldeb o orfod llunio polisïau sy'n gweithio yn y byd real.

Mae'n braf iawn arno fo a'i fath.

"Ga i ofyn i'r Aelod Anrhydeddus beth yw'r ddarpariaeth ar gyfer y Rhanbarthau Cymraeg?" gofynnodd gan chwarae â'i dei glas â'r dreigiau coch, yr un y mae o wastad yn ei wisgo.

Atebais, "Dwi'n falch o ddweud y caiff y Rhanbarthau Cymraeg yr un fantais â gweddill Cymru o'r £2 filiwn rydan ni'n ei gynnig ac mae yna ddarpariaeth arbennig yn y cynnig ar gyfer defnyddiau Cymraeg a dwyieithog."

Ychydig a wyddai Webb fod y consesiynau hyn yn rhai y bu

Jenny a minnau'n gweithio arnynt am oriau maith.

Wedi cyfnewid pellach, meddai Webb, gan anwybyddu'r cyfan, "Unwaith eto, mae'r Llywodraeth hon yn gwrthod cydnabod anghenion arbennig y Rhanbarthau Cymraeg. Mae hi unwaith eto'n bradychu'r Gymraeg fel iaith gymdeithasol. 'Dan ni rŵan yn gweld beth oedd gwir bwrpas pasio'r Mesur Rhanbarthau y llynedd: esgus i wneud dim ac i olchi dwylo."

Dwi'n gyfarwydd â sefyllfaoedd fel hyn wrth gwrs. Dwi'n gyfarwydd â Webb, ac fe wn i'n weddol sut i gau ei glep.

"Ga i dynnu sylw fy Nghyfaill Anrhydeddus fod y £2 filiwn yma yn arian newydd sbon. Does dim posib i ni roi mwy i rai ardaloedd, heb dlodi ardaloedd eraill. Mae'r Gymraeg yn iaith i Gymru gyfan, ac i bawb sy'n byw yma. Dyna un peth rydan ni ym Mhlaid Cymru a'r Blaid Lafur Gymreig yn gytûn arno."

Es ymlaen, gan godi stêm, "Rhaid i bob plentyn bach yng Nghymru gael y cyfle i ddysgu Cymraeg. Dwi wedi hen flino ar y siarad 'ma am hawlia lleiafrifol ac am sôn am y Cymry Cymraeg fel taen ni'n frid arbennig o dylluan. 'Dan ni pia Cymru i gyd, a Chymru i gyd sydd bia'r iaith. Dwi'n cynnig yn ffurfiol ein bod ni'n cau'r drafodaeth ac yn symud ymlaen i bleidlais."

Gwelwn o'r olwg ar wyneb Webb ei fod o'n berwi. Ro'n i'n hapus ar hynny. Mae o'n ffŵl gwirion. Pasiwyd y cynnig yn union fel yr oedd. Petai Webb wedi bradychu'i blaid er mwyn cael grym personol, byddai hynny'n ddealladwy. Ond trwy ymuno â'r wrthblaid ac ag adain dde'r Senedd, mae o wedi'i sbaddu'i hun yn wleidyddol ac yn syniadol.

Es am baned wedyn i'r ffreutur efo Alun Fox, ond methu canolbwyntio ar y sgwrs. Do'n i ddim yn siŵr ai'r gwrthdaro efo Webb oedd wedi 'niflasu, neu'r atgof am Llio a'm trawodd wrth weld rhai o staff yr Oriel yn mwynhau coffi wrth un o'r byrddau gyferbyn â ni.

Ro'n i wedi trio ei ffôn gartref ddoe ond heb ateb. Penderfynais y dylwn gael gair personol â hi, os gallwn i, cyn gweld Hitt.

* * *

Trois am yr Oriel ychydig wedi pump o'r gloch i ddal Llio cyn iddi adael. Gwthiais y chwilddrysau gwydr gan ymuno â dau neu dri oedd yn tin-droi yn y cyntedd. Heb y gwin, y gymdeithas a'r nos a'i oleuadau, roedd o'n lle gwahanol ac oeraidd.

Penderfynais beidio taclo Llio yn ei swyddfa gan aros amdani yng nghwmni'r celfsbecwyr eraill. Tra o'n i'n aros crwydrais draw at rai o'r cynfasau mawr, newydd oedd yn wynebu'r drws, rhai gan Penny Prendelyn, Iwan Bala, ac un Kyffin llwyd-a-du a gostiodd ffortiwn.

Ac yna daeth hi o'i swyddfa mewn siwt ddu, sbectol *lime green*, a *briefcase* yn ei llaw.

"Smai, Llio…"

"Helô, Meirion …rwy ar frys braidd," meddai.

"Ro'n i jyst am ymddiheuro am y blerwch bnawn Sadwrn. Doedd gen i ddim gobaith cysylltu. Es i 'mlaen i Glwb Ifor – Guto a'r band yn chwarae 'no…"

"Ond doedd dim ots, ta beth."

"Wel, mi ffarwelion ni braidd yn frysiog, on'd o?"

"Do fe? Ta pu'n, es i adre biti dau."

"Mor gynnar â hynny?"

"A'th hi'n gymylog a ta beth, o'n i'n starfo."

"Felly wnest ti ddim defnydd o'r ffridj 'cw?"

"Ond pam ddylen i?"

Roedd y sgwrs wedi troi'n wirion. Roedd rhywbeth wedi digwydd. Y Llio arall oedd hon, yr un siarp, sbectolog – a'u gwisgo nhw am steil mae hi wrth gwrs. Ie, *Art School kid* oedd hon.

"Wyt ti'n rhydd am bryd wythnos nesa, Llio? Rhaid i ni gael sgwrs."

Awgrymodd ein bod ni'n symud o ffordd y bobl ac aethon ni at yr Iwan Bala, erthyl o beth mawr, du-a-gwyn, yn hongian o'r nenfwd.

"*Rhaid?* Sdim byd i'w drafod, Meirion."

"Be ti'n feddwl?"

"*It's all over.*"

Triais amsugno'r sioc. "Dwi ddim yn dallt hyn, Llio. Mi gawson ni amsar da, amsar da uffernol…"

"Falle do fe, ond cethon ni'n dau lot gormod i'w yfed hefyd."

"Wel mi ges i, ond roeddat ti'n ddigon sobor i yrru."

"Wel ces i wedyn."

"Do, dwi'n cofio – fy siampên gora."

Edrychodd arnaf yn dosturiol braidd. "Ond sdim pwynt i'r sgwrs 'ma, Meirion. Roedd e *Just One of Those Things*."

Sut allai hi ddweud hynny? Ai dyna i gyd oedd o?

"Ond mae rhywbath wedi newid, Llio, a dwi ddim yn dallt be. Jyst deud be sy wedi digwydd, ac mi a' i o'ma."

Y tu ôl iddi, o dan res o lampau halogen, yr oedd map hyll, blêr o Gymru wedi'i beintio â brws du wedi colli hanner 'i flew, gydag awyren yn hedfan heibio â thafod mawr, rhydd yn hongian o'i cheg fel llygoden Ffrengig o geg barcud.

Gwylltiais ond yna'n sydyn, ymlaciais. Roedd yr holl sefyllfa'n wallgo ac yn jôc.

"*Fuck me*, Llio: ydi hwnna'n gelfyddyd?"

"Fi fy hunan awgrymodd y dylen ni brynu'r llun yna. Chi ddim yn cofio ni'n trafod e nos Wener?"

Do'n i ddim yn cofio hynny'n glir, dwi'n cyfaddef.

"So rhaid bo chi wedi yfed …ond y'n ni'n rhy wahanol, chi'n deall? Chi'n hen, fi'n ifanc. Chi'n meddwl bod hwnna'n crap, wi'n meddwl bod e'n grêt."

"Grêt?"

"Mae'n wreiddiol, mae'n wleidyddol, mae'n *cutting edge.*"

"Yn wleidyddol, aie? Wyt ti'n hoff o'r wleidyddiaeth, felly?"

"Nage dyna'r pwynt, ife?"

"Ond mae rhywbath wedi digwydd, Llio. Be ydi o? A be yn hollol fuest ti'n neud yn y tŷ 'cw ddydd Sadwrn?"

Gwylltiodd ar hynna. "Cael *tan*, Meirion," gan ddangos ei braich. "Sai'n gwbod beth y'ch chi'n awgrymu, ond chi wahoddodd fi draw 'na, a chi wedodd y gallen i aros 'na."

"Dwi'n derbyn hynny…"

"A wedoch chi byddech chi ddim yn dod 'nôl."

"Wel naddo, ddim yn hollol…"

"So beth o'ch chi'n dishgwl i fi neud? Aros mewn i watsho *Noson Lawen*? A ta beth 'ny, tasen i'n mynd mas – ac fe es i mas – basen i ddim yn mynd i *hell hole* fel Clwb Ifor Bach."

"O dwi'n dallt, ddim digon trendi i ti – ond mi ddeudist ti lot o betha…"

"Wedes i ddim un celwydd, Meirion, ac addawes i ddim byd."

"Ond dwi'n dal ddim yn dallt…"

"Ond sdim byd i'w ddeall... *If you're hot, you're hot, if you're not, you're not,*" a throi ar ei sawdl uchel a diflannu trwy'r drysau gwydr.

Am eiliad, wyddwn i ddim beth oedd wedi 'nharo i. Es i allan, ond troi i'r cyfeiriad arall. Ond do'n i'n dal ddim yn deall. Poeth ac oer. Roedd hi'n boeth – pam ei bod hi rŵan yn oer? Ydi'r ifanc yn gallu switsio mor rhwydd â hynna rhwng brwdfrydedd a diflastod?

Ai dyna i gyd oedd o, neu oedd yna esboniad arall? Oedd hi'n un o'r merched yna sy'n bachu dynion am eu statws a'u hasedau, ond iddi wneud ei syms a ffeindio rywsut bod gen i forgais go hallt i'w dalu'n ôl ar Man Gwyn?

Neu oedd 'na eglurhad lot symlach: iddi fachu dyn arall nos Sadwrn? Ai dyna pam nad oedd hi adre trwy'r dydd Sul? Neu a oedd hi adre, ond yn y gwely efo boi arall – dyn a lwyddodd, o'r diwedd, i'w digoni?

★ ★ ★

'Cutting Edge'? O'n, ro'n i'n brifo, ond doedd 'na ddim amser i fwytho clwyfau. Ymlwybrais at y bistro gan rowndio'r ceiau o flaen y Senedd. Mae'n adeilad pigog, trionglog gyferbyn â'r hen Gynulliad, ei lafn yn torri i mewn i ddŵr yr harbwr.

Yn groes i'm harfer, archebais beint o Stella wrth y bar, ac yfed ei hanner ar fy nhalcen. Yna sylwais fod Hitt eisoes yno, yn dal pen arall y bar i fyny gydag un o staff ifanc, benywaidd y Senedd – ac ifanc iawn, hefyd, fe sylwais. Gobeithio ei fod o'n cael gwell lwc na mi efo'r genhedlaeth iau.

Yn fyr, yn ganol oed ac yn foel, cododd ei drowsus eto dros ei fol. Yn amlwg roedd yn trio'i orau i hudo'r ferch i ryw stâd dafotrydd a fyddai'n rhyddhau rhyw berl am ei phennaeth neu am ei phlaid. Tra oedd ei statws fel prif ohebydd gwleidyddol y *Welsh Mail* o gymorth iddo yn y nod, yn baradocsaidd, ni allai lwyddo heb i'w brae anghofio'r ffaith honno dros dro.

Ymadawodd â'r ferch yn fuan wedi iddo 'ngweld i, ac aethom draw i gornel dawel, o dan un o'r printiau Andy Warhol. Tynnodd Hitt ei feiro a'i bad sbeiral o'i boced. Mae Hitt yn riportar o dras, sy'n well ganddo law-fer na pheiriant recordio.

"Saw Gareth and you at it again like dogs this afternoon, Meirion. He really dislikes you – do you hate him, too?" meddai yn ei Saesneg arferol, er yn deall yr heniaith yn berffaith.

"Dwi'n casáu neb, Dave. Dwi jyst ddim yn poeni am y bygars."

"But you do get people's backs up, don't you?"

"Dwi ddim yn poeni am fod yn ffrindia efo un o aeloda mwya asgell-dde'r Senedd."

"But it's that old Bro Gymraeg issue again. You don't like the idea, do you? Never have? Why is that, Meirion?"

Hen gwestiwn gan Hitt, ond do'n i ddim am din-droi ar hyn a do'n i ddim am iddo roi gofod yn ei bapur i hen, hen gnec.

"Gawn ni symud ymlaen o hynna i gyd, Dave. Wedi'r cyfan, 'dan ni wedi pasio Mesur y Rhanbarthau sy'n cydnabod yr ardaloedd Cymraeg ond mae'n amlwg na allwch chi fyth blesio rhai pobl."

"OK, Meirion, so what's new, then? New girlfriend?"

Mae'r boi'n anhygoel. Ond 'dan ni i gyd eisiau byw, mae'n debyg.

"No new girlfriend, Dave. That's absolutely definite."

"Old girlfriend then?"

"Be ti'n feddwl, *old girlfriend?* Ti wedi'u rhedeg nhw i gyd yn barod yn dy bapur di'n barod."

"I hope you're right. But one or two more may be seeing the light of day, so I hear."

"A be ddiawl ti'n feddwl wrth hynny?"

Oedodd Hitt am eiliad, yna estyn am bapur allan o'i gês. *"Seen this before?"*

Gwelais mai copi o'r rhacsyn misol, *Mochyn Du,* oedd o, epistol gwenwynig Royston Griffiths. Rhyw gylchrawn rag o beth, mor dila ei olwg â'i gynnwys. "Do, o hirbell. Ond fydda i ddim yn darllen y cachu yna. Byth, Dave. Dim hyd yn oed pan dwi'n cachu."

"I don't blame you. But there's a small ad here that may be of some interest."

"Wna i mo'i ddarllen o."

"Well, I'll read it for you, Meirion. It's a little semi-display thing, titled 'Swing it to the Left, Swing it to the Right: the Rise and Rise of Meirion Middleton. A new, unofficial biography. Contributions welcome, anonymity respected', and an e-mail address."

Pwniodd rhywbeth yn fy stumog, ond wnes i ddim dangos dim. *"So bloody what?"*

"Surprised?"

"Peint arall, Dave?"

"Why not? Company taxi."

Pwysais yn drwm ar y bar wrth ddisgwyl y gweinydd. Yn amlwg, doedd fy sêr ddim yn hwylio mewn *sync* heddiw.

Ond doedd Griffiths a'i racsyn yn ddim byd newydd i mi. Maen nhw'n cario rhyw stori amdana i byth a beunydd. Dwi'n ei dderbyn o fel pris amlygrwydd, os nad enwogrwydd.

Fydda i byth yn ei ddarllen o ac mi fydda i'n gofyn i Anna i'm cadw rhag y gwenwyn. Meddyliais fwy nag unwaith am ei wysio am enllib, ond ymchwiliais i amgylchiadau Griffiths a does ganddo ddim dimau. Buaswn i'n ennill dim ac yntau'n cael llwyth o gyhoeddusrwydd rhad.

Ro'n i wedi cwlio lawr erbyn dychwelyd at Hitt. Meddai, wrth ddrachtio'i beint newydd, *"Well, Meirion, if not surprised: worried?"*

"It's nothing new. I expect it will be just like their standard bog paper but stapled together. Coming from them, it'll only do me good."

"I hope you're right… but why the long-standing enmity? You really seem to have alienated certain sectors of opinion."

Gwrthodais gymryd y peth o ddifri o gwbl. Dwi ddim yn cofio sut aeth y sgwrs ymlaen. Yna meddai Hitt, gan eistedd 'nôl yn ei sedd, ei beint eto'n wag, *"Let's cut the crap, Meirion. We go back a long way…"*

Canodd clychau yn fy mhen, fel y byddan nhw bob tro y clywa i'r ymadrodd yna.

"Look, what's in all this for you? All this bloody small-town politics. Is this really your scene? Let's look at the big picture. You're a controversial figure. You're an ideas man, that's your problem. That's your background: academia, the arts. You say the wrong things, you antagonize people, your sex life's too colourful."

"I'll take your word for it. How's yours these days then, Dave? When did you last shag your wife?"

"Look, let's be serious."

"Exactly…"

Cliriodd Hitt ei lwnc, yna, yn or-gyfeillgar, meddai, *"Look, this Plaid thing must be a stop-gap for you. You get around. What's coming up? What's the big one, Meirion? Arts Wales Supremo?"*

Na, go brin, ond roedd yn rhaid i mi chwilio am *sound-bite* neu ddau iddo fo neu mi fyddai'r holl ymarferiad yn ofer. Doedd hi ddim yn ddigon jyst i wadu'r awgrym yna. Byddai hynny'n waeth na dim: *Meirion Middleton Denies Job Interest.*

Chwiliais fy mhen am ryw fuwch sanctaidd i ymosod arni, i roi i Hitt y pennawd yr hiraethai amdano. Gêm yw'r cyfan, wrth gwrs, ac rydan ni'n dau yn deall hynny'n berffaith. Penderfynais ymosod ar yr Oriel, a'i dewis o luniau, a'r criw yna o artistiaid sy'n cael ffafr ar draul pawb arall: y rheina sy'n dilyn y gŵrw newydd Robert Knight.

Be sy'n bod ar Robert Knight, holodd Hitt. O Sais, mae e wedi gwneud cyfraniad anhygoel. Go brin y buasai'r Oriel yn bod hebddo.

"Mae o jyst yn creu *orthodoxy* newydd, dyna i gyd," atebais. "Roedd yr hen un yn daleithiol a Seisnig, yr un newydd yn uniongred Gymreig. A ma' ganddo fo'r rhaglen gelf yna, *Camp,* lle mae'n cael malu cachu ar y teledu am awr bob wythnos am be yffar mynno fo. Mae ganddo fo hawl i'w farn, ond y cwestiwn dwi'n ofyn ydi: faint o'r artistiaid yma…"

Ond am bwy yn hollol wyt ti'n sôn, torrodd Hitt ar fy nhraws.

"Iwan Bala, Anna Gwyn, Penny Prendelyn – rheina. Be dwi'n ofyn ydi: faint o'r rheina fasa'n gallu hawlio lle mewn oriel ar gyfandir Ewrop? Os 'dan ni am berthyn i Ewrop, rhaid i ni beidio meithrin culni newydd fuasai'n ein cau ni allan o brif ffrwd celfyddyd."

"Good stuff, Meirion," meddai Hitt wedi imi orffen. *"I know I can depend on you. But you're clearly a media man. We'll have to come back to that Arts job some other time."*

Archebais un *espresso* olaf a dychwelyd i'r gornel. Roedd hi'n nosi'n gyflym, a'r bae wedi tywyllu. Roedd 'na waith adeiladu hwnt ac yma, ond y craeniau bellach wedi llonyddu rhwng y tomenni tywod ar safle'r heol newydd.

Disgleiriai ffenestri'r Senedd ar y dde i mi yn batrwm digidol, damweiniol o oleuadau sgwâr. Gofynnais i mi fy hun, ai dyma fy lle? A oedd Hitt yn iawn? Ydw i'n hapus yn y sioe yma? Ai dyma lle rydw i am orffen fy ngyrfa?

Roedd blas y coffi'n dda, ac yn fy atgoffa o'r baned olaf yna gyda Llio fore Sadwrn yn Man Gwyn. Felly dyna ddiwedd ar hynna i gyd, hefyd. Ar un wedd, roedd o'n well gorffen, na llusgo'r peth ymlaen a dioddef misoedd o ansicrwydd a phoen. Ond do'n i'n dal ddim yn deall pam. Oedd hi jyst yn *swinger* oedd yn chwarae efo dynion? Ai dyna i gyd oedd o, iddi hi?

Doedd y llun Iwan Bala 'na ddim yn gwneud synnwyr, chwaith. Oedd hi wir yn hoffi'r *wleidyddiaeth?* Hi, yn ei sbectol fawr werdd? Yna, fe'm trawodd: doedd dim posib ei bod hi'n gweithio i Griffiths? Bod y cyfan yn fwriadol? Iddi loetran yn y tŷ nid er mwyn cael *tan* ar ei chroen oedd eisoes yn berffaith, ond er mwyn cloddio am gachu personol amdanaf?

Na, petai hynny'n wir, fuasai hi ddim mor annifyr â mi gynnau yn yr Oriel. Buasai wedi cuddio'i theimladau'n well. Neu tybed? Ydi pobl ifanc yn trafferthu i wneud hynny y dyddiau yma? Felly, dyna i gyd oedd o: ffling ddiystyr yng ngwres y funud?

Yn sydyn, teimlais 'mod i'n rhy hen i'r gêm yna i gyd. Oeddwn i'n rhy hen i'r gêm wleidyddol, hefyd? Ai ffling ddiystyr oedd honna, hefyd, i mi rŵan?

–*9*–

WEDI DYCHWELYD i Man Gwyn, cymerais gip ar fy nghyfrifiadur jyst rhag ofn y gallasai Llio neu rywun arall fod wedi ymyrryd ag o. Welwn i ddim byd amlwg – a beth bynnag, doedd 'na ddim pwynt. Faswn i ddim callach heb gyngor arbenigwr. Yna, yn fwy petrus, agorais y drôr o dan y gwely lle dwi'n cadw rhai eitemau personol, ynghyd â'm dyddiadur.

Doedd dim byd amlwg o'i le. Diolch byth am hynny. Faswn i ddim eisiau i neb weld y dyddiadur.

Arllwysais wydryn o Southern Comfort ar iâ i mi fy hun, a theimlo fymryn yn well. Dydi'r math yma o baranoia ddim yn fy natur i. A rhaid i mi gofio 'mod i'n ddwywaith oed Llio. Mae'r ifanc yn wahanol efo'r pethau yma, yn fwy di-hid a byrbwyll. A dwi ddim mor gyfarwydd ag ymgodymu rhywiol ag yr oeddwn i – cystal i mi fod yn onest.

Oedd y cyfan, felly, yn golygu dim – y sgwrsio, yr herian a'r dadlau? Ond mi roedd o'n ddilys, on'd oedd, ar y pryd? *If you're hot you're hot, if you're not, you're not,* medda hi. Ond roedd hi'n boeth y noson honno – ac yn uffernol o boeth, hefyd.

Wrth lyncu gweddillion y chwisgi, cofiais am rai o'r pethau wnaeth hi i mi, a'r chwarae yna yn y bàth. Roedd y cof yn fy aflonyddu, ac yn teimlo'n afreal os nad yn anghredadwy erbyn hyn. Oedd, roedd hi'n brofiadol, yn gwybod y triciau, yn gwybod sut i atgyfodi'r meirw, a go brin imi ei phlesio'n llwyr wedyn. Na, fyddai fy mherfformiad ddim yn haeddu troednodyn hanesyddol yn *The Joy of Sex*.

Ond mae mwy i'r peth na blys, on'd oes? Yr agosatrwydd ydi'r peth ffantastig am ryw, ac fe gawson ni hynny, ro'n i'n tybio. Ond eto mae 'na ferched sy'n teimlo'n rhydd o'r angen am gysylltiad personol. Mae 'na rai sy fel dynion, sy jyst yn flysiog, ac yn taflu dyn i'r domen ar ôl defnyddio'i gorff.

Cofiais yn sydyn am Bridgi, y ferch o Berlin. Merch go ryfedd – neu ai hi, yn y diwedd, oedd yn gall, yn gwneud heb y celwydd i gyd?

★ ★ ★

Cwrddais â Bridgi yn fuan wedi i bethau chwalu efo Margot. Roedd hi i ffwrdd am ddeufis yn chwarae jazz yn Hwngari, meddai hi, efo rhyw grŵp. Ro'n i yn Llundain ar fy mhen fy hun, roedd hi'n haf ac yn *silly season* ar y gwaith, ac mi benderfynais godi tocyn i Berlin.

Os oedd hi, Margot, yn rhydd i grwydro Ewrop, pam na allwn i? Beth oedd yn fy rhwystro ond rhyw atalfeydd mewnol, gwirion? Do'n i erioed wedi bod yn Berlin, oedd yn reit anhygoel o ystyried y byd ro'n i'n troi ynddo fo. Ro'n i wedi clywed cymaint am y lle, y clybiau a chyffro cyfnod Weimar, felly bwciais westy oddi ar y Ku'damm, y brif stryd, a dal awyren i'r Tegel.

Mi wyddwn yn burion nad ydi Berlin bellach yn un rhesaid o gabarets ugeiniol ond, yn sgil cwymp y Mur, ro'n i wedi darllen bod 'na glybiau go ddiddorol wedi codi ar yr hen dir neb rhwng y Dwyrain a'r Gorllewin. Dwy noson oedd gen i ac mi benderfynais ddechrau efo pryd ar y Ku'damm, i gael blasu'r naws gosmopolitanaidd.

O'm sedd mewn bwyty bychan, edrychais allan ar y traffig, y torfeydd, y cyffro, y goleuadau neon a modrwy Mercedes Benz yn troelli'n araf ar ben un o'r adeiladau. Does dim i guro'r cyffro o gyrraedd dinas newydd am y tro cyntaf. Yna, wedi swpera, trawais i mewn i far coctel am *digestif* neu ddau i ymlacio a chynhesu.

O dan y lampau isel a rhwng y drychau tywyll ymgollais yn y pleser hwnnw a gewch chi mewn dinas fawr, sef o fod yn neb. Yn y cefndir chwaraeai rhyw ffliwt ffyncaidd a sacs synthetig – miwsig planedol, digenedl sy'n perthyn i neb, ond i bawb sy'n byw yn y byd anhygoel 'ma sy wedi'i drydanu a'i rwydweithio'n un. Ond mae 'na rai pobl yng Nghymru sy am nadu'r profiad yna i chi hyd yn oed, ac maen nhw'n wallgo, wrth gwrs.

A'm hwyliau wedi setlo, daliais dacsi am glwb y Spank ar y Friedrichstrasse oedd, yn ôl y llyfrau, yn cynnig dau lawr, chwe DJ, ac *'an intensive and relaxed party beat with a coherent vivid groove and a raw, bouncing and hypnotic surface.'* Ond roedd golwg y bownsars yn ddigon i mi ac nid am le i ddawnsio ro'n i'n chwilio p'run bynnag.

Crwydrais ymhellach i gyfeiriad yr hen Ddwyrain a tharo ar nifer o fariau mewn stryd o adeiladau tal a safai ar ei phen ei hun. Roedd yna graffiti gwrth-niwclear a gwrth-imperialaidd ar y tŷ talcen, ac apeliai hynny ataf.

Mentrais i mewn i'r bar cyntaf – un theatrig yr olwg, yn llawn mwg artiffisial. Roedd popeth yma yn lliw arian oni bai am ystlum mawr du yn crogi o'r nenfwd.

Ymladdais drwy'r tarthfwg at y bar ac archebu *'Ein Flasche Becks, bitte'* – ro'n i wedi ymarfer y geiriau'n ofalus. Sgubodd y gweinydd swrth, pymtheg oed, y botel ataf ar draws wyneb y cownter, a ffois i ryw gornel i drio'i mwynhau.

Ro'n i'n methu gweld neb oherwydd y mwg, a'r cyfan allwn ei glywed oedd rhyw bwm-bwm undonog – *intensive* ond nid *relaxed* – ond triais ymgysuro: nid dod yma yr oeddwn i am beint o Allbright a phaced o grafion porc, a chip ar y *Sun,* ond am brofiad newydd, am flas o ryddid.

Er hynny, allan yr es i'r stryd a phenderfynu mynd am rywle gwell na seler wedi'i pheintio gan gwpwl o fyfyrwyr celf. Pasiais nifer o bosibiliadau, gan gynnwys un café-bar gydag arwydd bychan *'For boys and friends'* yn y ffenest. Roedd yn dywyll iawn y tu mewn. Rŵan, doedd gen i ddim problem efo hynna, ond rhywbeth yn wahanol oedd gen i mewn golwg heno.

Ymhellach i fyny'r stryd gwelais far dinod, dienw. Edrychais i mewn drwy'r ffenest a gweld nifer o ieuenctid yn darllen llyfrau mewn golau cannwyll. Roedd y waliau o frics coch a dim ond cwpwl o fyrddau pren noeth oedd yn yr ystafell. Roedd hyn yn fwy addawol, ac agorais y drws.

Roedd yna *chant* Gregoraidd, canoloesol yn chwarae'n dawel a sylwais fod rhai o'r ieuenctid yn bwyta *crêpes* gyda glasied o win gwyn neu ddŵr hyd yn oed. Gwenodd un o'r merched yn llawen wrth fy ngweld, ond roedd y sîn yma'n llawer rhy esoterig i mi, a fuaswn i fyth yn gallu'i handlo fo efo fy Almaeneg *Collins Gem Phrasebook*.

Prysurais ymlaen a dod at le o'r enw Kutz. Nid barbwr, a barnu oddi wrth y graffiti Almaeneg a Saesneg a beintiwyd dros y waliau. Roedd yn rhaid i mi fentro i mewn. Wedi'r cyfan, beth oedd pwrpas dod i Berlin os nad i groesi ffiniau? Es i lawr y grisiau ac yn wir roedd y lle yma, er yn dywyll iawn, eto'n cynnwys pobol yn yfed ac un neu ddau yn dawnsio.

Do'n i ddim yn siŵr beth yn hollol oeddan nhw'n ei yfed – dŵr, hyd y gwelwn i – ac nid oedd y dawnsio o'r math a welwch chi ar nos Sadwrn yn y Top Rank, Abertawe. Roedd cwpwl o ferched dwys yn dawnsio'n llipa i rythm y DJ ifanc, penfoel a oedd wedi ymsefydlu mewn pulpud du o ddau neu dri o ddeciau o dan yr unig olau yn y lle.

Es at y bar ac archebu fy Becks arferol a roddwyd, y tro hwn, â hanner gwên, ac es i ryw gornel i sefyll ac asesu'r olygfa. Dwi'n cyfaddef, doedd y bwm-bwmio yma chwaith ddim at fy nant, ond o leia roedd y graffito '*All You Need is Love*' yn cyfleu neges bositif i mi.

Safai dyrnaid o ddynion ger y bar. Roedd un ohonynt yn ganol-oed ac mewn siwt ledr ddu oedd yn llawer rhy dynn i'w fol cwrw, ac roedd ganddo dusw trist o wallt gwyn wedi'i glymu mewn cynffon poni. Blydi pathetig, ond o leia roedd rhywun hŷn na mi yma. Roedd y lleill yn iau ac mewn crysau-T gwyn. Carient ar eu cefnau negeseuon fel 'Roxy Life', 'Standard Beach Security USA', 'Replay Blue Jeans', ac 'Easy Attitude'.

Dwi'n cyfaddef, dwi'n licio'r sloganau diystyr, dadstrwythedig 'ma. Côd ydi'r cyfan, wrth gwrs: disgwrs yn hytrach na sgwrs. Maen nhw'n ddifyrrach na'r sloganau propagandaidd arferol. Gwelais un arall: 'Relax Control System', yn wrtheb ddifyr a threiddgar.

Ond mae 'na ben draw ar astudio crysau-T diystyr i gyfeiliant *carburettor,* ac ro'n i'n ystyried taro'n ôl i ganol y ddinas go-iawn pan gerddodd merch heibio i mi, o'r llawr dawnsio at y bar, gan edrych arnaf â'r math o gilolwg trymlwythog na chewch chi ond mewn bar tywyll tua hanner nos.

Roedd hynny'n ddigon imi ailasesu fy strategaeth. Archebais Becks arall ac adfeddiannu fy safle. Roedd hi'n ôl yn dawnsio wrthi'i hun: merch denau â gwallt hir mewn *jeans,* a rhyw dop o wlân llac oedd yn ddigon tyllog i ddatgelu ei rhyddid o'r angen am fra. Yna edrychodd draw ataf eto.

Es 'nôl at y bar am ddwbwl fodca, a'i yfed ar fy nhalcen cyn mentro allan ati hi. Ro'n i'n teimlo'n ffŵl. Yn amlwg, jyst lle i ddangos eich hun oedd y blydi lle dawnsio, neu i anghofio'ch hun, os oeddech chi wedi cael digon o'r stwff yna, beth bynnag oedd o, yr oedd pawb yn yfed yr holl

ddŵr i'w olchi i lawr. Wedi cyfnewid rhai brawddegau cloff,
aethom i eistedd ger un o'r byrddau.

★ ★ ★

Bridgi oedd ei henw. Dadbiliodd baced o Malboros sgleiniog.
Siaradai'n rhwydd, ei Saesneg yn berffaith. 'Dach chi'n dŵad
o Berlin? gofynnais. Oedd. Dwyrain 'ta Gorllewin? Gorllewin.
A rydan ni rŵan yn yr hen Ddwyrain, yn tydan? Ac o ble
'dach chi'n dod, felly?

Cymru, atebais. A ble mae hynny? Ac yna, ar gefn mat cwrw,
fel y gwnes i ganwaith o'r blaen, gwnes fraslun daearyddol o'n
Hynysoedd gan ddangos lleoliad ein gwlad rhwng Lloegr ac
Iwerddon.

"Rydan ni'n genedl go-iawn," es ymlaen. "Gynnon ni'n
hiaith ein hunain, a'n Senedd erbyn hyn."

Gwenodd yn garedig, heb wir ddiddordeb.

"Dydi o ddim *big deal*. Rydan ni jyst yn genedl normal, dyna i
gyd dwi'n ddeud – fel mae'r Almaenwyr er enghraifft."

"Wel ma' hynna'n newydd i mi," atebodd. "Wnes i erioed
feddwl ein bod ni'n genedl, heb sôn am fod yn normal, beth
bynnag ydi ystyr hynny."

Ond do'n i ddim am i'r sgwrs rewi ar y pwynt yna, na chael fy
nal mewn trafodaeth ofer am y blydi gair cenedl. Hwn ydi'ch
local chi, gofynnais? Na, ddim mewn gwirionedd, atebodd
– dwi jyst yn dod yma weithiau pan dwi'n teimlo'n randi.

OK, iawn, felly, 'dan ni'n deall y sefyllfa, 'dan ni ddim yng
Ngwlad y Rwla heno.

"Felly be 'di'ch barn am gwymp y Mur?" holais gan chwilio
am rywbeth i'w ddweud y tu hwnt i bwnc randïaeth.

"Roedd e'n anochel. Bydd cyfalafiaeth yn meddiannu'r byd

ac wedyn yn ei ddinistrio. Bydd yn dinistrio'i hun hefyd, wrth gwrs, ond yn dinistrio'r byd yn gyntaf."

Wedi trio llyncu hynna, dywedais, "Dwi efo chi, i radda. Dwi'n sosialydd o fath 'yn hun. Ond beth am y Dwyrain, Dwyrain yr Almaen? Doedd o ddim yn arbrawf llwyddiannus. Ac os ydach chi'n sôn am yr amgylchedd, ro'n nhw'n cynhyrchu lot mwy o lygredd na'r Gorllewin, fel dwi'n casglu?"

"Doedd system y Dwyrain ddim yn berffaith. Nid sosialaeth oedd o. Eu camsyniad nhw oedd trio cystadlu â chyfalafiaeth, a methu."

"Felly ma'r rhagolygon yn gyffredinol ddu, fasach chi'n ddeud?"

"Dwi jyst yn dweud bod y system yn shit, dyna i gyd."

"Ac yn mynd i ddistrywio'i hun, wrth gwrs?"

"Ma' hynny'n hollol amlwg."

"So be 'dan ni'n neud yn y cyfamser, 'lly?"

"Darllen, deall, ymbaratoi, ffwcio. Dydi e ddim yn ddu i gyd. Marian ydi'ch enw chi, yntê?"

Ond aethai'r gair *ffwcio,* wrth gwrs, yn syth adref, i'r man iawn, fel y bwriadwyd. Nid y dechneg fenywaidd arferol, ond mae'n rhaid iddi weithio'n llwyddiannus i'r ferch hon o'r blaen, a'r rhagolygon clir ydoedd y byddai'n llwyddiannus heno, hefyd.

Pam ro'n i'n mynd i syrthio i'r fagl, gofynnais? Do'n i ddim yn ei hoffi hi. Gallai fod yn beryglus mewn mwy nag un ystyr. Ond ro'n i'n weddol siŵr nad hwren oedd hi. Roedd gen i'r offer angenrheidiol. Ro'n i'n dipyn mwy na hi, yn gorfforol. Ond roedd hi wedi taro adref, on'd oedd?

Prin ugain munud wedyn ro'n i'n ei dilyn hi dan olau'r

lampau trwy'r strydoedd llydan, caregog at y bloc fflatiau lle'r oedd hi'n byw. Rhaid ei fod o'n chwe neu saith llawr. Ces i bwl o amheuaeth oer wrth iddi droi'r clo yn y drws allanol. Gallai fod yn chwyldroadwraig wallgo. Efallai bod 'na ddau gawr Ellmynaidd ar dop y staer yn barod i neidio arnaf a dwyn fy arian ar gyfer y chwyldro mawr sosialaidd oedd i ddod.

Dilynais hi i'r cyntedd drafftiog a dringo'r grisiau concrit at ei fflat. Trodd y clo mewnol, ac yr oeddwn i mewn; fe gaeodd y drws arnaf, ac roeddwn wedi 'nal... mewn cyntedd eang a chwaethus. Trodd y goleuadau ymlaen yn isel. Roedd yna gelf ar y waliau, matiau rhaff ar y lloriau noeth, silffoedd llyfrau hwnt ac yma, a thrwy gil y drws gwelwn wely mawr dwbwl o las indigo.

Roedd hon, mae'n amlwg, yn ferch o steil a safon.

★ ★ ★

Rhoesom ein cotiau ar draws un o'r cadeiriau esmwyth. Beth oeddwn i'n ei ffansïo: brandi, fodca? Neu a fyddai'n well gennyf rywbeth bach i'w smygu?

Na, roedd y sefyllfa'n ddigon cymhleth heb fentro i'r maes hwnnw. Eisteddais ar y soffa foethus a daeth hi draw â'r diodydd. Llaciodd ei gwallt, ysgwyd ei phen, a phlygu un ben-glin dros y llall. Yn y golau isel, edrychai'n gymharol bert, yn arbennig pan fyddai'n mentro gwenu. Ymsugnai'n ddwfn ar ei sigarét a chwythu'r mwg allan trwy'i thrwyn fel *twin exhausts*.

Gallai fod wedi gwisgo'n fwy deniadol. Roedd y siwmper dyllog yn effeithiol yn ei ffordd, ond fel arall roedd hi'n llwyd a chydymffurfiol. Pam? Ai i fod yn driw i'w delfrydau sosialaidd, neu ai tybed i fod yn *pickup* haws ei chael? Dydi gwisgo fel Naomi Campbell ddim y dacteg orau bob tro.

"Ydych chi'n hoffi miwsig?" holodd.

"Ydw, mae fy chwaeth i'n reit eang…"

"Da iawn," meddai, a tharo miwsig blydi Gregoraidd ymlaen eto! Be sy gan yr Almaenwyr am y miwsig yma, sy mor uffernol o undonog ac eglwysig? Ai dyma'r unig orffennol maen nhw'n barod i'w arddel?

Aileisteddodd ar fy mhwys. Oedd, roedd hi'n bisyn digon derbyniol, ond ni allwn gynhesu ati. Sylwais fod yna fap mawr o Tseina ar y wal gyferbyn â ni.

"Sut mae Tseina'n ffitio i mewn i'r chwyldro mawr sosialaidd? Dydi'r rhagolygon ddim yn rhy dda, ydyn nhw?"

Edrychodd arnaf. "Marian, beth am i chi fy ffwcio gyntaf? Gawn ni siarad am Tseina wedyn."

"OK, iawn," meddwn wrth iddi amneidio arnaf i'w dilyn i'r gwely mawr glas yn y stafell nesa.

"A dydw i ddim yn credu yn y bilsen, gyda llaw. Mae'n ymyrryd â chemeg naturiol y corff. Mae gynnoch chi'r angenrheidiol, dwi'n cymryd?"

Roedd y stafell yma eto yn berffaith ei diwyg, y waliau'n las i fatsio'r gwely, a phoster mawr melyn ac oren o Giwba yn llanw'r wal gyferbyn. Trodd y golau yn is, ond roedd fy mhen i'n pwnio. O'n i eisiau hyn? Yn fwy i'r pwynt, oedd fy nghorff i ei eisiau?

Tynnodd ei siwmper wlanog ac yna'i *jeans*. Mewn dim ond thong ddu, ciciodd ei hesgidiau i ffwrdd. Ar erchwyn y gwely, dadwisgais i gan ddyfalu nad oedd unrhyw ragchwarae mân-fwrgeisaidd ar raglen y chwyldroadwraig hon.

Roedd o i gyd mor afreal. Oedd disgwyl i mi ei 'charu'? Am air amherthnasol, sentimental, mân-fwrgeisaidd, wrth gwrs. Ond be ddiawl o'n i am ddweud wrthi? Neu ai hi oedd yn iawn, ei bod yn well deud dim byd na phalu celwyddau? Ydi o'n bosib, yn y byd tu allan i ffilmiau porn, i gael cyfathrach corfforol bur?

"Jyst ymlaciwch, Marian," gorchmynnodd, gan gerdded ataf rŵan yn noeth gorn – ond wnaeth hynny mo 'nghynhyrfu, chwaith.

Yna fe'm trodd i orwedd ar fy mol. Eisteddodd ar ganol fy nghefn, a dechrau rhwbio hylifau persawrus ar f'ysgwyddau gan weithio'n araf i lawr fy asgwrn cefn. Bob hyn a hyn gwasgai ei chorff i lawr arnaf gan wthio 'mlaen ac yn ôl a gallwn deimlo ei bod hi eisoes yn wlithog gan ryw hylif a roesai arni'i hun.

O'r diwedd arafodd fy ymennydd, llaciodd y nerfau tyn, ac ymhen rhyw ddeng munud neu fwy, fe'm trodd rownd a dechrau trin y rhannau na chawsant sylw ganddi ynghynt…

Wedi fy mherfformiad byrhoedlog, aeth i nôl offer ychwanegol o'i drâr i sicrhau y byddai ei phleser hithau'n parhau dipyn hirach. "Gwthiwch e i mewn i mi, Marian," sibrydodd yn floesg gan basio'r ddyfais blastig i mi – ond do'n i ddim yn siŵr pa swits i'w wasgu.

"Gwasgwch y botwm coch!" gorchmynnodd, yn seren fôr ar y gwely. Llwyddais i ffeindio'r botwm a chael y teclyn i grynu, yna gorchmynnodd eto o'r glustog, "A nawr gyrrwch e'n erbyn fanna – nage, fanna, Marian…"

Cawsom un codwm pellach yn nes ymlaen gan ddefnyddio'n hadnoddau naturiol ac yna meddai, gan dynnu'r *duvet* glas drosti, "Wel rwy'n mynd i'r gwely nawr."

Ro'n i'n ddigon balch, a deud y blydi gwir. Ro'n i wedi blino'n lân, ond eto wedi ymlacio, mewn rhyw ffordd ryfedd.

Tynnais y *duvet* amdanaf. "Dwi'n dŵad efo chdi. Roedd o'n neis, Bridgi. Diolch i chdi, cariad."

Cododd ar ei heistedd ac edrych arnaf yn syn. "Ry'ch chi wedi camddeall. Dydi'r gwahoddiad ddim yn eich cynnwys chi."

"Be goblyn 'dach chi'n feddwl wrth hynny?"

"Rwy'n gweithio fory. Mae'n rhaid i chi fynd. Mae'n dri o'r gloch y bore."

"OK – iawn – mi gysga i ar y soffâ…"

"Na, mae gynnoch chi'ch gwely'ch hun ar y Ku'damm."

O'r diwedd syrthiodd y geiniog; rŵan ro'n i'n deall y sgôr. Yn flin a blinedig, ciciais fy nhraed i mewn i'm trowsus. "Ry'ch chi'n greulon."

"Eich dewis chi oedd e."

"Naci, nid fy newis i oedd cael 'y nhaflu allan i'r stryd ar ôl y rhyw. Hwrod sy'n gwneud hynny, yntê?"

"Mae gan unrhyw ferch yr hawl i'w wneud e."

"A pheidio talu?"

"*Gott im Himmel,* ydych chi'n awgrymu y dylwn i'ch talu chi am roi pleser i chi?"

"Buasai dyn yn talu i hwren."

"Iawn. Os felly ry'ch chi'n teimlo, talwch fi nawr. Dydi'r hylifau *massage* yna ddim yn rhad. Fuaswn i'n hapus â thri chan Deutschmark."

Caeais fy ngwregys a dweud, "Oes gynnoch chi ddim awydd weithiau i ddod i nabod rhywun yn well?"

"Weithiau, rwy'n cyfadde. Ond mae'n broses hir, ac fel arfer yn aflwyddiannus yn y diwedd."

"Ble 'dach chi'n gweithio?"

"Yn y Deutsche Commerz, banc ar y Ku'damm."

"Ro'n i'n meddwl fod y banciau ar gau ar ddydd Sadwrn."

"Nid y banciau masnachol."

"A fan'na 'dach chi'n hybu'r chwyldro sosialaidd?"

Anwybyddodd y sylw, codi o'r gwely, gwisgo'i *jeans* a'm harwain trwodd i'r gegin, a pharatoi paned terfynol i mi. Edrychais o gwmpas ei fflat moethus, y cerflun yn y cyntedd, y crochenwaith a'r brwyni plufiog, y lampau papur Sineaidd. Ymhlith y llyfrau roedd gweithiau gan Marcuse a Schopenhauer, ond dim arwydd o ddiddordeb mewn arian ar wahân i *Money* gan Martin Amis.

"Fi 'di'r gelyn mewnol," meddai'n ysgafn wrth ddod draw â'r hambwrdd a'r coffi digaffin. Eisteddodd wedyn ar fy mhwys. Hawdd y gallai ddangos rhithyn o gyfeillgarwch ffug, a'r gêm drosodd, a hithau wedi ennill, 2–0.

A rŵan gallwn ei gweld, mewn dillad hollol wahanol, yn symud yn llyfn rhwng cownteri marmor rhyw fanc yng nghanol Gorllewin Berlin. Gyda'i gwallt byr a'i siwt llym ei thoriad, gwelwn hi, yn y dydd, yn chwarae ei rhan yng nghalon cyfalafiaeth, ond yn y nos, yn ffantaseiddio am chwyldro ac am ryw. Na, doedd hynny ddim yn wir: dim ond am chwyldro yr oedd hi'n ffantaseiddio.

Mentrais ofyn, "Pa rif ydw i, felly?"

"Beth y'ch chi'n feddwl?"

"Rhaid eich bod chi wedi dal sawl dyn yn eich rhwyd."

"Dydw i ddim yn cadw cyfrifon y tu fas i oriau gwaith."

"Ond mae yna rywbeth reit drefnus yn y ffordd 'dach chi'n handlo'ch bywyd personol, hefyd."

"Wel oes gynnoch chi ffordd well o handlo pethau?"

"Mae'n siŵr nad oes."

"Ydych chi'n un o'r rheina sy'n credu mewn Cariad, tybed?"

"Dwi wedi credu ynddo fo o bryd i'w gilydd."

Edrychodd arnaf yn feirniadol. "Ond ddim nawr? Felly beth y'ch chi eisiau mas o ryw, mas o fywyd?"

Do'n i ddim yn siŵr a ddylwn i ei hateb yn gall. Yn amlwg, roedd y cyfan ar ben. Ond dywedais, "Dwn i ddim – rhyddid efallai. Cael ychydig bach o hynny, dyna i gyd."

Ystyriodd y gosodiad, a dweud – ond nid yn gas, "Syniad *bourgeois* a diniwed iawn ydi'r syniad yna o ryddid personol."

"Rhywbeth yn debyg, felly, i'r syniad o chwyldro sosialaidd," atebais.

Mi wyddwn i 'mod i wedi sgorio, ond wnaeth hi ddim cymryd arni. Fe wnaeth hi jyst chwarae â 'ngwallt, a dweud, "Ewch adre, 'ngwas i, i'ch gwesty mawr moethus."

Ro'n i ar fin gwneud sylw am ei fflat mawr moethus hithau, ond doedd dim pwynt. Dyna un peth am Almaenwyr a Saeson: nhw sy'n iawn bob tro. Allwch chi mo'u trechu nhw.

Llyncais y coffi, a chodi. Ond doedd o ddim yn hawdd. Allwn i mo'i chasáu, er gwaetha'i hatebion miniog. Rhyw ydi rhyw, ac mewn rhyw ffordd od ro'n i'n ei hedmygu, os nad yn ei chredu: go brin ei bod hi'n gweithio fory yn y Banc yna.

"Diolch, Bridgi," dywedais. "Dwi'n eich edymygu chi – mewn rhyw ffordd."

"Does dim rhaid i chi fod yn gwrtais."

"Dyna pam dwi'n ei ddeud o rŵan."

Wrth y drws, rhoddodd ei llaw ar fy ysgwydd a rhoi cusan ysgafn i mi ar fy moch – a sylweddolais mai dyna'r unig gusan, fel y cyfryw, ges i ganddi drwy'r nos.

-10-

A R Y BORE MAWRTH, paratois fy mrecwast arferol: *muesli,*
iogwrt, tost a sudd oren. Lloffais trwy'r *Guardian* a'r
Independent a chael cip ar brif straeon y dydd. Ro'n i wedi bod
yn loncian gan yrru fy hun yn erbyn y gwynt a'r glaw mân.
Ro'n i'n dal yn fyr fy anadl; mi fyddai'n rhaid i mi roi'r gorau
i'r Panatellas yna.

Es i'r stydi a sgrolio'n gyflym trwy fy e-byst personol. Roedd
yna'r llwyth arferol o rwtsh ond tipyn llai na dwi'n gael yn y
Senedd – dwi'n trio cadw'r cyfeiriad yma'n gyfrinachol. Yna
sylwais ar un neges gan Alun Sidoli.

> *Meirion – rwy wedi bod mewn cysylltiad â'r Alban. Maen nhw'n*
> *mynd i Riga – y cyfan wedi ei basio ddoe yn y Senedd. Joc*
> *Wilson yn hapus iawn, a dim problem gyda Llafur. Dydyn nhw*
> *– Llafur – ddim yn gweld y darlun mawr, fel ydan ni. Cofia sôn*
> *am hyn wrth Deri Smith pan weli di e heno, a phob lwc. Alun*
> *Sidoli, Prif Weithredwr, Plaid Cymru.*

Digon teg. Roedd hynna'n ddefnydd pwrpasol o'r dechnoleg.
Trueni na fuasai John Lloyd yn defnyddio mwy ohono yn lle
fy mhlagio o hyd ar y Siemens. Sgipiais drwy rai negeseuon
eraill, dibwys cyn ailagor yr atodiad a ddaeth gan Maya Dulka.

Byddai'n anghwrtais i mi beidio cydnabod neges mor
gyfeillgar. Allwn i ddim gwadu i ni gael amser diddorol gyda'n
gilydd, er gwaethaf popeth. Dechreuais gyfansoddi nodyn
byr, ond methu. Doedd 'na ddim llawer allwn i ei ddweud
tan y drafodaeth yn y Senedd fory. Ond wedyn ailystyriais.
Petai'r cynnig seneddol yn methu, yna o leia mi fuaswn i wedi
cadw'r cysylltiad â hi. Dim ond gair byr oedd ei angen.

Annwyl Maya,

Pleser a syndod oedd cael derbyn dy e-bost, ond tristwch oedd clywed am Tomaso. Bûm i'n cofio'n hiraethus am yr amserau a gawsom gyda'n gilydd.

Byddai'n ddymunol cael cyfarfod eto ond does dim llawer alla i ei ddweud tan i'r Senedd gyfarfod fory.

Fel tithau, mae fy mywyd wedi newid tipyn ers ein cyfarfod diwethaf ym Mhrâg — mae hynny'n teimlo mor bell yn ôl. Rwyt ti'n iawn ynglŷn â'm hamgylchiadau personol a'm gyrfa, ond mae'n bosib fy mod i'n dygymod yn llai llwyddiannus â nhw na tithau.

Cysylltaf eto'n llawnach wedi cael gwybod penderfyniad y Senedd.

Yn gynnes,

Meirion

Roedd gen i rai munudau cyn y byddai'n rhaid i mi danio'r BMW. Yn betrus braidd, cliciais ar Google, a thapio'r geiriau 'Mochyn Du' i mewn. Roedd Hitt wedi deffro fy chwilfrydedd neithiwr. O leia fe ddylwn i wybod beth mae'r bastards yn ei ddweud amdanaf i. Pan ddaeth y safle i fyny, cliciais ar y botwm *Forthcoming* ac yno roedd fy llyfr 'i'.

Roedd yn deimlad rhyfedd. *Swing it To the Left, Swing it To the Right: The Rise and Rise of Meirion Middleton.* Fi oedd y boi yna, mae'n debyg. Dwi'n gyfarwydd iawn â gwenwyn Royston Griffiths a'i griw: pam ddylwn i deimlo'n wahanol rŵan eu bod nhw'n arllwys y stwff i lyfr? Ai am fod llyfr yn fwy parhaol? A allai llyfr gan y diawl yna *fod* yn beth parhaol?

Beth petai o, Griffiths, yn clicio ar y we ac yn dod ar draws llyfr o'r enw *The Fall and Fall of Total Twat Royston Griffiths?* Gen i, fel awdur? Gan wybod na fyddai dim yn y llyfr ond ymosodiad personol ffiaidd arno fo, heb ei ganiatâd?

Be fuaswn i'n ei roi yn y llyfr? Be fuasai i'w roi: catalog o fethiannau personol, gwely-neidio gwleidyddol a rhywiol, methdaliad ariannol neu ddau. Byddai'n gatalog o lwfrda ac eiddigedd ac o balu celwyddau. Ond yn ffeithiol, be fasa 'na? Bron dim.

Bu'n neidio am sbel o un mudiad i'r llall a methu cael un a roddai sylw i'w ddiffyg talent. Ond fe'i hachubwyd gan ddyfodiad y Senedd. Darganfu ei *rôle* gwenwynig. Y mae o, felly, yn gynnyrch llwyddiant. Mae ei fodolaeth yn deyrnged tröedig i mi ac i'r Blaid ac i'r Senedd. Trwy ei sylw cyson, mae'n chwyddo ein pŵer a'n pwysigrwydd ymhell y tu hwnt i'r hyn ydi o mewn gwirionedd.

I ddyn o gefndir mor anghyson ei hun, mae ei bwys ar gysondeb yn *bizarre*. Mae'n bechod awgrymu dim gwahanol, dim sy'n newydd. Iawn i chi rygnu 'mlaen yn eich twnnel tywyll ieithyddol neu uniongred sosialaidd. Os ydych yn ffasgydd neu'n gyfalafwr cwbl fastardaidd, ond yn gyson yn hynny o beth, fe gewch fwy o barch gan Griffiths.

Cliciais ar y paragraff rhagarweiniol. *Michaelston: the Pit of Ambition. How did a rampant left-wing socialist come to settle in one of the most exclusive and expensive village-estates in Europe? How did a rabid free-thinker come to join the High Church? The fascinating career of Wales's most duplicitious politician will be traced in a new, co-authored book to be published next year. Our researchers in the meantime welcome any relevant information which should be sent to...*

Diffoddais y safle gan deimlo'r union ddiflastod yr oeddwn i wedi'i ofni, er heb ddysgu dim byd newydd. Doedd dim pwrpas ystyried enllib, gan nad oes gan Griffiths dŷ yn ei enw'i hun, heb sôn am wasg. Does enw 'run argraffydd ar gyfyl ei racsynnau. Yn wahanol i *Private Eye* yn Lloegr a *Le*

Chien yn Ffrainc, mae o'n byw ar ffin cyfreithlondeb. Ni fyddai'n para dim petai'n neidio dros y ffens yna i un gorlan neu'r llall.

Dwi wastad wedi dychmygu y buasai Griffiths yn croesawu achos llys. Mi fuasai hynny'n rhoi iddo fo y dilysrwydd nad oes ganddo, ac y mae'n dyheu amdano. Mae'r ddadl honno'n dal dŵr o hyd. Byddai llawer yn dibynnu ar gynnwys y "llyfr" wrth gwrs. Tan i'r llyfr ymddangos, allwn i wneud dim ond parhau i anwybyddu'r bastard.

Penderfynais gael gair preifat â Huw. Nid yn unig mae o'n fargyfreithwr profiadol, ond mae hefyd yn foi cyffredinol ddoeth. Ac onid Huw, hefyd, fyddai'r un perffaith i'm cynghori ar yr holl nonsens Riga 'ma? Neu o leiaf i'm hargyhoeddi nad nonsens oedd oedd y cyfan.

-11-

DWI'N REIT HOFF o'r Gallois. Mae'n wâr, yn gyfandirol ac yn Gymreig ar yr un pryd. Mae'n ddinesig a bywiog a chyfeillgar. I mi, mae'n cynrychioli'r hyn allai Cymru fod os ydyw i symud ymlaen o ffantaseiddio am ryw baradwys cefngwlad na wnaeth erioed fodoli.

Bûm mewn bwytai tebyg yn Barcelona. Ychydig islaw y Plaça Sant Jaume a'r Generalitat y mae nifer o *restaurants* penigamp a gefnogir gan y seneddwyr a'u swyddogion. Yn olau braf, cynigiant wasanaeth cwrtais a deallus. Mae'r bwydlenni'n hyderus ddwyieithog ac addurnir y muriau â chelf Gatalanaidd. Parchant anghenion y pen yn ogystal â'r stumog.

"Zut alors, bonsoir Monsieur. Nous sommes très honorés… rendez-vous comfortable ici à la barre."

Cyfarchais ambell un wrth esgyn at y bar. Un o anffodion fy swydd yw na allaf fynd i le fel hyn yn anhysbys, eto mae presenoldeb rhai dwi'n eu nabod neu'n eu lled adnabod yn cyfrannu at ramant y profiad o fwyta allan gan amlhau posibiliadau cudd y noson.

Yn y bar archebais *aperitif* bychan gan Elen, sydd wastad mor serchog a hwyliog. Yna eisteddais yn ôl yn y sedd hirgron gan esgus astudio'r fwydlen tra mewn gwirionedd yn ymlacio am y tro cyntaf ers rhai oriau.

"Votre compagnon est déjà bon arrangé ici…" meddai'r gweinydd gan dywys Deri at fy sedd.

"Wy'n timlo whant peint da o chwerw, ond gymra i 'run

peth â fe," meddai Deri wrth Elen. "Mae Meirion yn dyall y pethe 'ma."

Archebasom y bwyd a photel o win a mwynhau un *aperitif* pellach cyn symud at y bwrdd.

"Wel shwt mae am fod dy' Satwrn, Meirion bach?" meddai'n galonnog.

Cymerais ddracht o'r St. Emilion a'i sawru yn fy ngheg. "Wel mi ddeuda i wrthat ti'n syth: uffernol!"

"Mae'r bwcis yn cynnig 3–2 ar Ffrainc. Wy'n cytnabod taw nhw yw'r ffefrynne, ond elli di byth weud bod y rhagolygon yn uffernol, Meirion."

Yna dywedais, "Ond mi fydda i yn blydi Riga, yn bydda!"

Pam ddywedais i hynna mor blaen, dwi ddim yn siŵr. Bosib 'mod i eisoes wedi laru ar y busnes, a doedd 'na ddim siawns y baswn i'n chwarae rhyw lol efo Deri heno.

"Be yffach ti'n feddwl, Meirion bach, a watsha dy iaith, os ca i awgrymu'n garetig."

"Bydd yn rhaid i fi fynd i ryw gynhadledd yno, os caiff pawb arall ond fi eu ffordd. Blydi anhygoel, yn tydi?" meddwn gan godi'r botel a sblashio mwy o win i'w wydryn.

"Alla i ddim cretu e, Meirion. Ti bownd o fod yn gallu dod mas o hwnna. A wi'n napod ti'n ddigon da i wpod y gnei di, 'fyd. Iechyd da i ti a phob lwc i Gymru!"

Soniais yn fyr am y sefyllfa yn y Baltig a'r olew a'r 'argyfwng' honedig a'r gynhadledd ryngwladol yr oedd Cyngor y Baltig wedi'i galw.

"Wy'n gwpot. Y Rwsied eto. Smo nhw byth weti tyfu lan. Ond pŵr dab! Ti wir mynd i golli'r gêm fawr?"

"Does dim byd yn bendant eto wrth gwrs..."

Ond yn methu â'i reoli ei hunan, chwarddodd Deri'n afreolus dros y bwyty, ei wallt cyrliog yn crynu fel sbwng mewn *carwash*. Trodd rhai o'r bwytawyr mwyaf parchus atom yn wgus, ond cafwyd maddeuant pan welwyd mai'r troseddwr oedd neb llai na Phrif Weinidog Cymru.

Ond roedd yn rhaid imi fynd at y glo mân, a chystal gwneud hynny rŵan na wedyn. Eglurais fod y cyfan yn dibynnu ar basio cynnig brys yn y Senedd fory yn amser y Llywydd; y byddai'n rhaid cael ei gytundeb ef a'i ddirprwy; ac os byddai'r Senedd yn pasio'r cynnig, wedyn cytuno ar bwy fyddai'n cynrychioli'r genedl.

Gan sychu'r dagrau oddi ar ei wyneb, meddai Deri, "Gwed 'tho fi gynta, Meirion bach, beth yn gwmws licet ti i fi neud. Gwed 'tho fi'n strêt – a fydde fe'n dy helpu di'n bersonol tasen i'n gweud 'Na, *not on*'. Achos wy'n gweld bo ti mewn 'bach o sbot gyta'r busnes hyn, rhwng popeth."

Roedd o'n gwestiwn teg a gonest. Mi sylweddolais y demtasiwn yn syth. Petawn i'n ffonio Lloyd nes 'mlaen a dweud fod Deri'n gwrthod cydweithio, dyna'r stori drosodd, a diwedd ar y ffantaseiddio am *rôle* Cymru yn y byd. Byddai hefyd yn datrys pob amwysedd oedd gennyf tuag at Maya. A gallwn gario 'mlaen â 'mywyd a mwynhau.

Ond allwn i ddim. Dwn i ddim pam. Mae byw efo pobol eraill yn ddigon problematig; mae byw efo mi fy hun yn anos fyth – symptom arall, dwi'n siŵr, o'm cefndir Anghydffurfiol.

Cyrhaeddodd y cwrs cyntaf, *Salade de Pied de Cochon* i mi, a bwyd môr i Deri. Does dim curo'r bwyd Ffrengig yma, na'r arddull *'Light French'*.

"Nawr 'te," meddai Deri wedi cael cyfle i flasu'r bwyd. "Gat i ni weld y cynnig 'ma."

Rhoddais ddarn o bapur iddo. Fe eiriwyd y cynnig yn ddigon

diniwed a niwtral: *sylwi â phryder ar ymddygiad Rwsia… amddiffyn democratiaeth… cydweithio er sefydlogi'r sefyllfa… heddwch.* Ond dydi Deri ddim yn dwp ac fe ddeallodd oblygiadau anfon rhywun i Riga.

"Nawr ti'n dyall bydd hi'n bleidlais agored, fel mae hi wastad gyta'r cynigion 'ma. Ni'n ffili gwarantu shwt bydd rhwpeth fel hyn yn troi mas."

"Yn deall yn iawn. Ond os byddi di'n cynnig…"

Rhoddodd Deri ei fforc i lawr. "Dal dy ddŵr, Meirion. Soniodd neb aboiti fi'n cynnig. Diawch, dim ond dau funed yn ôl weles i'r cynnig 'ma eriôd."

"Ond byddai'n well yn dod o'ch ochor chi."

"Na, byse fe ddim yn gredadwy. Ond galle Andrea 'i eilio fe, wrth gwrs."

"Basa hynny'n dderbyniol."

"Ond smo ni fel Plaid Lafur ishe stêco dim ar hwn, ti'n dyall. Gofynna i gwestiwn plaen i ti: beth y'n ni fel Plaid Lafur yn mynd i ennill mas o hwn? Dim taten o ddim."

"Ond dwi'n deall fod Plaid Lafur yr Alban o blaid hyn, gyda llaw."

"Ond eu busnes nhw yw 'ny. Mae Cymru'n wahanol."

"Iawn, ffafr fasa fo, ond ffafr fasa'n costio dim i ti. 'Dan ni mewn clymblaid a falle mai ti fydd yn gofyn am ffafr tro nesa gen i."

"Mae hynna'n ddicon gwir."

"Yn y pen draw, rwyt ti'n gwbod a dwi'n gwbod nad ydi cynnig fel hwn yn mynd i neud iot o wahaniaeth yn y byd real. Dydi o'n ddim mwy nag ychydig bach o *posturing*. Yr unig wir gost fasa tocyn awyren a gwesty i hanner dwsin o bobol."

Ychwanegodd Deri, "Ie, a gweld y gêm mewn hangar o *lounge bar* gyta nenfwd ffâls a photel o Amstel. Ha ha, tipyn o aberth. Rhaid i fi gyfadde, Meirion: o'dd 'da fi ddim amcan bo ti'n fachan mor egwyddorol!"

Roedd yn dda bod hwyliau Deri cystal, ond tydio o ddim yn ffŵl; dywedodd y byddai'n cytuno ar gyfaddawd, sef cefnogi'r cynnig, ond gollwng y mater o anfon cynrychiolydd o'r Senedd.

Go brin y byddai hynny'n plesio Lloyd, ond ro'n i erbyn hyn am gael y mater o'r ffordd ac fe awgrymais y gallen ni adael y mater yna i Syr Huw, gan ddilyn ei synnwyr ef o deimlad y cyfarfod.

"Wel gat i fi gysgu dros y peth. 'Sa i moyn i ni gwmpo mas dros rwpeth bach ymylol fel hyn. Mae 'da ni ddigon o rwygiade'n barod. Fel ti a fi'n gwpot, mae arwain plaid yn ddicon anodd fel ma' hi."

"Mae'n help os wyt ti'n Feistr Zen ac yn *Black Belt* mewn jiwdo," cytunais, gan daro gwydr ar wydryn.

"…ac wedi rheteg seilam. Ond paid ti cwyno, Meirion, 'da ti ddim Llew Jones y Stalinydd yn boen yn dy din."

"Ond mae gen i Loony Mary!"

"Ha ha, ti'n eitha reit fan'na," meddai'n hapus. Mae hi'n un o'n haelodau mwyaf anferth a swnllyd, yn arbenigwraig ar sloganeiddio emosiynol, adain-chwith – ac yn uchelgeisiol hefyd.

Gosodwyd y prif gyrsiau o'n blaenau gan un o weinyddesau serchog a secsi'r lle. Gyda rhyddhad gwelodd Deri fod y cig a archebodd yn saig go sylweddol heb orddylanwad y *Nouvelle Cuisine*. Ces innau fy moddhau efo'r *Émincé de Poulet Mariné*.

Roedd sgyrsiau eraill gwleidyddol, busnesol a charwriaethol

yn blodeuo o'n cwmpas. Mae pawb yma megis ar lwyfan aml-lefel, yn rhan o un paentiad mawr oren, fel rhyw Swper mawr Olaf heb ddim Crist. A chyda Jiwdas neu ddau hefyd. Doedd Gareth Webb ddim yma heno, ond sylwais ar fyrddaid o Doriaid draw wrth y ffenestr, yn cynllwynio rhywbeth yn ein herbyn ni, ro'n i'n weddol siŵr.

Wedi ymosod ar y seigiau, daeth gwên ddrygionus yn ôl i wyneb Deri.

"Meirion, mae 'na un peth smo pawb yn gwpod: mae Riga'n lle eitha neis. Ti wedi bod 'na erio'd?"

"Yn rhyfedd iawn, naddo – a dwi wedi teithio tipyn."

"Bues i'n dysgu economeg flynydde'n ôl fel ti'n gwpod. Riga a St. Petersburg o'dd porthladdodd mawr y bloc dwyreiniol ar ochor yr Atlantic. O'n nhw'n galw Riga yn 'Paris y Dwyrain'. O'n nhw'n arfer bod yn llefydd eitha bywiog, eitha soffistigedig."

"Ie, *Meet Bars* a Chasinos yn cael eu rhedeg gan y KGB."

"Ond cyn hynny roedd 'na *ballet,* cabaré, tai bwyta, steil… Cod dy galon, Meirion bach. Gallet ti fod yn gwylio'r gêm mewn lle gwa'th o lawer. *Os* bydd y gêm mla'n, yntefe, ar sianel y Rwsiaid! Ha ha ha – sai'n credu bo Riga wedi cynhyrchu lot o *half-backs*, otyn nhw?"

"Ond y Latfiaid sy'n rhedeg y lle rŵan. Falle bydd o ar un o'u sianeli nhw."

"Otyn, mae'r Latfiaid hefyd yn fyd-enwog am eu timau rygbi!"

Ond roedd yn rhaid i minnau chwerthin hefyd. Roedd y cyfan mor wirion.

"Ond paid â becso, bachan," – cododd Deri oddi wrth y bwrdd, gwthio'i gadair yn ôl, a phlygu ei hunan yn ei hanner gan gymaint y boen a achosai'r weithred o chwerthin am ben ei hiwmor ei hun – "Fe dâpa i'r gêm i ti, Meiron bach, a chei di 'i gweld hi ar ôl dod gatre gyta can bach o Skol! Mae 'da ti beiriant fideo, on'd oes e, yn rhwle yn y tŷ 'na? Ha ha ha, ha ha ha!"

"Zut alors, cet homme," clywais un gweinydd yn dweud wrth y llall, *"il est très amusant, n'est-ce pas? Il est Premier Ministeur de Pays de Galles."*

"Mon œil!" meddai'r llall, yn anghrediniol.

– 12 –

R O'N I MEWN HWYLIAU DA erbyn cyrraedd yn ôl i Man Gwyn. Ro'n i wedi dod i ryw fath o ddealltwriaeth wleidyddol â Deri, ac i gytundeb ar fwy na hynny, hefyd.

Maen nhw'n deud mai swydd dyn ydi'r dylanwad mwyaf ar ei gymeriad. Mae'n wir dweud fod gan Deri a minnau fwy yn gyffredin nag â llawer un yn ein pleidiau ein hunain. Cynigion seneddol, bargeinio gwleidyddol, fficsio cynadleddau, y pwyllgora tragwyddol, cadw'r wasg yn hapus ac ar-gywair: rydyn ni'n dau yn gorfod gwneud y cyfan, ac yn gallu chwerthin am y cyfan, weithiau, hefyd.

Ac mae gynnon ni'n dau ein Loony Marys. Dyna'r rhan galetaf o'r job: cadw'r geifr a'r defaid duon yn eu lle. Mae gelynion allanol yn wahanol ac yn dipyn haws i'w trin.

Yn weddol fodlon, mi setlais yn y lolfa a throi'r teledu ymlaen. Roedd *Newsnight* yn dal ar ei hanner. Mae gwylio'r rhaglen honno fel arfer yn cynnwys elfen o adloniant. Does neb sy yn y busnes yn cymryd y rhaglenni newyddion 'ma yn hollol o ddifri. Fel gwleidyddion rydan ni'n deall bod gwahoddiad i raglen o'r fath yn gyfle anhygoel i gael y neges drosodd ac mae'r rhan fwyaf o wleidyddion yn gallu gwneud hynny heb dalu'r sylw lleiaf i gwestiynau Paxman.

Ond weithiau maen nhw'n gyrru rhywun dramor i wneud adroddiad arbennig, a'r tro hwn roedd ganddyn nhw ffilm ar y sefyllfa yn Riga. Ro'n i'n synnu braidd achos doedd y stori, hyd y gwyddwn i, heb gipio prif benawdau'r papurau Seisnig hyd yma, ar wahân i'r *Guardian,* un bore.

Dangosodd y ffilm y sýbs Rwsiaidd nad oedd ond eu periscops

yn nofio ar wyneb y môr; yna'r gwersylloedd milwrol yn
Kaliningrad; wedyn crynodeb reit ffeithiol o adnoddau olew'r
byd. Roedd yna gronfeydd yn dal ar ôl yn y Cawcasws a Môr
y Caspian ond roedd Gorllewin Siberia yn cyflym sychu, a'r
Americaniaid wedi cipio neu reoli'r rhan fwyaf o'r lleill trwy
eu polisi tramor ymosodol.

Yna yn y stiwdio holwyd rhyw Americanwr tew tua thrigain
oed, arbenigwr ar bolisi tramor, ac fe ddywedodd, i bob
pwrpas, na welai o fawr ddim o'i le ar y ffordd yr oedd y
Rwsiaid yn edrych ar ôl eu buddiannau mewnol.

Mewnol? Roedd hyn yn sioc i mi ac yn ddigon i dynnu'r
gwynt o'm hwyliau wedi gwina yn y Gallois. Yn amlwg, mae
hyn *for real*. Y mae yna argyfwng, ac er bod jocio'n therapi
da, dydi o ddim yn newid y sefyllfa. Cymerais ddôs pellach
o'r Southern Comfort, ond dihuno wnes i tua thri o'r gloch y
bore.

Trois y golau ymlaen, a manteisio ar yr adnoddau *en-suite*.
Ond ni allwn adennill cwsg. Codais ar fy eistedd yn y gwely
ac edrych eto ar y llun o Fenis.

Prydferthwch oedd y ferch, meddai Llio. Ond doedd dim
angen gradd mewn celf i weld hynny. Edrychai arnaf trwy
hanner masg gwyn, ei hwyneb bron mor welw â'r masg ei
hun. Fe'i daliai i fyny gerfydd ffon fechan. Syllai'n syth ataf,
yn fy herio, yn fy ngwahodd, yn fy nghyhuddo.

A fu y fath ferch yn Fenis erioed? Oni fyddai artistiaid fel
Legrand yn aml yn defnyddio merched lleol fel modelau?
Efallai merch o ardal y Bwrgwyn, lle roedd o'n byw. Yna
cofiais am Gabriele, y ferch o Fenis oedd o gig a gwaed.

Mi brynais i'r llun flynyddoedd cyn ei chyfarfod, a chyn
symud i Man Gwyn. Yn allanol doedd y ferch yn y llun
ddim yn debyg iddi – wyneb hir, eryraidd braidd, oedd gan

Gabriele – ond, fel y ferch yn y llun, roedd hi'n ddirgelwch, yn un a fynnai guddio y tu ôl i'w hwyneb ei hun.

Pryd cwrddais i â hi, tybed – canol yr wyth degau? Byddwn i'n mynd i'r Ŵyl Ffilmiau Ryngwladol yn Fenis bob blwyddyn pan o'n i'n gweithio i Sine Cymru, ac i Cannes weithiau, hefyd, os oedd 'na arian ar ôl yn y pwrs. Ond peth i Hollywood ydi Cannes; i bawb arall yn y fasnach, Fenis ydi'r lle i fod.

Mi fydden ni'n aros yn yr un gwesty bach bron bob tro, ar Ynys y Lido, lle cynhelid yr Ŵyl. Lle braf ar ochr draw'r ynys, ar lan y môr Adriatig, lle arhosai llawer o'r sêr. Roedd yn anhygoel taro ar Gwyneth Paltrow, Julia Roberts ac eraill yn loncian wrth imi fynd am fy lonc boreol innau ar y traeth.

Weithiau mi fydden ni'n ennill gwobr. Un tro fe gipiodd *Echnos ym Macedonia* y drydedd wobr am Ffilm Fer Mewn Iaith Geltaidd. Ffilm oedd hi am y Rhyfel Byd Cyntaf, a bu Euros Llwyd, awdur y sgript, a minnau'n dathlu â siampên am ddeuddeg awr yng ngwesty'r Llew Hedegog ar y Lido, palas o le nid nepell o'r môr. Penderfynon ni mai math ar Ddraig Goch ydi'r Llew Hedegog, arwyddlun Fenis, a llwyddo i argyhoeddi rhai actoresau Ffrengig am y berthynas fynwesol hanesyddol rhwng Fenis a Chymru. Fe lyncon nhw'r cyfan, gydag Euros yn disgleirio yn rhan y *tormented author* Celtaidd. Doedd Dylan Thomas ddim ynddi.

Sabine oedd enw un o'r merched yma. Er mor llithrig ei pharabl, nid actores oedd hi, erbyn deall, mwy na rhai o'r lleill. Ond os oedd *Echdoe ym Macedonia*, a pherfformiad Euros, wedi creu argraff arni, des innau yn fy nhro yn arbenigwr ar yr athrylith Ffrengig ym myd ffilm – pwnc yr oeddwn yn digwydd gwybod tipyn amdano.

Arweiniodd un peth i'r llall, ac o ystafell y gyfeddach i ystafell Sabine ar lawr arall. Ond anfoddhaol fu'r achlysur a 'difarais a blinais ar y miri a'r goryfed. Ffois i'm stafell am wely cynnar gan addo dal cwch boreol i Fenis bore drannoeth, fy more olaf.

Roedd y daith i mewn dros y lagŵn – fel y bydd o bob tro – yn gymaint pleser â dim yn y ddinas ei hun. Rhyfeddais eto wrth weld tyrrau a phontydd Fenis yn agosáu ar draws y dŵr glas, llathraidd. Yn hapus, dringais o'r cwch i ganol y torfeydd ac archebu paned costus ar y Piazza San Marco gan leoli fy hun o dan driawd yn chwarae Mozart.

Wedi ymestyn fy mhaned at eithaf credinedd, dechreuais grwydro trwy rai o'r strydoedd tu draw i'r Piazza. Mae gan Fenis ddigon o atyniadau damweiniol i fodloni unrhyw deithiwr. Yna trawais ar far bach twristaidd â chornel wag i eistedd – lle perffaith i ailafael yn y llyfr oedd gen i ar ei hanner.

Wrth gerdded i mewn, sylwais ar ferch ar ei phen ei hun yn darllen *Il Stampe* dros baned o *espresso*.

Archebais *espresso* i mi fy hun, ac eistedd wrth yr un bwrdd. Roedd hi'n dal a thrawiadol ond nid yn brydferth felly o ran ei hwyneb. Roedd ganddi groen lliw olewydd fel sy gan y gwir Fenetiaid, a gwallt du a thrwyn bwaog. Roedd rhywbeth tawel a hunanfeddiannol amdani. Y gwrthwyneb llwyr i'r actoresau llac yna, cynrychioliai i mi ryw ddelfryd o'r gyfandires gŵl, ddeallus. Ond beth oedd hi'n wneud ar ei phen ei hun mewn lle fel hyn?

Mentrais ofyn cwestiwn gwirion iddi am newyddion y dydd, ac roedd hynny'n ddigon i ddechrau'r sgwrs.

Gabriele oedd ei henw. Ar ei hawr ginio yr oedd hi. Gweithiai mewn llyfrgell academaidd yn yr ardal, y byddai'n rhaid iddi ddychwelyd iddi yn y man. Doedd wiw iddi fod yn hwyr – diawl anodd oedd ei bòs, bwli homorywiol oedd yn dirmygu merched.

Mae 'na rai Eidalwyr felly, wrth gwrs. Gwelwn nad oedd hi'n arbennig o hapus yn ei gwaith nac fel arall. Ond llwyddasai i brynu fflat fach iddi'i hun mewn bloc yn ardal y Cannaregio yng ngogledd Fenis.

"Mae prisiau mor uchel yma, oherwydd twristiaeth. Mae'r rhan fwyaf o Fenetiaid yn byw mas ar y Maestre. Ond ces i ychydig o arian ar ôl hen ewythr, felly mae gen i fy nghornel fy hun yn fy ninas fy hun. Rwy'n reit lwcus. Wna i fyth adael Fenis."

Dywedai hyn mewn Saesneg eitha bratiog – ei phedwaredd iaith. Rhaid ei bod hi'n tynnu at ei deugain, tua'r un oed â mi yr adeg honno. Cododd oddi wrth y bwrdd a chynigiais barhau'r sgwrs dros bryd o fwyd wedi iddi orffen gwaith. Oedodd am rai eiliadau, yna cytunodd gan awgrymu *ristorante* bach ar lan un o'r camlesi yn y Cannaregio. Rhag imi wneud camgymeriad, awgymodd ein bod ni'n cyfarfod y tu allan i eglwys enwog y Madonna dell'Orto yn yr un ardal.

Ro'n i'n methu credu fy lwc – cael cyfarfod â Fenetwraig go iawn yng nghanol y Twr Babel twristaidd yma. Ac roedd yna gyd-ddigwyddiad yn ei dewis o fan cyfarfod: roedd gen i lun o'r eglwys yn fy nghasgliad bychan yn y tŷ 'ma.

Treuliais y prynhawn yn crwydro'n araf i gyfeiriad gogledd-ddwyrain Fenis, a phan welais i Gabriele roedd yn rhaid i mi sôn wrthi am y ffaith hon.

"Wel mae'n rhaid i ni fynd mewn, felly!" meddai. "Ydych chi wedi gweld y lluniau, y Tintorettos?"

"Naddo, ond mi wn i amdanyn nhw."

Roedd hi wedi gwisgo'n reit smart ar gyfer heno. Dilynais hi trwy ddrws yr eglwys, ac wedi talu am docynnau fe'm harweiniodd ar unwaith at y llun enwog o Ddydd y Farn – a do'n i ddim yn disgwyl beth welais i. Roedd yn llun anferth a gwaedlyd ac amrwd ei neges, yn pregethu ofnadwyaeth, a'r moesoldeb mwyaf cyntefig.

"Wel – beth y'ch chi'n feddwl?" meddai gan edrych draw ataf.

Do'n i ddim yn siŵr sut i ymateb. Roedd y cyfan mor naïf, rywsut. "Ydi'r boi yma o ddifri?"

"Beth – y'ch chi'n tybied mai jôc yw e?"

"Ond y syniad yna o Ddydd y Farn ac o Uffern. Y gawod yna o gyrff yn syrthio mewn i'r brwmstan. Mae o jyst yn bropaganda er mwyn gyrru pobol i'r eglwys."

"Oes ots am hynny? 'Drychwch ar y bywyd sydd ym mhob manylyn, ac ar fawredd y cyfansoddiad."

"Dwi'm yn amau nad ydi'r boi yn gallu paentio."

"Ond propaganda un oes ydi cred oes arall: ry'ch chi'n ddiddychymyg iawn."

"Ydw, mi rydw i, o'i gymharu â'r boi yna!"

Gan anwybyddu fy sylw gwamal, ac o bosib wedi'i chynddeiriogi ganddo, safodd Gabriele o flaen y llun gan roi ei sylw llwyr iddo.

"Mae'n hawdd beirniadu cred oesau eraill, yn tydi? Mae pob oes yn meddwl ei bod hi'n oleuedig a chlyfar, ond mewn canrif arall mi fydd pawb yn chwerthin am ein pennau ni. Mae 'na gymaint o bethau ry'n ni heddiw yn eu derbyn yn ddigwestiwn ac maen nhw bron i gyd yn anghywir."

"Dwi'n cytuno â chi. Mae'r gwirionedd yn *relative,* i'r oes ac i bwy bynnag sy'n edrych ar lun fel hyn."

"Ond nid dyna be ddwedais i!"

"Ie, mae arna i ofn," anghytunais. "Os ydan ni heddiw yn gallu bod yn anghywir, wel mae Tintoretto hefyd!"

Mynnodd ddal ei thir. "Eich safbwynt chi felly yw nad oes dim gwirionedd o gwbl. Ond mae 'na wirioneddau tragwyddol, on'd oes?"

"Digon teg," atebais, " – ond eich safbwynt chi ydi hynny, yntê?"

Yna gwylltiodd hi. Meddai, ei llygaid tywyll yn fflachio, "Nonsens. Mae'n rhaid i ni obeithio bod modd cyrraedd at ryw wirionedd, neu ran ohono, nad yw'n dibynnu ar ein safbwynt personol ni. Fel arall ry'n ni'n byw o'r crud i'r bedd mewn stafell o ddrychau, wedi'n carcharu yn ein hadlewyrchiadau ni'n hunain o dragwyddoldeb i dragwyddoldeb – a dyna fy niffiniad i o uffern!"

"Iawn," atebais wedi dod ataf fy hun. "OK, dyna un diffiniad o uffern. Ac mae 'na ddiffiniad arall yn y blydi llun yma!"

Ro'n i'n mentro braidd. Roedd y dadlau yma'n cynnwys elfen o *brinkmanship*. A ninnau ar fin swpera, roedd 'na beryg lladd y noson cyn iddi ddechrau.

Aethom i eistedd, mewn tawelwch, ar un o'r seddau. Cropiai ymwelwyr o'n cwmpas yn talu eu gwrogaeth i Tintoretto, fel y gorchmynnwyd iddynt gan eu *Lonely Planets* a'u *Michelins*. Yn y tawelwch sylwais ar sain organ yn chwarae'n doredig yn y cefndir, efallai rhyw brentis neu fyfyriwr yn chwarae gan ddampio'r sain arferol.

Roeddwn i'n weddol siŵr mai darn gan Bach oedd o, a mawredd y miwsig yn trosgynnu gwendidau'r chwarae.

Trois at Gabriele a dweud – efallai mewn ymgais at gymod, "Mae'n rhaid i mi gyfadda un peth: dwi wrth 'y modd â sain organ a'r mawredd sy mewn eglwys fel hon."

"Ydych chi'n mynd i eglwys eich hun?"

"Ydw."

"Mae'n dda gen i glywed hynny. Rhaid eich bod chi, felly, yn credu rhywbeth wedi'r cyfan!"

"Ydw – ond dwi ddim yn hollol siŵr beth!"

Gwenodd yn sydyn ac yn gynnes. "Ry'ch chi'n un doniol iawn, Meirion!"

"Dwi ddim yn credu mai doniol ydi'r gair," atebais gan gyffwrdd ei llaw.

Wedi rowndio rhai o'r lluniau eraill, aethom allan a cherdded at yr Ostaria da Rioba. Safai'r bwyty ar lan un o'r camlesi hirion, unffurf braidd sydd yn y rhan hon o Fenis. Fe'n croesawyd gan feistres y tŷ a oedd yn adnabod Gabriele yn dda. Cytunon ni i fentro ar y Chiaretto – *rosé* ysgafn, lleol – i gyd-fynd â'r bwyd môr yr oeddem wedi'i archebu.

Yn fwriadol trois y sgwrs at bethau ysgafnach fel yr Ŵyl Ffilmiau ac ymdrechion Cymru i gael bri rhyngwladol, a rhagoriaeth Cymru mewn un maes, o leiaf. Ar y nos Lun llwyddodd un o brif swyddogion Sianel Cymru i hel bil pedwar ffigwr yn Harry's Bar.

"Dydi hynna ddim yn anodd," meddai. "Mae canpunt yn rhad am bryd o fwyd yn y lle yna."

"Ydi," atebais, "ond wnaeth e ddim byta dim!"

Roedden ni ar y coffi pan ddywedodd hi, "Dwi ddim am i ni adael o dan gamddealltwriaeth. Dwi ddim am i chi gredu bod gen i'r gwir i gyd. Nid un felly ydw i."

"Peidiwch ymddiheuro. Fi oedd yn ddogmatig heno."

"Dyna sy'n rhyfedd. Unwaith 'dach chi'n derbyn bod yna wirioneddau i'w darganfod, eich gwneud chi'n llai dogmatig mae hynny, nid fel arall."

"Dwi'n siŵr bod gweithio mewn llyfrgell academaidd o help

yn hynny o beth."

"Buasai'n iawn oni bai am Luigi."

"Falle cwympith un o'r cyfrolau trymaf ar ei ben o ryw ddiwedd pnawn."

"Dwi'n gweddïo am y dydd," meddai gan chwerthin.

Bu hi'n noson iawn. Sut allwn i gwyno? Ro'n i wedi cael cwmni merch ddeallus, osgeiddig a balch, os nad confensiynol hardd. Bu ein sgwrsio'n ddigon cyfeillgar yn y diwedd. Eto roedd yna rywbeth ynddi na allwn ei ddirnad, rhyw bellter, rhyw dywyllwch hyd yn oed.

Doedd hi ddim yn ferch hapus; ond wedyn, mae 'na ochr dywyll i lawer o ferched pan 'dach chi'n dod i'w nabod nhw. Neu oedd hi, wedi'r cyfan, yn grefyddol? A ddylswn wedi gofyn iddi'n blaen? Ond os oedd hi, beth oedd o'i le ar hynny?

Cerddasom yn ôl yn araf at lanfa'r bysiau dŵr. Gwyddai 'mod i'n aros mewn gwesty ar y Lido. Llepiai dŵr y lagŵn yn oer oddi tanom a diwedd ein cyfarfod yn hongian fel barcud yn yr awyr. Er ei bod hi wedi nosi gallem weld tŵr uchel eglwys y Madonna dell'Orto yn gysgod du y tu ôl i ni.

"Ry'ch chi'n lwcus yma yn Fenis," dywedais gan feddwl am ffordd o gloi'r noson. "Mae'ch eglwysi chi i gyd yn orielau."

"Oriel ydi Fenis i gyd," atebodd. "Mae gen i oriel yn fy fflat i, hyd yn oed."

"Beth? Oriel gelfyddyd?"

"Nage, nid un go iawn wrth gwrs, ond mae gen i gasgliad o luniau. Hoffech chi eu gweld nhw?"

Daeth y frawddeg yna fel ergyd o'r gofod. Ar amrantiad trawsnewidiwyd map y noson. "Be ydan nhw felly, hen feistri?"

"Na," chwarddodd, "doedd fy ewythr ddim mor gyfoethog â hynny! Ond maen nhw'n lluniau gwreiddiol, er hynny."

"Gan bwy, felly?"

"Gen i."

"Gynnoch chi? Doedd gen i ddim syniad. Be ydyn nhw, felly?"

"Pobol, adeiladau. Sgetshys ffwrdd-â-hi yw'r rhan fwyaf. Sgen i ddim amser i beintio o ddifri."

"Ydyn nhw'n lluniau pert?"

"Nid fy lle i yw dweud."

Edrychodd arnaf â'i llygaid mawr duon. Roedd rhywbeth caredig ac agored ynddyn nhw, ond hefyd ryw chwilfrydedd oer. Roedd y gwahoddiad yn glir, ond nid yn gynnes. Teimlwn fy mod dan brawf, prawf yr oedd hi wedi'i osod ar nifer o ddynion, a'u cael i gyd yn brin.

"Dwi'n amau bod gynnoch chi lun o'ch llyfrgellydd, hefyd?"

"Oes, a dyw'r llun yna ddim yn bert, dwi'n cyfadde."

Ro'n i wedi fy rhewi mewn cyfyng-gyngor. Dwn i ddim pam y gwnes i'r penderfyniad y gwnes i. Rhois fy llaw ar ei hysgwydd. Am fod hynny, eisoes, yn gelwydd. Am imi benderfynu ffoi. Argyhoeddais fy hun nad oeddwn am ei thwyllo a'i chamarwain, ond celwydd oedd hynny hefyd, a dywedais fod gen i ffrindiau yn aros amdanaf.

"Yn Harry's Bar mae'n siŵr?"

"Yn y cyffiniau."

"Wel peidiwch â dal y cwch anghywir. Chewch chi ddim cwch i'r Canal Grande o'r lanfa yma."

"Dwi'n dal y cwch anghywir o hyd," atebais yn gloff.

Ond roedd y drwg wedi'i wneud, a throdd i ffwrdd heb air o ddiolch, wedi'i brifo er gwaetha popeth. Mae pawb yn ddynol, wedi'r cyfan. Gan fy fflangellu fy hun, edrychais ar ei ffigwr tal, crwm yn diflannu i dywyllwch blociau uchel y Cannaregio.

Bu bron i mi redeg ar ei hôl. Pam wnes i hynna? Pam ddywedais i gelwydd? Do'n i ddim yn fy neall fy hun. O'n i'n ei hofni? Yn ofni ei meddwl? Neu ai absenoldeb y ffactor rywiol oedd o? Neu, i'r gwrthwyneb, a oedd fy synnwyr o ramant wedi'i ddampio wedi'r nonsens efo Sabine?

Tynnais fap treuliedig o Fenis o'm poced a cheisio dod o hyd i lanfa ar gyfer y Canal Grande. Roedd gen i enw'r *trattoria* lle byddai'r criw yn bwyta heno. Ond i be? O'n i wir eisiau eu cwmni nhw? Fuasan nhw eisiau fy nghwmni i, yn y cyflwr oeddwn i?

Penderfynais aros lle'r oeddwn i a dal cwch yn ôl i'r Lido. Roedd yn llawn Saeson diflas, canol-oed a fu hefyd yn ciniawa yn y cyffiniau – darllenwyr y *Guardian* ran fwyaf, ddywedwn i. Palodd y cwch yn gyflym trwy ddyfroedd tywyll y lagŵn a thuag at yr arwydd mawr, melyn *Campari* sy'n coroni glanfa'r Lido. Camais allan i'r cei a cherdded heibio i'r llefydd *pizza* a'r bariau hwyr lle safai dynion mewn rhesi wrth y peiriannau unfraich, i gyd yn gwisgo sbectols tywyll er ei bod hi'n hanner nos.

★ ★ ★

Codais eto o'r gwely a mynd i'r gawodfa *en-suite*. Yn y stafell o ddrychau tywyll, cofiais am Llio a minnau'n ymdrybaeddu yn ein hadlewyrchiadau. Ond tybed a oedd Gabriele yn iawn, mai dyna ydi uffern, methu mynd y tu hwnt i'r cysgodion ohonom ein hunain?

Ro'n i wedi chwerthin am ben y blydi Eidalwyr yn eu sbectols tywyll ar y Lido. Ond tybed oeddwn i fel y dynion yna – am gael fy ngweld yn hytrach na gweld, heb ddim gwir ddiddordeb yn y byd? Onid fy mhechod, y noson honno yn Fenis, oedd nid diffyg cariad, ond diffyg chwilfrydedd?

Trwy gyd-ddigwyddiad, roedd Gabriele wedi fy arwain at yr eglwys yr oedd gen i lun ohoni eisoes. Ond roedd gen i fwy o ddiddordeb yn y llun nag yn yr eglwys, mwy o ddiddordeb yn yr eglwys nag yn y gelfyddyd oedd ynddi, a mwy o ddiddordeb yn y gelfyddyd nag yn ei neges.

Ydi hi'n bosib byw o'r crud i'r bedd heb dynnu'r sbectol dywyll i ffwrdd, heb fyth fod wedi gweld yn iawn?

-13-

MI GODAIS yn gynharach nag arfer y bore Mercher hwnnw, bore'r cynnig yn y Senedd. Er gwaetha cynnwrf a diffyg cwsg y dyddiau diwethaf, a'r atgofion a fynnai fy aflonyddu, roeddwn i, yn rhyfedd iawn, wedi ymdawelu.

Ces gyfle i ddarllen y papurau a sylweddoli, yn nhrefn eang pethau, mai mater cymharol ddibwys oedd y cynnig symbolaidd a gyflwynid i'r Senedd yn y man. Fel yn rhy aml, roedd ystyriaethau personol, emosiynol yn ymyrryd â gwrthrychedd a challineb.

Edrychais trwy'r ffenest draw at y bryniau isel sy'n llochesu'n pentre ni, a gweld yr haul yn dringo'n araf uwchlaw clwstwr o gymylau. Mor anochel â chodiad haul, mi fyddai'r cynnig drosodd erbyn canol y bore. Doeddwn i ddim i gymryd rhan yn y drafodaeth, a doedd dim mwy y gallwn ei wneud i effeithio ar y canlyniad. A phan fyddai'r haul wedi diflannu, fe fyddwn i, gobeithio, yn cael mwynhau chwisgi gyda Huw a chael cyfle i roi'r byd yn ei le.

Sylweddolais nad busnes Riga ei hun oedd wedi bod yn fy aflonyddu, yn gymaint â chyfuniad o ddigwyddiadau, gan gynnwys, wrth gwrs, y busnes Llio yna. Roedd hynny wedi fy mwrw i'n fwy nag oeddwn i am ei gyfaddef. Ond tybed a oedd yna ryw bwrpas cudd i'r cyfan, y gallai'r pethau a ddigwyddodd fod o ryw les, gan brysuro sefyllfa a fyddai wedi digwydd beth bynnag? Yn hwyr neu'n hwyrach, oni fyddai'n rhaid i mi ailfeddwl am fy amgylchiadau personol?

Yn amlwg, ro'n i wedi bod yn dilyn trywydd rhywiol ffôl a dall. Os rhyw, yna cymryd agwedd ysgafn, ddi-hid Tomaso oedd eisiau, wrth gwrs. Dylaswn fod wedi hen ddysgu hynny erbyn hyn ond mae 'na ryw *regression* parhaol sy'n gyrru dyn yn ôl at agweddau gwirion, adolesentaidd, hyd yn oed yn fy oed i.

Wrth gwrs dydi rhyw, fel y cyfryw, ddim yn bwysig o gwbl, ar wahân i'r cyd-destun teuluol. Dydi o ddim yn angenrheidiol, dim ond i barhau'r hil. Eto mae'n obsesiwn sy'n treiddio trwy'n cymdeithas ni. Ond dydi o ddim yn broblem mewn cymdeithasau hapus, mewn diwylliannau heulog. Dydi o ddim yn broblem i'r ifanc, dydi o ddim yn broblem i Llio. Doedd o ddim yn broblem i Tomaso. Mi allwch chi glicio allan o'r agwedd yna i gyd – ac mae o'n hawdd.

Pam, felly, na lwyddais i, hyd yma, i wneud hynny? Ai'r bywyd gwleidyddol sydd ar fai, ei brysurdeb artiffisial, y tensiwn parhaol, y gwaith nad ydi o'n waith go iawn, y diffyg amser i ymlacio a meddwl a chreu? Ac i raddau llai, onid felly oedd hi pan o'n i'n gweithio ym myd ffilm?

A ddylwn feddwl am fynd yn ôl – neu ymlaen – i waith creadigol eto, fel yr awgrymodd Hitt? Nid at waith gweinyddol, na swydd arall yn y Celfyddydau – allwn i ddim handlo egos mor fawr â rhai Robert Knight – ond at sgrifennu creadigol.

Mae'n demtasiwn mawr i roi cynnig ar gyfrol o atgofion, a gneud job tipyn gonestach a difyrrach na'r rhan fwyaf o wleidyddion. Gen i stwff diddorol yn y dyddiaduron 'ma. Neu a ddylwn i feddwl am orffen y traethawd Ph.D. yna a adewais ar ei hanner ym Mangor?

Neu wneud rhywbeth arall, na wn i eto beth ydi o? A yw'r cyfan yma efallai'n angenrheidiol i'm rhyddhau ar gyfer ryw antur sydd i ddod, at bosibiliadau newydd nad ydw i eto wedi eu dirnad? Neu at berthynas newydd, gyffrous a allai chwyldroi fy hen agweddau?

Gorffennais fy nghoffi, a pharatoi i loncian. Am y tro cyntaf ers tro, ro'n i'n edrych ymlaen at y digwyddiadau yn y Senedd. Do'n i ddim yn hidio bellach be ddigwyddai. Neu o leiaf do'n i ddim yn poeni am y peth. Petai'r trafodaethau yn fy arwain at Maya, yna fe gawn gyfle i gyflawni, nid yn rhywiol, ond yn bersonol, y gyfathrach a adawsom ar ei hanner ym Mhrâg.

Do, mi gawson ni noson ryfedd braidd yr ail dro, wedi'r gynhadledd arall honno. Un ryfedd, chwerw-felys, ddiganlyniad. Wnes i ddim ymddwyn yn arbennig o wych nac o wael. Ond does dim i'w ennill mewn tin-droi dros fethiannau'r gorffennol: does dim sicrach nag y daw methiannau newydd eto.

Beth sy'n bwysig ydi ymddwyn yn normal ac anrhydeddus a chyda meddwl agored a heb ddim gwasgfa ffôl gan ystyriaethau rhywiol.

★ ★ ★

Gyrrais i mewn a chael awr o glirio gwaith gydag Anna cyn mynd trwodd i neuadd y Senedd. Yno, eisteddais wrth fy nesg arferol ar feinciau blaen Plaid Cymru.

Tywynnai haul y bore yn erbyn y gwaith carreg, a nofiai ambell gwmwl ar draws y tirlun neu'r morlun sy'n wynebu'r aelodau. Mae'r desgiau ar ffurf hanner amffitheatr, y seddau i gyd yn edrych i lawr at y Bae a'r môr sydd rhyngom a Lloegr. Dim ond Syr Huw a'i staff sy'n wynebu tuag i fyny, gan golli golygfa sy'n gysur ar aml i awr ddiflas.

Cododd Syr Huw a chyhoeddi y byddai'n caniatáu cynnig brys i'w gyflwyno i'r Senedd y bore 'ma, yn amser y Llywydd.

Siaradai o'i safle o dan y golofn o wenithfaen sy'n rhannu'r panorama'n ddwy. Naddwyd Draig Goch ar ei chanol, ac o dani, y geiriau Golud Gwlad Rhyddid.

Yna cododd Rhodri Lewis, Aelod Castell-nedd, o'r tu ôl i mi, i roi'r cynnig ger bron. Traethodd yn dawel, ffeithiol am y sefyllfa yn y Baltig, yr olew, a'r gynhadledd ryngwladol yn Riga; yna cynnig bod y Senedd yn dilyn esiampl yr Alban, ac yn cefnogi'r cynhadledd yn ffurfiol.

Doedd o ddim yn y cyfarfod yn y swyddfa fore Sadwrn, ond yn amlwg yr oedd Lloyd a Sidoli wedi penderfynu y byddai o, fel aelod poblogaidd, yn un da i wneud y cynnig, ac wedi ei frîffio'n drylwyr. Cafodd ei eilio gan Andrea Wells o'r Blaid Lafur. Gwnaeth hynny'n fyr gan bwysleisio pa mor bwysig, o safbwynt rhyngwladol, oedd parchu sofraniaeth y gwledydd bychain, newydd sydd ar gyrion Ewrop.

Rhaid i mi gyfaddef i mi deimlo rhyw wefr o weld y rhain yn siarad mor urddasol a phwrpasol, gan gydnabod fy ngwamalrwydd personol ar y pwnc. Os oes yna bwrpas o gwbl i'r adeilad ysblennydd yma, yna bod yn llwyfan i fynegi a chrisialu dyheadau Cymru ydi hynny. Beth bynnag fyddai tynged y cynnig y bore 'ma, roedd yn weddus ei fod o'n cael ei drafod, ac unwaith eto fe deimlwn ddyled i John Lloyd am ei flaengarwch.

Ond, wrth gwrs, yr oedd yn rhaid i Gareth Webb godi ar ei draed. Mae hi'n rheol aur: mae'n rhaid iddo fo drio ffwcio petha i fyny.

"Mae'n beth rhyfedd iawn gen i," meddai yn ei lais gwichlyd, "i weld cytundeb mor gariadlon rhwng Plaid Cymru a'r Blaid Lafur ar y pwnc anodd a sensitif yma. Ydi'r aelodau Llafur yn hapus o'n gweld yn pasio cynnig a allai dorri ar draws polisi tramor ein mam senedd yn Llundain? Dwi'n cynnig gwelliant, sef ein bod yn aros yn gyntaf am ddatganiad polisi o San

Steffan. Fel arall fe eith petha'n draed moch. Mae'n bwysig bod Prydain yn llefaru ac yn gweithredu'n unol ar y mater yma ac mae hynny hefyd er lles y gwledydd sy gynnon ni dan sylw."

Mae'r boi'n anhygoel. Un funud yn gwaedu dros yr ardaloedd Cymraeg, y funud nesa'n ymbil dros undod Prydeinig. Petai'r apêl wedi dod o'r meinciau Llafur mae'n bosib y buasai wedi drysu pethau, ond ymataliodd ASau Plaid Cymru rhag cynhyrfu'r dyfroedd. Hefyd, yn ddoeth, gwnaeth Syr Huw yn fach o'r peth gan bwysleisio pwysigrwydd symbolaidd y cynnig, ac fe drechwyd gwelliant Webb.

Yna cododd Rhodri Lewis: "Rwy'n ddiolchgar i'r Tŷ am eu cefnogaeth i'r cynnig yn ei gyfanrwydd. Rwy'n cymryd yn ganiataol, felly, y gallwn ni symud ymlaen i drefnu cynrychiolaeth o Gymru i'r gynhadledd yn Riga. Os felly," meddai, gan droi at Syr Huw, "ga i awgrymu ein bod yn gadael y manylion i Lywydd y Senedd eu cytuno gydag Ysgrifennydd y Cabinet, a hynny'n fuan?"

Edrychais draw at Deri Smith. Ond roedd o'n edrych i lawr ar y papurau ar ei ddesg. Rhaid ei fod o wedi torri gair â Huw ynghynt. Yn amlwg doedd o ddim yn poeni, neu efallai'n ystyried pa gonsesiwn y gallai wasgu ohona i y tro nesa.

A dyna ni. Cyhoeddodd Syr Huw fod busnes arferol y Senedd i gychwyn yn syth wedyn. Yn digwydd bod, roedd y cynnig nesaf yn un digon dadleuol a llosg yn ymwneud â hawliau hoywon, ac mae'n bosib bod hynny wedi hwyluso pethau.

Gwelais Dave Hitt yn nesg y wasg, yn hogi ei bensiliau, ac er gwaetha fy mharch at ei graffter a'r *crap-detector* yna sydd yn ei ben, ro'n i'n amau'n gryf iddo benderfynu mai'r mater nesaf, hoywol a fyddai o'r diddordeb mwyaf i ddarllenwyr y *Welsh Mail*.

Pwy, mewn difri, sydd â diddordeb yn y Baltig?

★ ★ ★

Sylwais fod Lloyd a'r lleill yn gadael a phenderfynais nad oeddwn i, chwaith, am aros ar gyfer y drafodaeth ar hawliau hoywon. Beth bynnag, ein polisi ni ydi caniatáu pleidlais rydd i'n haelodau ar faterion felly. Fe gliriais i hanner dwsin o alwadau ffôn gan gynnwys un faith i Jenny Stewart.

Mewn hwyliau gwell wedi hynny, mi es i am ginio i'r prif fwyty lle'r oeddwn i gwrdd â Lloyd a Sidoli, wrth ein bwrdd arferol ger y ffenest.

"Ardderchog, yntê," meddai Sidoli, "a diolch i ti Meirion am dy gyfraniad allweddol yn delio gyda Smith. Roedd ei ddiffyg brwdfrydedd yn beth da, a'i benderfyniad i adael i rai llai amlwg wneud y siarad."

"Mae'n gyffrous, Meirion," ategodd Lloyd gan arllwys y botelaid o ddŵr Tŷ Nant. "Mae hanes yn cael ei greu, ond heb i neb sylweddoli hynny eto!"

"Dwi'n cydnabod eich bod chi'n hollol iawn i godi'r pwnc yma," dywedais. "Do'n i ddim yn hollol siŵr ar y dechrau."

"A rydan ni bellach wedi symud ymlaen gyda'r trefniadau. Dwi wedi cysylltu â Syr Huw ac mae Turnpike wedi gadael y trefniadau iddo fe. Does gan y Blaid Lafur, mae'n ymddangos, ddim diddordeb."

"Dwi'n synnu at hynny, braidd."

"Wel," meddai Lloyd, ei lygaid yn pefrio'n ddrygionus, "ydi hynny'n syndod, o ystyried amseriad y gynhadledd mewn perthynas â ffeinal Cwpan Rygbi'r Byd?"

"Ond wrth gwrs…"

"Mae popeth yn gweithio er daioni," aeth ymlaen yn hapus.

"Mae'r trefnwyr wedi caniatáu lle i ddau ac un sylwebydd felly dwi wedi anfon tri enw atynt. A dwi hefyd wedi hysbysu Maya Dulka o be sy'n digwydd."

"Effeithiol dros ben – a phwy felly sy'n mynd i Riga?"

"Rhodri Lewis a minnau, ac Alun fel sylwebydd. Mae Rhodri, chware teg, wedi cytuno er bod ganddo dipyn ar 'i blât."

Er fy ngwaethaf, rhoddodd hynny sioc i mi.

Edrychodd John Lloyd ataf yn syn braidd.

"Wel," meddwn yn gloff, "ro'n i fwy neu lai wedi dygymod â mynd fy hun. Dwn i ddim pam, oherwydd doedd o ddim yn gyfleus iawn i minnau, chwaith."

"Ond Meirion, dwi wedi cymryd yn ganiataol ar hyd yr amser nad oes gen ti ddim diddordeb. Mae dy agwedd di wedi bod ychydig bach yn negyddol ers y dechrau."

"Wel dydi hynna ddim yn hollol deg. Dwi wedi gwneud pob peth ofynsoch chi, sortio petha efo Deri Smith, ac wrth gwrs mae heddiw wedi mynd fel wats."

Yn awr roedd yna dawelwch go hir.

"Wel do'n i ddim yn disgwyl hyn, Meirion… felly rwyt ti o ddifri am fynd i Riga?" gofynnodd Lloyd gan edrych arnaf dros rimyn ei sbectol aur.

Gwyddwn y byddai fy ymateb yn dyngedfennol. O'n i o ddifri? Os oeddwn i, ai oherwydd y gynhadledd oedd hynny, neu am resymau eraill, mwy personol?

Oedd ots? Ac oni wnes i'r penderfyniad eisoes? Doedd dim pwynt gwamalu ac o'r diwedd dywedais, "Ydw – mi faswn i'n hoffi mynd. Dwi'n gweld Riga'n bwysig, am sawl rheswm."

"Wel ti ydi'n Llywydd ni wedi'r cyfan. Mae hynny'n ffactor

bwysig." Trodd Lloyd at Sidoli. "Mi fydd yn rhaid i ni fynd yn ôl at Rhodri. Roedd e wedi gneud trefniadau eraill ar gyfer y penwythnos, rwy'n cyfadde. Y blydi gêm yna, eto: wedi gwahodd criw o'i etholaeth draw i dderbyniad yn y Stadiwm. Wnei di gysylltu ag e ar unwaith?"

Ro'n i'n hanner difaru. Oeddwn i'n gall i golli'r hwyl i gyd a mynd ar helfa hwyaid gwyllt fel hyn? Ond allwn i ddim troi'n ôl rŵan heb ymddangos fel babi blwydd.

"Gwnewch fel ry'ch chi'n gweld orau, a dewch yn ôl ataf."

Fel arfer, cadwodd Lloyd at ei air a rhoi caniad i mi ganol y pnawn.

"Dim ond gair i ddweud fod popeth yn iawn, Meirion, ynglŷn â Riga. Roedd Rhodri'n ddigon balch o gael ei ryddhau. Ond mae Maya wedi gofyn i chi gysylltu â hi ynglŷn â'r trefniadau. Mae cysylltiad personol wastad yn allweddol mewn sefyllfaoedd fel hyn, ac mae'n un o'r rhesymau pam rwy wedi mynd i drafferth i newid y trefniadau."

"Dwi'n edrych ymlaen. Gadewch unrhyw ddogfennau teithio yn fy swyddfa."

Cerddais yn ôl ar hyd y coridor. Dwi wedi'i gneud hi, on'd o?

Gallai fod yn benwythnos mwya diflas a methiannus fy mywyd, a'r cyfan – cystal i mi fod yn gwbl onest – o achos un ferch do'n i prin yn ei hadnabod. Rŵan byddai'n rhaid i mi ei ffonio. Pam, wedi gwneud y penderfyniad, nad o'n i'n edrych ymlaen at hynny o gwbl?

★ ★ ★

Mae 'na le bach difyr, Japaneaidd ger y cei – y Bara Bara. Mi fydda i'n ffoi yno weithiau os dwi'n ffansïo pryd ysgafn neu ddiodyn ar ddiwedd dydd. Mae'r bar yn gallu bod yn reit fywiog pan mae 'na *karaoke* ymlaen. Ac mae 'na rywbeth reit hyfryd am y merched Japanî sy'n gweini yna, yn arbennig Suzy.

Beth bynnag, yno yr oeddwn i yn mwynhau ychydig o fwyd *sushi* wrth bori yn y *Guardian,* pan ganodd y Siemens.

"Meirion? Meirion Middleton?" meddai llais merch.

Wnes i ddim sylweddoli pwy oedd hi am sbel. Yna syrthiodd y geiniog. Ro'n i wedi methu cael gafael arni ynghynt, ac wedi rhoi fy rhif i'w hysgrifenyddes.

"Maya! Sut mae?"

"Iawn – ond yn brysur iawn, wrth gwrs. Braf cael clywed dy lais di eto."

"Titha hefyd."

Roedd y sefyllfa'n afreal, a phob gair fel plwm.

"Rwy'n falch iawn i bopeth fynd cystal yn y Senedd bore 'ma, ac rwy'n deall fod rhan o'r diolch i ti."

"Mi fuon ni'n lwcus, braidd. Ond mi aeth y cynnig drwodd – dyna sy'n bwysig."

"Gwych, Meirion. Bydd e'n help garw i ni. Mae 'na sbïwyr Rwsiaidd ym mhobman yma – ond cawn drafod hynna i gyd eto. Pryd wyt ti'n hedfan?"

"Dydd Gwener. Mae 'na awyren canol dydd o Heathrow."

Tawelwch. "Mae'r cyfarfod cyntaf yn hwyr bnawn Gwener. Mae'n rhaid i fi fod yno. Fydda i ddim yn rhydd wedyn tan ar ôl y gynhadledd. Wyt ti'n gallu aros tan bnawn Sul?"

"Na, rhaid i mi fod yn y Senedd fore Llun. Ond ga i dy weld di o gwmpas ddydd Sadwrn, dwi'n siŵr."

"Na, mi fydd hi'n uffernol o brysur. Dyna pryd mae'r prif gynigion ar y bwrdd. Fydd yna ddim amser am sgwrs iawn, ac ro'n i'n gobeithio trafod rhai pethe mwy personol 'da ti... Rwy'n rhydd nos fory, nos Iau."

Damia, roedd hyn yn anodd, yn anodd iawn. Dylswn wedi ei ffonio ynghynt.

"Wel mi allwn gymryd dydd Gwener i ffwrdd, mae'n debyg. Y broblem ydi'r lleill sy'n dŵad."

"Buasai'n braf cyfarfod eto, Meirion."

"Wrth gwrs."

Tawelwch. Yna meddai, "Mae gynnon ni sgyrsiau heb eu gorffen, a rhai heb eu dechrau..."

Doedd hi ddim yn gwneud pethau'n haws i mi.

"Ro'n i'n gweld dy fod ti am drafod rhyw fater ynglŷn â Tomaso, ond wela i ddim sut y galla i helpu."

"Alla i mo'i drafod e dros y ffôn. Mi ga i esbonio'r cyfan pan wela i di."

Roedd y cymysgedd yma o agosatrwydd a phellter yn rhyfedd ac yn anodd. Doedd dim pwynt cario'r drafodaeth ymlaen dan yr amgylchiadau hyn.

Yna dywedais, "Wnei di anfon y trefniadau ata i – lle ac amser pendant i gyfarfod yn Riga nos Iau? Fe wna i gadarnhau ar e-bost ben bore fory. A bydd angen llety wrth gwrs ar gyfer nos Iau. Mae'n anodd i mi benderfynu yn y fan yma dros y ffôn."

"Ond dydi llety ddim yn broblem – mae 'na le lle rydw i'n aros."

"Ble mae hynny?"

"Tŷ yma yn Riga, yng ngogledd y ddinas."

"Cawn weld, felly, be alla i drefnu."

"Edrych ymlaen, Meirion – yn fawr."

"A finnau wrth gwrs."

Ac yna ro'n i'n ôl yn y Bara Bara a'r cimychiaid Japaneaidd.

Edrychais allan trwy'r cwareli sgwâr tua'r môr.

Roedd hi'n amser rhyfedd o'r nos, yn gyfnod rhwng cyfnodau. Roedd rhai seneddwyr a gwŷr busnes, fel fi, yn cael prydyn byr cyn mynd adre ac ar fin gadael, a bwytawyr y nos, yn barau fel arfer, ar fin cyrraedd. Gwyddwn y gallai'r bar fywiogi'n arw pan fyddai'r Japaneaid yng Nghaerdydd yn cynnal noson *karaoke*.

Bwytais weddill y bwyd *sushi* a daeth Suzy i nôl y plat.

"What else can I do for you?"

"Just a coffee, please – decaffeinated."

"Not staying for the kalaoke tonight? Nice company, good fun."

"I know. But another time, Suzy. Politics, you understand…"

"As you say, Mr Plesident," meddai gan wenu. Am ryw reswm mae'n mynnu fy ngalw i'n hynna weithiau, i'm pryfocio.

Ond Maya oedd ar fy meddwl i rŵan. A allwn i gyfiawnhau mynd ddiwrnod ynghynt?

Petai Maya'n ddyn, ac yn hen ffrind, a fuaswn i'n meddwl ddwywaith, oni bai fod gennyf ryw fusnes aruthrol bwysig i'm rhwystro? Yn sicr byddai'r cysylltiad personol yn dyfnhau fy nealltwriaeth o'r sefyllfa yn y Baltig, ac efallai'n hwyluso llwyfan i Gymru yn y gynhadledd ddydd Sadwrn.

Beth oedd gennyf ymlaen ddydd Gwener, felly? Dim ond y rigmarôl arferol – yr un math o waith â phob dydd Gwener arall ers deng mlynedd.

Felly fe awn i. Byddwn yn derbyn ei gwahoddiad. Ac fe

fyddwn i gyda hi nos fory, nos Iau. Yn y tŷ yna, ble bynnag oedd o, y tŷ lle'r oedd hi'n aros hefyd...

Edrychais allan trwy'r cwareli gwydr. Edrychodd Suzy tuag ataf a gwenu arnaf yn fy synfyfyrdod; yna symud i ffwrdd rhag creu embaras...

Hawdd y gallai wneud hynny. Roeddwn wedi twyllo fy hun eto, wrth gwrs, ac yn llwyr y tro hwn. Roeddwn i wedi gwyrdoi fy mhenderfyniad i ddiystyru'r ffactorau personol, rhywiol. Rhuthrodd y cof am ein noson olaf ym Mhrâg ataf fel corwynt – y noson nad oeddwn i am ei chofio – ac yna fe wyddwn i'n berffaith mai fy unig reswm dros fynd i Riga oedd i weld Maya Dulka.

– 14 –

FE FUON NI MEWN CYSYLLTIAD ar ôl Krakow, gan gyfnewid
ambell i e-bost arwynebol; yna cysylltodd hi eto cyn y
gynhadledd ym Mhrâg. Fel roedd hi'n digwydd, ro'n i wedi
trefnu i fynd yno beth bynnag. Ond chawson ni ddim cyfle
am sgwrs hir tan y noson olaf, ac roedd hynny braidd ar
ddamwain.

Cytunodd criw ohonom i gyfarfod mewn bar yn Sgwâr yr
Hen Dre, ond digwyddodd rhyw gamddealltwriaeth ynglŷn
â bariau neu â sgwariau. Roedden ni'n dau wedi wedi dal y
metro i ganol y ddinas, ond doedd dim sôn am y lleill. Doedd
gen i ddim ots mawr am hynny achos allwn i ddim dal noson
arall hwyr.

Un dawel braidd oedd hi, ond gwyddwn o'r amser yn
Krakow y gallai flodeuo'n sydyn ac ymuno ym mha hwyl
bynnag fyddai'n mynd. Weithiau byddai'n cynnig sylw sydyn,
craff gan roi pìn ym malŵn rhyw osodiad rhwysgfawr. A gallai
ddawnsio, hefyd – fel y cofiwn o'r noson yn y clwb jazz yn
Krakow.

Ni fyddai llawer o gyfieithwyr yn mynd i'r cynadleddau
hyn, a chofiais iddi ddweud ym Mhrâg ei bod hi'n arbenigo
ar gyfieithu sgriptiau a ffilmiau. Roedd cynrychiolwyr aml i
gwmni ffilm yn mynd i'r jolihoets yma, ond y gwir oedd fod
ganddi hi fwy o siawns o gael job cyfieithu nag oedd gen i o
werthu ffilm.

Cawsom wydryn yn gyntaf mewn bar mawr swnllyd ar y
Sgwâr. Roedd bandiau jazz yn chwarae ar ddau lawr, a bois
barfog trist yn eu chwe degau yn chwarae stwff oedd yn
debycach i ddawnsio Morris na jazz go iawn. O'n cwmpas

roedd Americaniaid, llawer o'r rheini hefyd yn drist a chwedegol, yn trio'n galed i fwynhau. Aethom allan a phasio seler dywyll ble'r oedd criw ifanc yn chwarae stwff trwm, ffyncaidd. Roedd hyn yn lot, lot gwell. Aethom i lawr y grisiau ond fe fynnodd fy nhynnu allan.

Yn anfodlon braidd fe'i dilynais i far tawelach, mwy henffasiwn, yn wynebu tua'r sgwâr. Roedd hi'n dipyn hapusach yma. Archebais lasied o win ysgafn, a dŵr iddi hi.

"Pam y dŵr? Be sy'n bod?" gofynnais.

"Rwy wedi cael un gwin yn barod. Does dim angen mwy arna i i fwynhau."

"Ddylwn i gofio hynna'n amlach. Fi ddylai fod yn yfed dŵr heno, wedi'r holl lyshio dwi wedi'i neud trwy'r gynhadledd 'ma."

"Os mae hynny'n dy neud di'n hapus, rwyt ti'n lwcus."

"Ie, trueni na fasai bod yn hapus mor hawdd â hynny."

Chwaraeai triawd o hen ddynion yn y gornel – sither, bas, piano – gan ganu hen alawon o Broadway ac ambell un Iddewig. Edrychais ar Maya'n gwylio'r band, ei bys yn troi'n araf ar rimyn y gwydryn dŵr.

"Mae'n ddwy flynedd, yn tydi," meddai gan droi ataf.

"Be ti'n feddwl?"

"Oddi ar Krakow, yntê."

"Ydi hi'n gymaint â hynny?"

"Ti'n cofio ni'n eistedd o flaen yr hen neuadd farchnad, a'r lleuad denau'n hongian uwch ei ben e?"

"Sut alla i beidio? A titha'n smygu sigarét aur Tomaso?"

"Mi fuon ni'n trafod lot o bethau, on'd o?"

"Do. Ond mae'r byd yn dal 'run fath."

"Yn anffodus."

Trois ati. "Be – ti'n disgwyl i betha wella, felly, yn gyffredinol?"

"Rwy'n ffŵl, yn tydw? O leia, ro'n i'n disgwyl y buasai pethau wedi gwella i Tomaso."

"Tomaso? Ond sut gwyddost ti nad ydi o'n iawn rŵan?"

"Mi fues i mewn cysylltiad ag e," cyfaddefodd.

"O, dwi'n gweld…"

"Na, dim byd fel'na," meddai gan hanner gwenu. "Ces i waith i'w ffindo fe. Ces i lythyr hir, mewn Pwyleg, ganddo tua tri mis wedyn. Ond dal i rwdlan oedd e: gallwn i weld nad oedd pethau ddim gwell. Mae mor drist bod athrylith fel'na yn methu cael gwaith o dan yr hen drefn, na'r un newydd, chwaith."

Yfais ychydig o'r gwin gwyn. "Dwi'n gweld bod gen ti dipyn o feddwl ohono fo, ond 'dan ni ddim yn gwbod y cyfan, ydan ni? Faint o wir dalent oedd ganddo fo? Falla 'i fod o'n bwdryn. Falla mai act oedd y cyfan, a'i fod o'n well actor na chynhyrchydd."

"Na, doedd hynny ddim yn wir," meddai Maya'n bendant.

"Sut gwyddost ti? Welaist ti o wedyn?"

"Naddo. Mi allaswn i fod wedi ymweld ag e, mae'n debyg – ond wnes i ddim."

"Felly mi welaist ti o ddwytha 'run pryd â fi, felly – yn mynd i beintio Krakow yn goch efo'r ddwy hen actores…"

"Ie, dyna'r tro dwetha i mi ei weld e. Ond dyw amser ddim yn gwneud gwahaniaeth," meddai.

"Na, mewn ffordd. Does dim rhaid gweld rhywun yn aml, i fod â meddwl uchel ohono fo."

"Yn hollol, Meirion," meddai Maya gan godi'i llygaid ataf yn awgrymog.

Ond ni allwn ymateb. Ro'n i wedi ymlâdd wedi tridiau o gynadledda caled a gadewais i felodi sentimental y band roi rhyw fath o ateb ar fy rhan. Er gwaethaf popeth, llwyddai'r dôn driogllyd i fynd o dan y croen.

"Mwynhau'r miwsig?" gofynnais o'r diwedd.

"Wrth fy modd."

"Ond *schmalz* pur, wrth gwrs."

"Be sy'n bod ar *schmalz?*"

"Pawb at y peth y bo."

"Mi fyddai Mam-gu yn gneud *schmaltz* bendigedig. Dim byd gwell i'w roi ar ben tatws rhost. Roedden ni'n dwlu arno fe, yn blant."

Sylweddolais mai ychydig iawn wyddwn i am Maya. Oedd 'na elfen Iddewig yn ei chefndir? Oes oedd yna, doedd hi ddim o'r un gangen â Margot. Yn wahanol iddi hi, gwisgai Maya mewn arddull gomiwnyddol braidd – llwydau a browniau plaen – ond heno â sgarff goch, sosialaidd am ei gwddf. Byddai'n well ganddi ddal bws na thacsi, a byddai'n ffoi weithiau i gaffi rhad yn hytrach na dilyn y criw i far mewn gwesty moethus.

Yna fe drawodd y clociau, un ar ôl y llall, ddeuddeg o'r gloch, gan foddi'r band â'u sain aflafar. Roedd yna glociau ar hyd y waliau, rhai a'u peirianwaith danheddog yn y golwg. Llifai ymysgaroedd mecanyddol un ohonynt i lawr dros y dresel o dano, fel rhywbeth allan o lun gan Dali.

Yna digwyddodd rhywbeth y tu mewn i mi. Syrthiodd rhyw len dros fy meddwl, gan gau'r llwyfan i ffwrdd. Rhaid mai'r blinder llethol oedd o. Yn sydyn, wyddwn i ddim ble'r oeddwn i, nac ym mha ddinas, nac ym mha ganrif. Ro'n i'n ôl mewn rhyw Ewrop hen, ddiamser.

Torrodd Maya, o'r diwedd, ar draws fy mhensyndod. "Mae e fel bod mewn hen ffilm ddu-a-gwyn, on'd yw e?"

"Ti'n iawn."

"A'r dôn yna'n chwarae'r *credits* allan ar y diwedd. P'un ydi'r dôn yna? Mae'n neis."

"*Schmaltz* eto – 'Fly Me to the Moon'?"

"Ac rwy'n gweld ein henwau ni, dy enw di, fy enw i…"

"A'r cynadleddwyr eraill? Beth am yr Athro Mishel Conrad? Ydi o yna?" atebais, gan gyfeirio at un o'r siaradwyr mwyaf diflas.

"Na, 'sdim credits iddo fe. Dim ond ni sydd yn y ffilm arbennig yma," meddai'n ysgafn.

"Ac wedyn, Maya – beth?"

"*END,* wrth gwrs…"

"Ac wedyn?"

"Sinema dywyll. Tywyllwch bywyd 'i hun…"

"Diawch, ydi o mor ddrwg â hynna? A beth bynnag, mae'r sinema'n goleuo wedyn."

"Ydi, a be welwch chi? Dau gant o seddau gwag, os oedd hi'n ffilm dda, fel *Lludw a Diemwntau?* Ti'n cofio bore ddoe?"

Trodd y croen lemwn yn ei gwydryn dŵr. "Heb ffilm, heb stori, heb gelwydd – be sy gynnon ni ar ôl?"

Llyncais weddill y gwin, gan osgoi ei chwestiwn.

"Be sy gynnon ni ar ôl heno 'ma, Meirion?" meddai eto.

Sut allwn i ei hateb? "Wel, deg awr o dywyllwch sy o

'mlaen i, dwi'n ofni."

"Dyna ddywedais i, yntê," meddai'n galetach.

Ond allwn i ddim cynnig mwy iddi'r noson honno, o ran sgwrs nac fel arall. Ro'n i'n dal mewn rhyw stad o bensyfrdandod anaesthetig. "Fe wnawn ni ffilm efo'n gilydd rywbryd eto," dywedais yn llipa.

Canodd y band eu cân olaf; wedi'r tawelwch, dim ond y clociau oedd i'w clywed eto, yn tician yn swnllyd ar draws ei gilydd. Dechreuodd y gweinwyr, yn eu siwtiau pengwin, glirio'r byrddau. Cododd Maya a gwisgo'i chot, ac fe'i dilynais allan i'r Hen Sgwâr a'i gerrig cobl a'i oleuadau melyn.

Cerddais â hi'n ôl i'r bloc lle'r oedd hi'n aros, yr ochr arall i'r afon, ond roedd yn rhaid oedi am eiliad ar Bont Siarl. O boptu i ni safai rhesi o esgobion duon yn chwifio'u croesau dros y ffydd. O'n blaenau, wedi'i olchi mewn aur, codai Castell enwog Kafka a Havel. O'n cwmpas dawnsiai goleuadau dinas Prâg ddawns ddwbl yn nyfroedd yr Afon Vlatava ac yn nüwch awyr y nos. Roedden ni wedi'n dal mewn cylch o hud.

Rhois fy llaw yn ysgafn am wasg Maya. "Ffilm ydi hyn, hefyd, yntê? Ffilm ydi bywyd – nid tywyllwch o gwbl. Rydan ni ynddi hi rŵan."

"Ydyn, ond mae tywyllwch yn bod hefyd."

"Ond dwi'n cytuno," atebais yn fwy llon nag y dylswn. "Mae'r ddau beth yn angenrheidiol."

Yna meddai, wedi saib, "Efallai. Rwy jyst yn blino weithiau ar wylio ffilmiau pobol eraill – dyna i gyd."

Ond allwn i ddim dweud mwy. Roeddan ni'n dau'n deall y sefyllfa. Croeson ni'r Bont mewn tawelwch. O'r diwedd cyrhaeddon ni'r tenement uchel, comiwnyddol lle'r oedd hi'n aros. Rhoddais gusan ffarwél iddi cyn brasgamu'n ôl ar lan yr afon, a thros y Bont a chroesi'r Hen Sgwâr eto a chyrraedd gorsaf metro'r Mustek o'r diwedd. Ro'n i ar drengi eisiau cwsg.

Yna, ger drws y gwesty, canodd y clychau. Am eiliad ffôl, meddyliais mai'r blydi clociau oedd wrthi eto, ond clychau eglwysi oeddan nhw – holl eglwysi Prâg, yn swnio i mi – yn ding dongio ar draws ei gilydd.

Roedd hi'n un o'r gloch. Dyna'i gyd oedd hi. Am ryw reswm, tybiwn ei bod hi lawer iawn yn hwyrach.

-15-

O NI BAI AM SYR HUW, mae'n siŵr y buaswn i'n greadur gwahanol, a llai rhydd. Mae gwybod ei fod o ar gael yn y cefndir, yn graig o gadernid, yn peri nad oes raid i mi ystyried fod popeth dwi'n ei ddweud ac yn ei wneud o dragwyddol bwys. Ac mae gan Lloyd, yntau, ei ran i'w chwarae. Er 'mod i'n ei regi'n ddigon aml, gwn fod ei agwedd gydwybodol yn fy rhyddhau rhag cario holl bwysau Llywyddiaeth y Blaid ar fy sgwyddau fy hun. Rydan ni'n bâr anghymarus – ond, rywsut neu'i gilydd, mae o'n gweithio.

Er ei bod wedi tywyllu, penderfynais ddilyn y ffordd gefn, heibio ymyl y llyn, ar draws y tir agored. Mae cartref Huw ryw hanner milltir o Man Gwyn. Does 'na ddim llwybr swyddogol ond mae'n brafiach na rowndio'r pentre, ac yn fwy preifat, pan fo hynny'n bwysig.

Croesais ei lawnt gefn a churo ar y ffenest yn y tŵr ffug-gastellog. Agorodd Huw y drws i'm croesawu i'w stydi. Arllwysodd Glenfiddich ar iâ a'i roi ar y bwrdd mawr, gwydr gyferbyn ag un o'r cadeiriau esmwyth.

"Mae Dwysli wedi paratoi tamaid bach i'w fyta, hefyd," ychwanegodd. Ymhen dim daeth hi i mewn â phlatiad agored saladaidd ac yna ein gadael yng nghwmni'n gilydd yng nghysur a chlydwch y stydi-*cum*-llyfrgell.

"Diwrnod hir," meddai Huw, "ond llwyddiannus?"

"Wnest ti lywio petha'n ddeheuig bore 'ma."

"Aeth pethe'n iawn. Gallasai Webb fod wedi drysu pethau."

"Lwcus ei fod o'n dwp."

"Na, dyw e ddim yn dwp, Meirion. Mae'n glyfar, ac yn faleisus hefyd. Ni sy'n lwcus ei fod e yn y lleiafrif."

Roedd o'n iawn. Rhaid i mi beidio anghofio hynny. Tybed a fydd o'n cynllwynio rhyw ddial ar ôl colli eto'r bore 'ma? Ac allwn i ddim anghofio am Royston Griffiths a'i griw. Mae gen i ddigon o elynion.

Trois yr iâ yn araf yng ngwaelod y gwydryn *cut-glass*. Tybed a fyddai'r daith hon i Riga yn rhoi mwy o fwledi iddynt, i'w tanio yn fy erbyn? "Mae'n bwysig ein bod ni'n mynd," meddai Huw. "Edrych 'mlaen?"

"Mae gen i deimladau reit gymysg, a dwi angen dy farn di. Fe allai'r cyfan droi allan yn ffars. Ella mai Webb a rheina fydd yn chwerthin am ein pennau ni yn y diwedd."

"Cawn weld – ond rhaid meddwl ymhellach na Gareth Webb."

Cymerais lwnc o'r hylif poeth a gadael iddo fy nghynhesu wedi'r tro oerllyd yn yr awyr iach. Rhyfedd, dwi'n gallu ymlacio'n haws yma nag yn fy nhŷ fy hun. Ai cysur mwythus yr ystafell sydd i gyfrif – neu rywbeth arall, mwy sylfaenol, sy gan Huw ac sy ddim gen i?

"Ond dydi'r Rwsiaid ddim yn mynd i dynnu'n ôl, ydyn nhw?" dywedais.

"Na, dy'n nhw ddim – o leia nid o achos y gynhadledd 'ma."

"Felly be 'di'r pwynt? *Tokenism* ydi o i gyd, yntê?"

Wedi saib, meddai Huw, "Ti'n cofio'r gynhadledd yn Barcelona? Roedd y sefyllfa yn fan'na rywsut yn debyg."

"Tridiau bythgofiadwy – ond chwarae plant oedden ni, yntê?"

"Sut wyt ti mor siŵr o hynny?"

"Chwarae gwleidyddiaeth. Doedd o ddim yn real."

"Na," mynnodd Huw, "roedd e'n ddigon real, er gwaetha'r amser da."

"Na," chwarddais, "dydi peidio mwynhau rhywbeth ddim yn rhoi dilysrwydd ychwanegol iddo fo – ond ffantaseiddio oedd y wleidyddiaeth. Chwarae rhannau oeddan ni yn y wledd yn y Palau Nacional. Ti'n cofio'r areithiau, yr anthemau, y dawnsio – ond actio oedden ni: actio bod Cymru'n bod."

"Ond roedd Cymru'n bod. *Mae* Cymru'n bod."

"Iawn, roedd enw Cymru ar y byrddau, fel enwau lot o wledydd eraill. Ond fe wyddai Cavalli a'i blaid beth oeddan nhw'n wneud. Roeddan nhw'n meddwl am effaith y sioe ar y wasg ac ar y pleidleiswyr."

"Wrth gwrs. Mae'n debyg i'r hyn mae Cyngor y Baltig yn ei wneud nawr. Dyna ydw i'n ei ddweud. Esgus bod rhywbeth yn bod, er mwyn iddo fod. Rhaid esgus bod Ewrop y gwledydd bychain yn ffaith, er mwyn creu'r ffaith."

Pigais ar y plât o fwydach. "Ond roedd Barcelona oesoedd yn ôl, cyn y Cynulliad hyd yn oed. Dim ond ymgeisydd bach gwyrdd o'n i, ond roeddat ti eisoes yn Aelod Seneddol."

"Ond cawson ni'n trin yn gwmws fel ydyn ni nawr – Llywydd Senedd, ac arweinydd Plaid Genedlaethol – er nad oedd yr un ohonon ni yn y swyddi yna ar y pryd. Ti'n gweld y pwynt, Meirion?"

"Ond nid y gynhadledd yna achosodd hynna, ond pethau eraill fel y Refferendwm."

Ond mynnai Huw ddal at ei safbwynt. "Elli di ddim dweud beth sy'n peri beth. Mae hanes yn broses eitha cymhleth, a dyw'r rhai sy'n cymryd rhan ddim wastad yn deall beth sy'n digwydd."

"Felly ti'n dadlau y bydd hanes yn cael ei greu yn Riga?"

"Ydw, Meirion."

"Ond yr hanes fydd: y Rwsiaid yn cerdded i mewn i'r blydi lle. Fe gân nhw eu pibellau, a'u purfeydd, a'u tancars, a'u harian a wnaiff neb eu rhwystro nhw. Yn sicr nid cynhadledd, a hanner y gwledydd heb ddim pwerau tramor, heb sôn am fyddin a milwyr. Ac mae Riga'n wahanol i Barcelona," es ymlaen. "Doedd 'na ddim argyfwng yn Barcelona."

"Ti'n iawn, Meirion. Ond mae'r Catalwniaid nawr yn rhydd. Dy'n ni ddim. Pam?"

"Dydi Valencia a'r ynysoedd ddim gynnon nhw, a does gynnon nhw ddim hawliau tramor mwy na ni."

"Ddim ar hyn o bryd. Ond ti'n deall y pwynt?"

"Yn deall, ond ddim yn cytuno. Does 'na'r un wlad yn rhydd."

"Dadl arall yw honno. Proses yw rhyddid, fel datganoli: proses araf o ennill mwy o rym."

"Ond rhaid i'r broses symud tuag at rywbeth real."

"Yn hollol. Ac yn y cyfamser rhaid i ni ymddwyn fel petaen ni'n rhydd – fel y Catalwniaid – a gwneud hynny nid jyst fel gwlad ond fel unigolion hefyd."

Ond doedd yn dda gen i mo siarad duwiolfrydig Huw.

"Ti'n malu, Huw. Ti'n siarad fel Ghandi neu rywun felly."

Blasodd Huw y chwisgi a'i roi'n ôl ar fraich ei gadair. "Na, dwi ddim yn meddwl 'mod i. Ti'n cofio Estrela? Doedd hi ddim fel Ghandi."

"Estrela?"

"Ie, Estrela, yr haden yna oedd yn golygu un o'u papurau dyddiol nhw. Rwy'n eitha siŵr dy fod ti'n ei chofio hi, Meirion…"

Oeddwn, ro'n i'n ei chofio hi fel ddoe. Ac oedd, roedd hi'n enaid rhydd – doedd dim cwestiwn am hynny. Ac fel y gwnes i heno, mi fues i'n dadlau efo hi am y gair rhyddid, yn y parti diddiwedd yna yn yr oriel dros y môr yn Sitges, ac wedyn ar y traeth.

Mi heriais hi i ddiffinio beth oedd o ac mi roddodd ateb i mi bob tro efo rhesaid o bwyntiau bwled. Roedd y Catalwniaid yn gwybod yn union ba bwerau oedden nhw eu heisiau a dyna pam y llwyddon nhw i'w cael. Efallai nad rhyddid oedd o, ond roedd o beth oeddan nhw eisiau.

-16-

DOEDD DIM POSIB iddyn nhw gynnal y gynhadledd mewn lle mwy urddasol: y Palau Nacional, palas clasurol sy'n sefyll ar fryn ac yn edrych i lawr ar Barcelona fel rhyw Barthenon. Ac roedd y parti, hefyd, mewn lleoliad yr un mor ddramatig – mewn oriel gelf yn Sitges, lle glan môr ychydig i fyny'r arfordir.

Plaid Cavalli drefnodd y gynhadledd ar gyfer prif bleidiau cenedlaethol tuag ugain o wledydd llai yn Ewrop. Roedd y wledd a'r ddawns nos Sadwrn hefyd yn gwneud pwynt gwleidyddol. Roedd Huw yn iawn: roedd y sbloet yn cymryd rhyddid Catalwnia'n ganiataol. Roedd yn anodd credu fod Catalwnia ar yr adeg honno yn dal dan reolaeth Sbaen a phlaid Sbaenaidd adain-dde.

Wrth gwrs mae gynnon nhw gyfoeth a doedd neb yn well prawf o hynny na threfnydd y parti, sef Josep i Mestre, y cyhoeddwr Catalwnaidd ac chyhoeddwr un o'u papurau dyddiol nhw: boi byr, sgwarog, sarrug a Sisiliaidd yr olwg mewn siwt ddu sgleiniog a chyfflincs o gregyn aur.

Roedd o'n barti preifat ond llwyddodd John Lloyd, fel arfer, i'n cael ni i mewn. Roedd y lle yn dipyn o ryfeddod a'r muriau – pob modfedd, yn wir – yn orlawn o luniau'r artistiaid blaengar a fu'n byw a gweithio yn Sitges oddi ar ddechrau'r ugeinfed ganrif. Disgleiriai'r athrylith artistig Gatalanaidd o'n cwmpas ar bob llaw.

Yn amlwg, roedd A-list Catalwnia yno, yn wleidyddion a chyfalafwyr a chyfryngis gan gynnwys Estrela, golygydd un o'r papurau newydd Catalaneg. Fe'm cyflwynwyd iddi yn gynnar yn y noson. Doedd hi ddim yn un hawdd i'w hanghofio:

un swnllyd, bowld, mewn sgert oren ac un o'r blowsiau llac Sbaenaidd yna sy'n llithro dros yr ysgwydd o hyd.

Ond fe'i collais yn y cylchdroi parhaus ac mi ges fy nal, yn fy nhro, gan y cyhoeddwr.

"Felly ry'ch chi'n dod o Gymru?" meddai gan anelu ei aeliau trymion at fy mathodyn.

"Ydw, am fy mhechodau," atebais.

"Ydych, am eich rhinweddau, fuaswn i wedi disgwyl i chi ddweud," meddai'n harti. "Dwi'n deall fod ychydig o gyhoeddi'n digwydd yn yr iaith Gymraeg. Oes gynnoch chi unrhyw beth o ddiddordeb rhyngwladol ar y farchnad ar hyn o bryd – nofelau, er enghraifft?"

"Alla i ddim meddwl am un ar y foment. Petha go fewnblyg ydi'n nofela ni ar y cyfan," cyfaddefais.

"Wel sgwennwch un eich hun!" gorchmynnodd.

"Dwi'n o brysur efo gwleidyddiaeth ar y funud," atebais.

"Mi wnewch chi well gwleidydd os rhowch chi ychydig o amser i feddwl a sgwennu," atebodd, cyn symud ymlaen at rywun arall i roi o'i gynghorion rhad.

Roedd yna griw o ferched ifanc siapus yno mewn crysau-T coch a'r geiriau *Liberdad, Socialismo* yn donnau ar eu bronnau a doedd gan Estrela, chwaith, ddim llawer o dan y flows lac yna. Yn tynnu at ei deugain, ni allai gystadlu â'r merched eraill ond roedd ynddi ryw ynni llosg a bywiol. Pan fyddai'n siarad â chi, dim ond chi oedd yn bod; ond os nad chi oedd y gwrthrych, doeddech chi'n neb o gwbl – fel y ces brofi nifer o weithiau yn ystod y noson.

Pan ddechreuodd y parti wagio, a'r hen bwysigion ddiflannu wedi cael talu eu teyrnged i'r Maffia Catalwnaidd, ces gyfle i'w holi am ei phapur.

Ar unwaith fe'm pledrodd â llu o fanylion technegol a masnachol na allwn eu treulio'n iawn.

"'Dach chi'n un go brysur felly?"

"Pa fath o gwestiwn yw hynna? Pwy yma sy ddim yn uffernol o brysur? Ond mae heddiw'n waeth nag arfer, rwy'n cyfaddef. Ar ddydd Gwener ry'n ni'n paratoi pedwar rhifyn gan gynnwys un dydd Llun."

"Rŵan dwi'n deall pam mae rhifynnau dydd Llun mor denau," atebais. "Mae gynnon ni ryw fath o bapur, y *Welsh Mail*," atebais, "a bob dydd Llun maen nhw'n rhedeg eitemau ar gost ciniawau ysgol, neu'r cynnydd mewn wiwerod llwyd, neu oes 'na fywyd ar Mars, y math yna o beth."

"Mae hynna'n hollol normal. Wrth reswm ry'n ni'n gadael bwlch ar gyfer newyddion munud ola ond ry'n ni'n gan tudalen, hyd yn oed ar ddydd Llun."

Yn yr eiliadau o saib a ddilynodd, pwy ddaeth ati a'i chofleidio'n dwymgalon ond y cyhoeddwr â'r cyfflincs aur. "Estrela!" "Josep!" meddent gan lafoerio dros ei gilydd ac fe'u gadeawais i foddi mewn môr o Gatalaneg.

Ond cefais ail gyfle yn nes ymlaen, pan ddechreuodd y dawnsio. Ro'n i erbyn hynny wedi magu ychydig o hyder, diolch i lasied neu dri o'r Sangria de Six Fructos de Pays Catalunya. Roedd y gân 'Paloma Paloma Paloma' yn chwarae ar y disgo.

Tynnais Estrela allan ar y llawr ddawnsio, a rhoi fy nwylo ar ei gwasg, ond cawn drafferth i'w dal mewn dawns gan mor hegar y swingiai ei chorff. Fe'm trodd fel doli glwt ac yna fy herio i ddynwared ei hystumiau Espaniolaidd.

"Ond be 'di hyn?" dywedais. "Braidd yn Sbaenaidd?"

"Ry'n ni'n rhyngwladol iawn yma yng Nghatalwnia!"

Bownsiai ei bronnau'n hapus annibynnol o'r chwith i'r dde a bloeddiai chwerthin bob hyn a hyn am fy symudiadau lletchwith, ond ro'n i'n barod i chwarae'r gêm. Chwarae i'r oriel oedd hi, wrth gwrs, ac i'r rhes o ddynion tywyll, cydnerth a safai wrth y bar, ac ymhen dim cymerodd un o'r rheini ei dro.

Fe synnais braidd, felly, pan ddaeth hi draw ataf yn nes ymlaen, a'r dawnsio araf wedi dechrau ar y disgo. Bosib ei bod hi'n chwilio am esgus i ffoi oddi wrth y cyhoeddwr moel a oedd yn dal i'w phlagio ond a oedd, wedi'r cyfan, wedi talu am y bwyd a'r gwin i bawb. Wedi i'r ddawns orffen, fe arwyddodd i mi ei dilyn allan o'r stafell. Fe'i dilynais i fyny'r grisiau, gyda'n diodydd, at fath o falconi agored a edrychai allan dros Fôr y Canoldir.

Roedd popeth yma yn gerameg glas a gwyrdd. Yn y canol roedd yna sedd wythochrog, gymunedol a chyplau'n eistedd arni, rhai'n caru, rhai'n smygu'n araf. Safai coed palmwydd hwnt ac yma a llinynnau o oleuadau bychain yn syrthio o'r dail. Yn y canol megis mewn baddon bychan o garreg topaz roedd cerflun o Affrodite'n ymolchi, a ffynnon o ddŵr glas yn ffrydio dros ei chorff gorweddog.

Aethom i sefyll ar y balconi allanol gan roi ein gwydrau ar un o'r tyrrau bychain. Roedd yr olygfa'n reit wych. Roedd yna draeth hir tywodlyd ar y dde ond mwy o fywyd yn y bariau ar y traeth oedd oddi tanom, yr ochr arall i'r penrhyn lle'r adeiladwyd yr oriel.

"Dwi ddim yn synnu bod eich artistiaid wedi cael cymaint o ysbrydoliaeth yma," dywedais yn y man. "'Dach chi, fel y Sgotiaid, yn amlwg yn perthyn i'r cyfandir o ran celf."

"Dyna ffordd od o ddweud pethau. I bwy 'dych chi'n meddwl mae Dali, Picasso, Gaudi, Miro yn perthyn?"

"Ia, dwi'n gweld be sy gynnoch chi…"

"Ni *ydi'r* cyfandir! Ry'ch chi'n dal yn ynysig eich ffordd o feddwl, ac yn dal yn drwm dan ddylanwad y Saeson."

"Wel mae'r ddaearyddiaeth wrth gwrs yn ffactor…"

"Ond mae gan y Sgotiaid yr un ddaearyddiaeth a dy'n nhw'n poeni dim am y Saeson!"

"Sut ydach chi mor siŵr o hynny?"

"Fy machgen bach i, wyddoch chi ddim am gysylltiad y Sgotiaid â Barcelona? Maen nhw yma bob munud ac rwy'n nabod degau o'r bechgyn. Yn wir, nhw sy'n cynnal colofnau economaidd 'y mhapur i! Chewch chi neb craffach na'r Sgotiaid."

Yn amlwg roedd gen i dipyn i'w ddysgu ond roedd hi fel petai'n mwynhau fy nghrogi â'm hanwybodaeth, a minnau efallai'n cael rhyw fwynhad masochistaidd o hynny, oedd yn fath newydd o brofiad i mi. Doedd dim pwynt i mi drio gwneud argraff arni ac efallai bod hynny'n beth newydd iddi hi, hefyd.

Mentrais roi fy mraich am ei gwasg, a'i thynnu ataf a chael fy nghynhyrfu gan ei hagosrwydd. Er nad yn protestio o gwbl, roedd hi'n dal i chwerthin a dadlau, ac yna, er peth siom i mi, fe'm tywysodd yn ôl i lawr ar yr esgus o ail-lenwi'n gwydrau. Yno yn yr oriel ei hun roedd Huw a John Lloyd yn chwilio amdanaf, a thacsi'n disgwyl.

"Gweld dy fod ti'n iawn am heno," meddai Huw gan wincio. "Ry'n ni'n mynd."

"Mi ddalia i dacsi nes 'mlaen, hogia."

"Dwi ddim yn amau," meddai Lloyd. "Y cwestiwn ydi – i ble?"

Ond yr eiliad y gadawon nhw, gwyddwn imi wneud camgymeriad. A'r rhan fwyaf o'r gwesteion wedi gadael, ro'n i'n ddieithryn mewn cymdeithas estroniaith, esoterig. Ro'n i mewn sefyllfa na allwn ei handlo, efo menyw na allwn ei thrin – un nwydus, *octane*-uchel, ganol-oed.

Ond â Sangria ym mhob llaw, amneidiodd Estrela ataf. "*No worries,* Meirion! Gadewch iddyn nhw fynd adre i'r gwely. Bydd 'na barti ar y traeth cyn bo hir – rwy'n nabod y merched yma'n rhy dda!"

A dyna ddigwyddodd. Roedd hi'n dri o'r gloch y bore pan dynnodd y merched hardd, coch-grysog, Estrela a minnau allan am y parti traeth. Erbyn hynny roedden ni wedi ymlacio tipyn, ac er yn dilyn arweiniad Estrela ym mhob peth, ro'n i'n teimlo ein bod ni'n dechrau deall ein gilydd.

Ryw hanner canllath i ffwrdd roedd criw o *beach-boys* yn yfed a chwarae o gwmpas barbeciw. Croesawon nhw'r merched yn swnllyd, yn arbennig wedi gweld coflaid o win coch y cyhoeddwr yn eu breichiau. Roedd 'na gwch gerllaw wedi'i raffu wrth bolyn. Awgrymodd un o'r bechgyn eu bod nhw'n mynd allan ar y cwch.

Edrychais ar Estrela, ar ei hwyneb hapus, a'i llygaid yn loyw fel soseri.

"On'd y'n nhw'n olygus, y bechgyn 'ma?"

Sylwais fod gan ambell un linyn-G am ei din, ond diawch onid oedd 'na golur a thlysau'n hongian o glustiau'r boi yma?

"Y rhai du rwy'n eu hoffi orau wrth gwrs," meddai. "Maen nhw'n fy nghynhyrfu'n lân. Y *virility* naturiol athletaidd yna…"

Ro'n i'n dechrau cynhyrfu fy hun, ond bod y teimlad yn *ambiguous*, fel petai. Be goblyn oedd yn mynd ymlaen yma?

Nid dynion normal oedd y rhain, y ffordd oeddan nhw'n symud ac yn dangos eu hunain, y pethau o'n nhw'n wisgo. Un peth oedd yn hollol bendant, do'n i ddim yn mynd yn agos i gwch efo'r rhain.

Ro'n i am dynnu Estrela at un o'r bariau traeth ond daliodd i sefyll ac edmygu'r sioe o wrywdod ffals. Erbyn hyn roedd y merched wedi dringo i'r cwch, ac un o'r bechgyn yn ei ddadraffu ac un arall yn ei wthio allan. Yn y man, llithrodd y cwch allan i'r môr.

Roedd y wawr gynnar yn dechrau goleuo'r gorwel a gallwn weld y ffigurau silwetaidd yn sefyll yn y cwch. A'i thraed ar led ar draws y cwch, safodd un o'r merched ar ei thraed, diosg ei chrys-T a'i gyhwfan yn yr awyr gan weiddi *"Libertad!"*

"Nage, *Socialismo!*" meddai un o'r bechgyn a gwneud ystum meddiannol gyda'i fraich, cystal â dweud ei bod hi'n eiddo cyffredin.

Ond parhau i chwifio'r faner a symud i fyny ac i lawr a wnâi'r ferch nad oedd yn gwisgo dim ond sgert feicro, ond yna gwegiodd y cwch yn beryglus. Gafaelodd un o'r bechgyn yn ei choes a'i hachub ar y funud olaf rhag syrthio i'r dŵr.

"Maen nhw'n nofwyr da," eglurodd Estrela, "ac yn gwybod sut i drin merched yn well na dynion cyffredin. Chwarae ydi'r cyfan, wrth gwrs."

"Dwi ddim mor siŵr. Mae'r math yma o bobl yn *obsessed* â rhyw."

"Na, ni sydd, yntê?"

"Yn fwy na nhw, felly?"

"Dyw e ddim yn broblem iddyn nhw. Ni sy'n methu delio ag e, yntê?"

Tynnais Estrela i fyny o'r traeth at un o'r bariau neon. Roedd yna sedd i ddau o dan un o'r bargodion streipiog; daeth gweinydd du atom a chymryd ein harcheb am un Pina Colada ac un Slow Screw.

"Syr, mwynhewch eich sgriw," meddai'r dyn du wrthyf mewn llais isel, gorgwrtais, a cherdded yn ôl at y bar yn fwriadol araf fel y gallem edmygu'r pen-ôl perffaith yn y trôns bach tyn.

Trodd Estrela ei hwyneb ato'n ddigywilydd. Yna gyda'm dwy law fe drois ei hwyneb yn ôl ataf fi a phlannu cusan ar ei gwefusau. Yna rhois fy mraich am ei hysgwydd a dechrau gweithio fy mysedd i lawr at ei bronnau; ni phrotestiodd. Rhoddodd gusan sydyn i mi'n ôl cyn codi, a dweud, "Meirion – mi fydda i'n ôl mewn dwy funud. Galwad ffôn, dyna i gyd."

Ymlacais ymhellach gan ffantaseiddio'n wyllt am yr hyn oedd i ddod. Ro'n i eisoes wedi cynhyrfu'n ddifrifol. Roedd hyn yn ffantasi wir. Ro'n i'n methu credu 'mod i yn y lle yr oeddwn i gyda'r ferch oedd gen i. Ro'n i wedi bachu'r ferch fwyaf garismatig yn y parti, os nad y blydi wlad. Doedd 'na ddiawl o ots am ddim bellach, am Huw na Lloyd na'r gynhadledd. Fe ddilynwn hon am weddill y penwythnos. Fe ddilynwn hon am weddill fy mywyd.

Ond ro'n i'n nerfus am ei diflaniad ac yn falch pan ddaeth hi'n ôl. Gorchmynnodd imi orffen y Screw a gafaelodd yn fy llaw a'm tynnu i lawr at y traeth. Cerddon ni dros y cerrig a dod o hyd i le clyd i eistedd yng nghysgod y creigiau.

Rhois fy mraich amdani ac ymatebodd yn gynnes.

Roedd y golau'n araf gryfhau a gwawl laslwyd yn codi'n annaearol uwchlaw ehangder y môr tywyll. Doedd y cwch bellach yn ddim ond smotyn bach llonydd yn y canol. Do'n i ddim am ddychmygu beth oedd yn mynd ymlaen ynddo.

"On'd yw hi'n brydferth, Meirion?"

"Ydi mae hi. Mae heno'n un o nosweithiau mwya 'mywyd i."

"Mae'n fore'n barod," meddai Estrela, ei phen yn gorwedd ar fy mraich. "Mae pob dydd newydd yn wyrth, ond ry'n ni'n ymddwyn fel petai gennym ni hawl ar bob eiliad. Dy'n ni ddim yn ddigon diolchgar, ydyn ni?"

"Wel mi ydw i, Estrela – mi alla i ddeud hynna wrthat ti'n bendant."

Doedd dim pwynt gwastraffu geiriau. Fe'i rhois i orwedd ar y tywod yna ei throi ar ei hochr a thynnu'r flows lac yn araf dros ei hysgwyddau. Ymryddhaodd ei breichiau, a gorweddodd yn ôl a chau ei llygaid. Gafaelais yn dyner yn ei bronnau noeth a dechrau eu mowldio a'u cusanu'n ysgafn. Am y trydydd tro y noson honno ro'n i'n cynhyrfu'n arw ac ro'n i ar fin symud fy llaw i lawr at ei choesau pan sgrechiodd tacsi wrth sefyll yn stond ar y tarmac uwchlaw i ni.

Ar unwaith tynnodd Estrela'i hun o'm gafael ac ymestyn am ei blows.

"Diolch am noson hyfryd, Meirion," meddai, ei breichiau yn yr awyr wrth ailwisgo'r flows. "Wela i chi yng nghhinio'r gynhadledd nos fory."

"Ond Estrela, be sy'n bod?"

Rhoddodd bigyn o gusan ar fy moch. "Rhaid i mi newid y stori flaen ar gyfer fory. Mae 'na ddaeargryn yn Nhwrci. Ces i'r newydd gan Josep yn y parti."

"Ond dwi ddim yn dallt hyn o gwbl…"

"Mae 'na floc o fflatiau gwyliau wedi'i chael hi ac maen nhw'n meddwl bod 'na Gatalwniaid ynddyn nhw. Mae'n bosib bod rhai wedi eu hanafu neu eu lladd."

"Ond, Estrela, mae hyn yn jôc!"

"Tybed? Fuasech chi'n gweld y jôc petai slabs o goncrit yn cwympo lawr ar eich pen chi ganol nos? Ond ar wahân i hynny ry'n ni'n dau yn ddeugain oed; rydw i'n briod ac rwy'n amau eich bod chi hefyd, a ni fydd y jôc os daliwn ni ati."

Ro'n i'n methu credu'r peth. Yr holl oriau o ragchwarae, i ddim. "Rydach chi wedi bod yn chwarae gêm â mi drwy'r nos."

"Wnaethoch chi ddim mwynhau'r gêm?"

"Wel do, ond…"

"Dowch, felly – rwy hyd yn oed wedi trefnu tacsi i chi. Ydych chi'n dod, neu oes well 'da chi aros yma gyda'r dynion duon secsi?"

-17-

D ALIAIS Y TRÊN i Lundain, ac wedi'r oedi arferol yn
Heathrow roeddwn o'r diwedd yn troedio'r grisiau i
fyny at yr awyren Boeing a fyddai'n fy nghludo i Riga. Er
ychwanegu'r geiriau *Cymru Rhyngwladol* at enw maes awyr
Caerdydd, ni chynyddodd yr hediadau i'r gwledydd bychain
newydd. Fel erioed, cymerodd y daith i Heathrow fwy o
amser na'r daith oddi yno i'r cyfandir.

Wrth glymu'r gwregys diogelwch amdanaf, ymddangosai'r
holl gwestiynu ynglŷn â gwerth y daith yn afreal iawn. Roedd
Huw wedi fy argyhoeddi'n derfynol o werth y cyfarfod, ond
y realiti oedd fy mod i – eto fyth – yn eistedd am ddwyawr
mewn tiwb o ddur er mwyn cyrraedd rhyw gynhadledd.
Byddwn yn eistedd wedyn mewn tacsi, mewn bwyty, yna
mewn neuadd; yn codi llaw i fyny, tynnu llaw i lawr, ac yn
siarad, bwyta a chysgu cyn camu'n ôl mewn i'r tiwb o ddur.

Beth, wir, oedd y gwahaniaeth rhwng y daith hon a
channoedd o deithiau eraill y bûm i arnyn nhw?

O leiaf roedd y trefniadau i gyd yn eu lle: gweld Maya heno
yn Kafe Lulu am chwech; casglu'r papurau swyddogol ganddi;
gweld Anna, Lloyd a Medwen am ddau o'r gloch fory yn y
Metropole. Yr unig beth anffodus oedd na allwn ymolchi ac
ymbaratoi cyn gweld Maya, ond fe wnawn i be allwn i yn y
maes awyr.

Ffliciais drwy'r *Baltic Times*, a roddwyd yn rhad i'r teithwyr.
Doedd o'n fawr o bapur newydd ond roedd yna gyfeiriad at y
protestiadau o flaen embasi Rwsia yn Riga. Ffenestri wedi'u
malu, ymgais i losgi, a rhyw fil o bobl yno bob dydd. Roedd

yna lun o bobl yn dal sloganau fel *Free Baltic States, Russians Keep Out.*

Ces fy anesmwytho ychydig gan hynny. Oedd y daith hon, felly, yn wahanol? Ond yna daeth yr *hostess* heibio yn gwisgo lifrai coch-a-glas *Air Baltica.* Gyda gwên, estynnodd ginio parod i mi, yn union fel ar gannoedd o deithiau o'r blaen.

Oddi tanof ymledai carped meddal o gymylau gwyn. Rydan ni rŵan yn teithio ar 550 milltir yr awr, cyhoeddodd y capten yn Saesneg a Latfieg. Dadbiliais y polythîn oddi ar y pecyn bwyd a cheisio agor yr amlen blastig oedd am y gyllell. Edrychais allan eto, yna pwyso fy mhen ar gefn y sedd.

Yna cododd rhyw len oddi ar fy meddwl.

Ro'n i'n teithio eto. Dyna'r ffaith bwysicaf, a'r unig un oedd yn hollol bendant. Roeddwn i ar antur arall, i wlad arall. Nid y genedl na dyfodol y byd na Maya chwaith oedd yn wir bwysig – gall y rheswm dros y daith newid o hyd – ond y ffaith 'mod i'n teithio, yn gwneud, efallai, be sy fwyaf cydnaws â fy natur i.

Rhyfedd iawn sut na allwn i sylweddoli hynna nes cael blas o'r profiad ei hun.

Bu'n wythnos lawn o drin a thrafod gwleidyddol ac arall; o beth difaru benywol, ac o hel rhai atgofion. Doedd hi ddim yn sylfaenol wahanol i gannoedd o wythonsau eraill. Rhyfedd na allwn sylweddoli hynny heb yr ymbellhau sy'n digwydd wrth deithio. Fel bob amser, mae pellter yn cynnig perspectif ac yn codi'r pwysau.

Ai dyna pam dwi mor hoff o deithio? Does dim sy'n fy llonni'n fwy na gweld ymbarelo liwgar yn sefyll mewn gardd neu ar ryw sgwâr neu ar lan rhyw draeth, yn cyhoeddi *Beer Bière Birra Cerveza* ac yn y blaen. Rhyfedd fel mae gweld yr ieithoedd hynny'n rhyddhau dyn o ormes y Gymraeg a'r

Saesneg, a gormesau eraill.

Neu arwydd *Café-bar* – dyna symbol arall. Mae'r disgwyliad yn ddigon i'm boddhau: o weinwyr mewn ffedogau hirion; o fyrddau crwn, llieiniog; o beiriant Gaggia ac oglau coffi; o ddrychau wedi'u hysgythru, o stondin bapurau newydd, o hen bren du; o foreau hir a phrynhawniau hirach.

Dwi'n Gymro, ond dwi'n Ewropead, ac yn bethau eraill hefyd, dwi'n siŵr. Mae dinasyddiaeth yn rhywbeth 'dach chi'n ei ddewis drosoch eich hun. Oni fuasai'n ddu iawn arnon ni fel arall?

Trwy drugaredd, mi all rhywun nad yw'n Gymro ddewis bod yn Gymro. Neu gall Cymro ddewis peidio bod yn Gymro, weithiau. Gallwch grwydro strydoedd Caerdydd ac, wrth ddewis bwyty, dewis cenedl newydd am un noson: ei bwyd, ei cherddoriaeth, ei phobl, ei hagweddau. Gallwch ddewis dysgu iaith ac, wrth wneud hynny, roi i'ch hunan y posibilrwydd o ddinasyddiaeth newydd, ychwanegol.

Anffawd a melltith ydi'r hen syniad o gymdeithas fel peth statig sy'n bod dim ond mewn un lle, a hwnnw y lle rydach chi wedi digwydd cael eich magu – sef yr hyn mae Webb a'r deinosoriaid adain-dde yn ei gredu. Mae 'na gymdeithas lle bynnag mae 'na bobl sy'n dod at ei gilydd ac yn mwynhau sgwrs a serenedd. Mae modd ei greu o ymhle bynnag yr ydach chi'n digwydd bod.

Dyna pam yr ydw i wedi mwynhau cwrdd â Maya, Estrela, Tomaso, a Gabriele hyd yn oed, y ferch ryfedd, ddigyfaddawd o Fenis. A Bridgi o Berlin: dwi'n barod i'w chynnwys hi, hefyd, a rhai eraill nad ydw i wedi sôn amdanyn nhw yma.

Beth bynnag ydi'r profiad, dwi'n dysgu rhywbeth newydd bob tro. Dwi'n mwynhau'r gymdeithas newydd, arbrofol, ddi-fap sy'n cael ei chreu wrth gwrdd â nhw. Dwi'n mwynhau'r sgwrsio a'r herian a'r her o ffeindio fy ffordd fy hun. Dwi'n mwynhau peidio gwybod sut bydd y noson yn gorffen.

"Mwy o goffi, syr, neu hoffech chi ddiod arall?"

"Mi gymera i win coch, os ca i."

"Â chroeso, syr," atebodd y Latfies hardd, "a mwynhewch eich arhosiad yn Riga."

"Dwi'm yn meddwl y ca i drafferth efo hynny er bod gynnoch chi broblema, fel dwi'n deall."

"Mae yna wastad broblemau yn Latfia," atebodd. "Ry'n ni wedi hen ddysgu byw gyda nhw." Yna, gan wenu'n serchog, rhoddodd botel fach o win i mi a chwpan blastig.

Ro'n i'n hedfan i Riga, ond gallwn fod yn hedfan i Barcelona, neu i Prâg. Roedd hi'n iawn. Mae 'na broblemau o hyd. Sut yn y byd y gallwn fod wedi meddwl yn wahanol a dychmygu bod y fath beth yn bod â stad berffaith, ddi-broblem?

Heb broblemau, heb fywyd – allwch chi mo'u gwahanu nhw. Rhaid wrth y naill i fwynhau'r llall. Rhyfedd bod angen mynd mewn awyren i sylweddoli hynny.

-18-

GYDAG YSGRYDIAD, cyffyrddodd yr *undercarriage* â llwch daear Latfia. Roedd maes awyr Riga'n dipyn brafiach nag o'n i wedi'i ddychmygu. Mae 'na chwarter canrif ers i'r gwledydd yma ennill eu rhyddid ond rydan ni'n dal i feddwl amdanyn nhw fel rhai Comiwnyddol.

Archwiliwyd fy nheitheb yn fanwl, ac wedi adfer fy nghês es allan i'r *concourse* eang o siopau a chownteri. Gwelais yr arwydd *Bar des Voyageurs*, a mynd at y cownter ac archebu *Espresso Macchiato* a glasied o ddŵr.

Roedd gen i deirawr i'w lladd cyn cyfarfod â Maya. Roedd hynna'n amser hir. Penderfynais gael lle mewn gwesty wedi'r cyfan, os oedd un hwylus ar gael. Ro'n i ychydig yn amheus o'r 'tŷ' yma yng ngogledd y ddinas. Ro'n i am i'r cyfarfod â Maya fod yn un syml a hapus ac onid oeddwn i, ar ryw eiliad fwy goleuedig na'i gilydd, wedi penderfynu ochrgamu'r ffactor rywiol?

Es draw at un o'r desgiau gan holi'n gyntaf am le yn y Metropole, lle arhosai'r lleill. Wedi galwad ffôn, dywedodd y ferch ei fod yn llawn heno, fel y rhan fwyaf o westai yng nghanol y ddinas y penwythnos yma. Ond os oeddwn i am safon tair seren, roedd yna stafell ar gael rhyw ddwy filltir i'r de, ar lan yr afon. Seliwyd y fargen a neidiais i dacsi a'i orchymyn i fynd â mi i Hotel Mara.

Roedd hynna'n fy siwtio'n ardderchog. Gallwn felly gael cawod, gorffwys a mwynhau tro o gwmpas y dre cyn yr oed yn Kafe Lulu.

Mae 'na gyffro bob amser yn y daith o'r maes awyr i ddinas

newydd. Wedi teithio am rai milltiroedd trwy wlad agored, daeth Riga ei hun i'r golwg. Gwibiodd strydoedd eang ac adeiladau trymion heibio, rhai'n glasurol, rhai yn arddull *Art Nouveau*. Gallwn fod ym Mharis neu, yn fwy cywir, Hambwrg; llifai afon lydan trwy ganol y ddinas a chroesai pontydd hirion o'r naill lan i'r llall.

Croeson ni'r afon ac yno roedd Hotel Mara: bloc dau lawr, braidd fel ysgol neu ysbyty, yn ei dir ei hun ar lan yr afon. Yn sicr, adeilad o'r cyfnod Comiwnyddol. Wedi croesi i'r fynedfa goncrit, ces yr allweddi ar gyfer fy ystafell. Llusgais y cês trwy'r coridorau, gan greu atsain oeraidd ar y garreg noeth.

Agorais y drws. Stafell wen, sgwâr, braidd fel cell. Ond roedd yn lân a byddai'n iawn i mi. Crogais fy nillad yn y wardrob, a chael cawod o dan y pistyll cryf o ddŵr a saethai allan o'r bibell yn y wal frics. Trois fy nghorff yn ei erbyn gan fwynhau'r *massage*.

Roedd gen i gynhadledd, ond roedd gen i oed, hefyd: â merch ddirgel, ddiddorol a fu'n hwylio i mewn ac allan o'm teithiau a'm profiadau cyfandirol. Onid dyma'r math difyrraf o gyfarfyddiad – â rhywun sy'n ddigon dieithr i fod yn antur, ond yn ddigon adnabyddus i warantu amser da? Allwn i ddim gwadu hynny: roedd y teimlad yn union fel cyn cwrdd â rhywun ar yr oed cyntaf mewn carwriaeth anghyfreithlon.

Gwisgais a mynd i'r lolfa i ladd amser dros goffi cyn dal tacsi i'r ddinas. Roedd hon eto'n stafell fawr sgwâr yn wynebu dros yr afon, goleuadau bychain *halogen* yn hongian yn anwastad o'r nenfwd ffals, ac amryw heb olau. Eisteddais yn un o'r cadeiriau o ledr synthetig. Ymhen sbel, daeth gweinyddes dal ataf a chymryd yr archeb – blonden dwi wedi gweld ei gwaeth ar draws tudalennau *Playboy*.

Roedd yna eraill, tebyg iddi, yn sibrwd mewn un cornel, i gyd mewn sgertiau mini du a blowsys gwyn a phob un yn smygu. Trwy'r ffenest, gwelwn ddynion y tu allan yn eu crysau yn cerdded yn aflonydd yn ôl ac ymlaen gan siarad i'w mobeils. Ro'n i wedi glanio mewn coloni Rwsiaidd, a phan welais un o'r dynion boliog yna'n bwyta banana a smygu 'run pryd, gwyddwn 'mod i'n iawn.

Ar y ffordd allan, sylwais ar daflen yn y cyntedd: '*Hotel Riga Royale – five stars: Casino, Meet Bar, Night Club: Showtime with Life Topless, Olympic Swimming Pool, Health Spa, Massage, Fashion Shop, Jurmala Excursions*'. Roedd yna boster hefyd yn y cyntedd yn hysbysebu traeth Jurmala – ble bynnag oedd hynny – a phisyn mewn bicini'n lolian ar y tywod.

Difyr, yn ei ffordd. Mwy diddorol na'r Metropole a llai cymhleth na'r 'tŷ' annelwig yna yng ngogledd Riga. Ro'n i'n dechrau mwynhau. Mi allwn i fod ar drothwy antur reit ddiddorol.

Es allan at y rhes Mercs a safai o flaen y gwesty, a chodi tacsi i Kafe Lulu.

-19-

NID *RESTAURANT* oedd y lle yma, sylwais mewn siom, wedi camu trwy'r drws. Roedd yna rywbeth bordelaidd am y diwyg: un stafell wedi'i pheintio'n *magenta* i gyd a stafell arall yn rhyw *jade* tywyll. Hwnt ac yma, yn dal y nenfwd i fyny, roedd yna *angeletti* bronnoeth, aur. Roedd yna biano du yn un cornel ac angel arall ar ei ben yn dal cannwyll.

Rhyfedd. Byddai'n ddewis mwy addas i rywun yn troi ym myd ffilm na byd gwleidyddiaeth. Ond wrth gwrs bu Maya'n cyfieithu sgriptiau ffilm, on'd o? A sgwennu cerdd neu ddwy, mae'n debyg. Faint mwy wyddwn i amdani? Ei bod hi wedi ysgaru, a rŵan mewn swydd yn y gwasanaeth sifil yn Vilnius. A wyddai hi ddim mwy amdana i, chwaith.

Yn unigrwydd y bar, des yn fwyfwy ymwybodol o odrwydd ein cyfarfod. Tra oeddwn i cynt yn edrych ymlaen, rŵan roeddwn yn amheus os nad yn nerfus. Fe wnaethon ni gwrdd mewn dwy gynhadledd; oedd, roedd 'na islif o ramant ynddyn nhw – rhaid cydnabod hynny. Ai dyna'r cyfan? O dan wyneb ein cyfarfod heno roedd yna gelwydd dwbl: ein bod yn gwybod mwy am ein gilydd nag yr oedden ni, a'n bod ni am weld ein gilydd yn fwy nag yr oedden ni mewn gwirionedd.

Ac i beth yn hollol? Ai gwleidyddiaeth oedd ar ben yr agenda, neu'r mater annelwig yna ynglŷn â Tomaso druan? Mi fyddwn yn casglu rhai dogfennau cynadleddol ganddi, ond doedd dim rhaid i ni gyfarfod ar gyfer hynny, wrth gwrs. Be fydden ni'n ei drafod drwy'r nos? Diolchais i mi wneud y penderfyniad i drefnu fy lletly fy hun.

Camais allan o'r drws a baglu i mewn i dorf o dwristiaid.

Doedd dim arwydd mawr o densiwn rhyngwladol yn y rhan hon o'r ddinas, o leiaf. Es am dro a tharo ar eglwys San Pedr a sylwi bod yna ddegau o fwytai a thafarnau yn y cyffiniau. Edrychais ar y map. Oedden, roedden ni yn 'hen dref' Riga, nid nepell o'r afon.

Roedd hi bellach yn saith o'r gloch a dychwelais i'r bwyty. Eto, dim sôn amdani; yn waeth, roedd y byrddau'n brysur lenwi ond sylwais fod yna fwydlenni ar gael. Oedd hi wedi archebu bwrdd? Eisteddais ar un o'r cadeiriau ac archebu gwydryn o Saku, y cwrw Rwsiaidd a hysbysebid mewn neon yn Hotel Mara.

Yna daeth pâr i mewn: boi tal mewn lifrai milwrol yn cario gwn, a merch tua'r deugain yma. Safon nhw yn y drws am ennyd ac yna fe'i hadnabyddais: Maya!

Daeth ataf yn syth i'm cofleidio. Roedd hi'n wahanol, yn hŷn, eto'n smartiach rywsut, ac yn fwy hyderus a siaradus. Ond nid dyma'r *scenario* oedd gen i mewn golwg. Nid bod yn gwsberan oedd y gobaith wrth deithio mil o filltiroedd i ffiniau Ewrop i gwrdd â merch.

"Mae'n ffantastig dy weld ti eto, Meirion. Wir, wnes i ddim meddwl y buasai'n digwydd. E-bost i Blaid Cymru – a dyma ni!" – a'm cofleidio eto. "A dyma Vladimir," meddai. "Does 'da fe fawr o Saesneg. Mae e yn y fyddin yma. Rwsiad yw e, ond Latfiad hefyd, os ti'n deall."

"Ydi hyn yn arferol? Y warchodaeth dwi'n feddwl."

"Dim ond dros gyfnod y gynhadledd. Fe eglura i yn y man."

Cyfarchodd Maya y gweinydd a thywysodd hwnnw ni at fwrdd mewn rhan arall o'r ystafell, y rhan lliw *jade*, lle'r oedd amryw dwristiaid yn bwyta ac yfed. Eisteddasom i lawr wrth un o'r byrddau crwn, mahogani.

"Ond dwi ddim yn deall, Maya – wyt ti mewn perygl personol?"

"Mae pawb sydd ar y pwyllgor canol yn cael y gwasanaeth yma."

"Mi wn i fod yna drafferthion rhyngwladol, ond fasa'r Rwsiaid byth yn dy gipio di, fasan nhw? Be ydi'r broblem, y KGB neu beth bynnag ydyn nhw y dyddia hyn?"

"Yr FSB ti'n feddwl. Ond gwaeth na nhw ydi'r gangiau. Ti'n sylweddoli fod hanner poblogaeth Riga yn Rwsiaid? Mae 'na fariau a chasinos yma yn Riga na wiw i neb fynd iddyn nhw."

"Iawn, ond dwi ddim yn gweld be 'di'r broblem ddiogelwch."

"Digwyddodd pob math o lygredd pan gawson nhw'u hannibyniaeth – swyddogion yr hen blaid Gomiwnyddol yn gwerthu eiddo cyhoeddus yn rhad i'w ffrindiau Rwsiaidd. Bia nhw lot o eiddo a busnesau yma. Ond, yn bwysicach, mae ganddyn nhw blaid gref yn y senedd sydd am ailuno â Rwsia – ond nid pawb sy'n credu mewn dulliau democrataidd…"

Rhoddodd hyn sioc i mi. Oedd y Rwsiaid o ddifri eisiau cipio Latfia'n ôl?

"Ond wela i mo'r perygl. Dwyt ti ddim o Riga. Rwyt ti wedi dod yma fel rydw i."

"Rwy'n gweithio i'r llywodraeth, cofia."

"Ond nid y llywodraeth yma?"

"Na, ond rwy'n un o drefnwyr y gynhadledd ac yn aros gydag un o'r Aelodau Seneddol lleol. A gyda llaw mae 'na stafell wag i ti yn y tŷ; ydi dy bethe gen ti?"

"Na, mi benderfynais ar y funud ola i gael gwesty rhag tarfu arnoch chi."

"Ond doedd dim angen."

"Mae'n iawn. Dwi yn y Mara, yr ochr draw i'r afon – llawn Rwsiaid hyd y gwela i. Ches i ddim cyfle i adael i ti wybod."

Gan guddio'i siom, meddai, "Mae ganddyn nhw goloni o westai draw fan'na. Y broblem ydi bod amser mor brin. Mae'r gynhadledd wedi mynd â phob eiliad o f'amser i ers pythefnos. Ond fe gawn ni gwpwl o oriau nawr – gwell i ni archebu'r bwyd yn gynta, yntê?"

"Hoffi'r lle?" gofynnodd hi wedyn.

"Ydw, am wn i, ond theatrig braidd."

"Mi ddewisais y lle'n fwriadol."

"Mae'n Barisaidd rywsut – dwi'n hoffi'r awgrym *decadent*."

"Ydi, mae'r diwyg yn ddifyr, a'r bwyd a'r gwasanaeth yn dda, ac mi ddaw 'na fyfyrwyr yma yn y man i ganu'r piano a'r feiolin. A chwarae jazz."

"Jazz?"

"Mae e'r math o le buasai Tomaso wedi'i hoffi," meddai'n annisgwyl o emosiynol. "Ti'n cytuno?"

Do'n i ddim yn siŵr sut i ymateb.

"Ond ga i sôn am hynna i gyd yn y man. Gwell i ni gael y gynhadledd 'ma o'r ffordd yn gyntaf."

★ ★ ★

Wedi adfeddiannu'i hun, tynnodd Maya ffoldyr o'i bag yn cynnwys dogfennau a llungopïau a bathodynnau a'u gosod ar y bwrdd. "Mae'r cyfan yn digwydd yn y Tŷ Opera, ar y Bwlefard Basteja…" Agorodd fap a ddangosai'r Bwlefard a'r ardal o barciau gwyrdd sy'n cylchynu canol y ddinas.

"Allwch chi mo'i fethu. Mae'r ardal yn llawn ceffylau a milwyr. Pryd mae'r lleill yn cyrraedd, gyda llaw?"

"Yr awyren yn glanio am un o'r gloch y pnawn, fel heddiw. Dwi'n eu cyfarfod nhw yn y Metropole am ddau."

"Perffaith, achos mae'r gynhadledd yn dechrau am bedwar. Mae'r cynigion ffurfiol ddydd Gwener, ond y trafodaethau pwysicaf bnawn Sadwrn o tua tri o'r gloch ymlaen." Dangosodd y rhaglen argraffedig. "Nawr, os ca i sôn am funud am wleidyddiaeth cyn i'r bwyd gyrraedd…"

Oedd, roedd hi wedi newid. Nid hon oedd yr hipi cŵl, anghofus braidd a adnabûm o'r blaen, yr un fyddai'n gwyro rhwng pyliau o afiaith sydyn a thawelwch mewnblyg, yr un fyddai'n mynnu gwneud pethau yn ei ffordd a'i hamser ei hun. Roedd hi'n siarad nawr fel gwleidydd ac, yn rhyfedd iawn, ro'n i'n clywed adlais o Syr Huw yn ei geiriau.

"Er mwyn i'r gynhadledd lwyddo," meddai, "rhaid i ni esgus fod pethau'n bod, nad ydyn nhw'n bod eto. Mae gwledydd fel Norwy, Ffindir, Iwerddon a Denmarc yn dod – y gwledydd go iawn – ond mae gwledydd bach fel Cymru, Corsica…"

"Aros funud, Maya – wn i ddim am blydi Corsica, ond wyt ti'n awgrymu nad ydi Cymru'n wlad go iawn?"

"Beth rwy'n feddwl ydi gwledydd diwladwriaeth, wrth gwrs."

"Ond chwarae efo geiria ydi hynny. Dwi ddim yn arbenigwr ar Corsica, ond mae gynnon ni senedd, mae gynnon ni iaith, mae gynnon ni rym dros bob math o betha…"

"Meirion," meddai'n reit ffyrnig, "mae 'na wahaniaeth. Ro'n i'n ferch ifanc yn '90, pan gipion ni'n rhyddid yn ôl o safn y Rwsiaid – a'r unig wlad yn y byd i'n cydnabod ni oedd Ynys yr Iâ. Ie, Ynys yr Iâ! Ti'n cofio hynna? Ac ro'n i yno yn '91 pan halodd Gorbachev ei luoedd arbennig yn ôl i mewn…"

"Iawn, iawn – dwi'n gweld be ti'n ddweud. Mi fuoch chi'n anlwcus…"

"Na, Meirion – mi fuon ni'n *lwcus*. Ry'n ni'n rhydd."

Ro'n i'n synnu braidd at ei naïfrwydd. "Ar un wedd, rydach chi'n fwy rhydd na Chymru, dwi'n derbyn hynny. Ond cymharol ydi rhyddid, yntê?"

"Does 'da ni ddim amser heno i drafod athroniaeth, Meirion. Ynglŷn â realiti – *realpolitik* – y mae'r gynhadledd yma."

"Dyna'r pwynt dwi'n trio'i wneud."

"Ac yn y byd real, mae 'na wahaniaeth rhwng Cymru neu Corsica a Lithwania neu Slofenia."

"Ond be ydi'r gwahaniaeth?"

"Sofraniaeth. Mae'r gwledydd yna'n rhai sofran. Dy'ch chi ddim."

Chwarddais. "Mae hynna'n nonsens. Mae'r byd yn llawer mwy cymhleth na hynny. Dim ond ambell i hen Sais sy'n dal i frygowthan am sofraniaeth."

"Ydi, mae'r byd yn gymhleth ond dydi'r syniad ddim. Mae gwledydd fel pobl. Rwyt ti naill ai'n berson sofran, neu dwyt ti ddim."

"Felly rwyt ti'n sofran, a tydw i ddim. Diolch yn fawr! Chlywes i erioed y fath rwtsh gwirion."

"Ond nid dyna be ddwedes i!"

Ro'n i'n dechrau gwylltio. Ro'n i wedi bod yn teithio yn rhai o wledydd y Dwyrain yn rhinwedd fy swydd efo Sine Cymru ac wedi gweld beth oedd yn mynd ymlaen yno.

"Felly rydach chi'n meddwl eich bod chi'n rhydd? Maya – fe werthoch chi'ch rhyddid flynyddoedd yn ôl i *wide-boys* lleol, crwcs tramor, Rwsiaid, maffias eraill, a'r cwmnïau amlwladol wrth gwrs – yr un bastards ag a welis i pnawn 'ma yn y Mara."

"Dwi ddim yn gwadu'r broblem..."

"Maen nhw'n gwneud ffortiwn ar eich cefnau chi. Fe werthoch chi'r llestri tseina'n rhad iawn yn y naw degau. Dwi wedi bod o gwmpas. Dwi wedi gweld siopau bychain yn newid i fod yn *Meet Bars, massage parlours,* cownters newid arian, *alleys* bowlio, llefydd llosgi tatŵs..."

Cododd Maya ei llaw ond ro'n i'n benderfynol o orffen fy mhwynt.

"Ro'n i'n gwerthu ffilmiau Cymraeg yr adeg honno, neu o leia'n trefnu i'w dangos nhw. Weithiau, ar nos Sadwrn, mi fyddwn i'n cyfarfod â rhyw asiant – falla swyddog mewn adran gelf – ym mwyty druta'r dre. Roedden ni'n dau ar gostau, wrth gwrs.

"Mi fydden ni'n eistedd wrth y bwrdd gorau, yn archebu'r gwin gorau, yna edrych allan trwy'r ffenest ar yr olygfa brafia yn y dre, a be welwn i yn llithro i fyny'n dawel dros y cerrig mân ond Merc *soft-top* newydd sbon glas tywyll, a bachan ifanc mewn crys Armani gwyn a tshaen aur yn camu allan ohono fo. A dau neu dri arall wedyn yn dod i fyny mewn BMWs ac yn cerdded i mewn i'r lle yn drewi o Brut ac arian wedi'i ddwyn o bocedi'r werin."

Ond pan edrychais draw at Maya ar ddiwedd fy mhregeth, gwenu yr oedd hi.

"Ond rwy'n cytuno, Meirion. A gyda llaw, oeddet ti'n sosialydd adain-chwith eithafol pan oeddet ti'n ifanc?"

"Dydi hynna ddim yma nac acw..." – ond roedd hynny'n ddigon i lacio'r tyndra. "Roedd hynny ymhell yn ôl, ond dwi'n dal yn sosialydd. Rydan ni i gyd yn newid rhyw fymryn ac rwyt ti wedi newid hefyd, Maya."

"Efallai. Ond cawn ni sôn am hynny eto. Yn y cyfamser, rhaid i ni sortio'r gynhadledd 'ma!" Agorodd y Rhaglen Swyddogol a threfn y cynigion. "Am dri o'r gloch bnawn dydd Sadwrn mae'r cynnig holl bwysig a allai arwain at gynghrair newydd o'r gwledydd bychain."

Dywedais: "Mi fydd yn rhaid i mi gael John Lloyd i mewn ar hyn. Fo ydi'r *theoritician*, fel petai."

Edrychodd Maya arnaf yn ansicr braidd. "Ond ti ydi'r Llywydd? Ti sy'n arwain?"

"Mi sortia i o, paid â phoeni dim…"

Ond roedd yn rhaid iddi fynd trwy gymalau'r cynnig yr oeddem i bleidleisio drosto gan fanylu ar be fyddai'n digwydd petai pethau'n mynd o chwith.

"Rwy'n ffyddiog," meddai, "y cawn ni lwyddiant. Ond, wrth gwrs, dim ond dechrau fydd hyn. Mi gymrith flynyddoedd i wireddu'r freuddwyd."

"Dyna dwi'n ofni, Maya."

"Ond mi ddaw."

"Gobeithio, yntê."

"Meirion," meddai gan graffu arnaf, "rwy'n amau weithiau a wyt ti o ddifri."

Chwaraeais â'r gwydryn gwin. "Dwi'n gweld dy fod ti. Paid â sylwi gormod ar be dwi'n ddweud. Dwi'n eiddigeddu atat ti, a dy sicrwydd, yn y bôn."

Gwenodd arnaf yn amheus.

Edrychais draw at Vladimir. Roedd o'n hepian, ei freichiau'n pwyso dros ei *kalashnikov*. Ac nid yn rhy fuan, cyrhaeddodd y bwyd.

Deffrodd Vladimir, ac ro'n i'n reit falch o weld y plateidiau
hael o fwyd Latfiaidd a gyflwynwyd efo ychydig o *panache*
Ffrengig. Fe ddymunon ni iechyd da i'n gilydd gan sylwi fod
y stafell bellach yn llawn pobl yn sgwrsio'n swnllyd.

"Felly be ddigwyddodd i Tomaso druan?" gofynnais.

Mewn llais tawel, dechreuodd Maya adrodd yr hanes.

"Dyw hi ddim yn stori hir. Fe ddwedais i wrthyt ti ym
Mhrâg i fi drio cysylltu ag e ar ôl i ni gwrdd yn Krakow. Sai'n
gwybod pam yn hollol. Fe wyddwn i na fuasai yna siawns
mewn canrif y byddai yna ddim byd rhyngon ni, er 'mod i'n
reit unig ar y pryd, ar ôl yr ysgariad."

"Ond sut llwyddaist ti i gysylltu efo fo? Doedd ganddo fo
ddim cyfeiriad sefydlog, os dwi'n cofio."

"Roedd ganddo sbot ar Radio Jazz Krakow ac felly e-bostiais
i rywun fan'na, a rhoddodd hwnnw fy nghyfeiriad i Tomaso.
Rai misoedd wedyn, ces i lythyr chwe tudalen ganddo. Mae e
gen i yma – mewn Pwyleg i gyd, wrth gwrs."

Agorodd amlen lwyd ac arllwys y dalennau ar y bwrdd. Er
syndod i mi, roedd yr ysgrifen yn fân a thaclus.

"Fuoch chi'n gohebu wedyn?"

"Fe ges i dri llythyr i gyd. Rhai byr oedd y lleill. Fe fues
i bron â mynd i Krakow a soniodd e unwaith am ddod i
Vilnius, ond digwyddodd rhywbeth i'n rhwystro ni y ddau
dro. Mae'n debyg y buasen i wedi mynd petawn i'n ddigon
penderfynol, ond – wel, 'dyn ni byth yn blaenoriaethu
cyfeillgarwch, ydyn ni?"

Gan osgoi ei llygaid, dywedais, "Ond be ddigwyddodd? Sut
buodd o farw?"

Daliodd Maya ei dagrau'n ôl. "Damwain ddiystyr. Tua dau fis yn ôl digwyddodd e. Y dyn yna o'r radio gysylltodd â mi. Car wedi'i daro am dri o'r gloch y bore ac yntau'n dod mas o ryw glwb. Mae mor hawdd dychmygu'r peth."

"Ydi, mae o. Doedd o ddim hanner call."

"Wrth gwrs gallai fod yn ddamwain bur fel sy'n digwydd i filoedd o bobl, ond ti'n methu peidio â meddwl am ei agwedd at fywyd."

"Wn i. *Life, I Love It!* Mwynhau bywyd gormod."

"Ond ar y llaw arall mae'n bosib ei fod e wedi mynd yn fwy di-hid o'i hunan am 'i fod e wedi methu cyflawni dim."

"Be – ti'n awgrymu rhyw fath o hunanladdiad?"

"Ond nid yr ystyr arferol. Pwy ŵyr, yntê?"

Yn awr brathodd ei gwefus gan ddal ei theimladau'n ôl. Cyffyrddais â'i llaw i drio'i chysuro, ond ailfeddiannodd ei hun ac ailafael yn ei stori. "Beth bynnag, fe wnes i deimlo i'r byw pan glywais i'r newyddion, ond yn hytrach na difaru fe dries i wneud rhywbeth pendant," meddai gan afael mewn ffolder oedd ganddi. "Fe benderfynais i roi cynnig ar sgrifennu sgript ffilm. Mae 'da ti gysylltiadau ym myd ffilm, on'd oes, Meirion?"

"Llongyfarchiadau, wir – ond does gen i ddim dylanwad erbyn hyn yn y maes yna."

"Dyma'r sgript gyntaf i mi ei sgrifennu fel awdur. Rwy wedi cyfieithu degau dros y blynyddoedd ac wedi dysgu am y dechneg."

"Be sy ynddi hi yn hollol?"

"Tomaso'i hun yw'r canolbwynt wrth gwrs – byddai'n rhaid cael yr actor iawn i'r ffilm i weithio. Cyfres o olygfeydd anffurfiol sydd yna, wedi'u torri'n reit rydd. Rwy'n trio peidio bod yn rhy wleidyddol ond mae 'na neges y tu ôl i'r cyfan, am y drefn a sut mae arian yn drysu bywydau."

"Swnio'n uchelgeisiol."

"Fe ddaeth yn weddol gyflym. Ro'n i am gadw'r cof am Tomaso'n fyw trwy gyfrwng ffilm – ei gyfrwng e."

Meddyliais am ennyd. Doeddwn i ddim am gael fy nhynnu i roi addewidion na allwn eu cadw. "Mae Tomaso'n golygu rhywbeth i ni, ac yn amlwg yn golygu llawer i ti – ond faint mae e'n olygu i rywun oedd ddim yn ei nabod e?"

"Os ydw i wedi llwyddo, mi fydd y ffilm yn cyfleu mwy na dim ond person, ond agwedd cyfan at fywyd. I mi, mae Tomaso'n cynrychioli rhywbeth sy'n diflannu o'n bywydau ni i gyd y dyddiau hyn…"

"Iawn, ond ti'n gwybod am wleidyddiaeth ffilm a sut mae arian yn rheoli popeth – wel yr union bwynt rwyt ti'n ei wneud yn y sgript, mae'n debyg. Mae'n ddiawl o job cael troed yn y drws."

"Ffilm fer oedd 'da fi mewn golwg, dyna i gyd. Ti'n gwybod am Fenis, yr adran ffilmiau celf?"

"Fuost ti yn Fenis, felly, yn yr Ŵyl?"

"Do, fe es i unwaith ond allwn i ddim fforddio mynd wedyn."

"Pryd oedd hynny?"

"Dechrau'r naw degau."

"Mi fyddwn i'n mynd i'r Ŵyl yr adag honno hefyd – ella i ni basio'n gilydd fel *vaporetti* yn y nos. Ond mi wn i be sy gen ti. Mae'n fath o ffilm *art house* fasa'n mynd lawr yn wych mewn gŵyl felly, petai hi'n cael ei gwneud yn dda."

"Rwy wedi gneud fy ngorau, ond sdim ots 'da fi petai rhyw

sgriptiwr proffesiynol yn ei hailsgwennu i gyd. Triais i gwpwl o gwmnïau yn Warsaw, ond doedd gan neb ddiddordeb."

"Neb?"

"Wel, ti'n cofio beth ddwedodd Tomaso ei hun am y diwydiant ffilm, ac am farchnata'n lladd y farchnad. Ges i ateb byr gan un ohonyn nhw, ond o ddarllen rhwng y llinellau ro'n i'n teimlo eu bod nhw'n gweld y syniad yn henffasiwn, ac yn hysbyseb wael, ac yn ddrwg i ddelwedd fodern y diwydiant."

Caeodd y ffoldyr a'i roi i mi.

Gan edrych arna i'n daer, meddai, "Dyma'r sgript. Wnei di drio dy orau, Meirion? Dim ond ti, o'r bobol rwy'n eu nabod, gafodd ei nabod e hefyd. Rwy wedi'i chyfieithu i'r Saesneg, hefyd, cystal ag y medra i. Ond rwy am gadw'r llythyrau ac mae yma un llun. Wrth reswm, mae'r rhain yn werthfawr iawn ond mi allen nhw fod yn ddefnyddiol i sgriptiwr proffesiynol."

"Fe wna i drio, ond cofia, gwleidydd ydw i rŵan. Rhyw fath o un. Ond dim cystal un ag wyt ti."

Rhoddodd ei llaw ar fy llaw i. "Ond mi wnei di dy orau, yn gnei di? Ti yw'r unig obaith sy 'da fi nawr."

★ ★ ★

Buom yn bwyta mewn tawelwch am sbel. Syrthiodd y darnau'n araf i'w lle. Allwn i ddim gwadu bod yna berthynas arbennig rhyngom ni'n dau a Tomaso. Ond synnais at ei theimladau dwys drosto fo. Tybed be ddigwyddodd yn ystod yr oriau y buon nhw'u dau gyda'i gilydd ym Mhrâg? Beth bynnag, roedd *scenario'r* noson hon ar blaned arall i'r hyn a ddychmygais ymlaen llaw. I ble byddai'r cyfan yn arwain?

Torrwyd ar ein traws gan ffôn Vladimir. Siaradodd iddo yn Rwsieg. Yn amlwg roedd yna ryw drafferth yn y ddinas. Gwelwn ar wyneb Maya fod rhywbeth o'i le.

Buont wedyn yn sgwrsio'n fyr ac yna eglurodd Maya, "Mwy o drafferthion yn yr embasi. Falle bydd yn rhaid i Vladimir adael i helpu'r heddlu."

"Ond mi alli di aros yma, Maya?"

"Dyw hi ddim yn glir eto. Mae'n sefyllfa anodd. Ry'n ni'n cydymdeimlo â'r protestiadau, ond mi allen nhw fynd dros ben llestri. Mi allai ymosodiad go iawn ar yr embasi – ymgais arall i losgi, er enghraifft – waethygu'r sefyllfa, a ffyrnigo'r Rwsiaid."

"Dwi'n gweld eu bod nhw ym mhob twll a chornel."

"Mi allai pethau fynd yn flêr. Bydd 'na ddiogelwch trwm o gwmpas y Senedd ar gyfer y gynhadledd ddydd Sadwrn."

Gofynnais i Vladimir, gan ddefnyddio Maya fel cyfieithydd, "Sut 'dach chi'n teimlo am y sefyllfa, a hynny fel Rwsiad ym myddin Latfia?"

"Trwy ymuno â'r fyddin, mi ddes yn ddinesydd Latfiaidd."

"Mae hynna'n beth ardderchog."

"Rwy wedi bod yn lwcus. Ychydig iawn o Rwsiaid sy'n cael y cyfle. Mae yma ddiweithdra mawr. Ond os na chawn ni fod yn Latfiaid, caiff y wlad ei rhwygo'n ei hanner – ac mae Rwsia'n gwybod hynny'n dda."

"Mae'n sefyllfa beryglus, o ran y Baltig i gyd," ychwanegodd Maya.

"Tybed," atebais. "Yr olew sy'n bwysig i'r Rwsiaid, yntê?"

"Gobeithio dy fod ti'n iawn. Ofni ydyn ni mai esgus yw'r cyfan i wneud cyrch milwrol."

"Go brin. Mi fyddai 'na adwaith byd-eang i hynny."

"Tybed. Os na fydd yr Americaniaid yn ymyrryd, fydd y Rwsiaid ddim yn poeni. Diawled y'n nhw i gyd."

Ond canodd ffôn Vladimir eto. Roedd yr helynt yn y llysgenhadaeth yn gwaethygu ac roedd yna beryg i'r dorf chwalu'r gatiau a meddiannu'r adeilad.

"Mi edrycha i ar ôl Maya," cynigiais.

Siaradodd eto i'w ddyfais. Eglurwyd i mi nad oedd hon yn sefyllfa i ymwelydd dibrofiad. Siaradodd Maya ag e, yna egluro i mi y byddai'n rhaid iddo ei hebrwng hi adref ymhen chwarter awr.

Yn awr roedd yna fyfyriwr wedi agor caead y piano du a rhoi cynnig ar chwarae rhyw rag gan Scott Joplin. Ro'n i'n casáu pob nodyn o'r ysgafnder ffals ac erbyn hyn yn dyheu am i'r noson barhau, ond yn gwybod mai deng munud o sgwrs bersonol oedd gen i efo Maya.

"Oes raid i ti fynd? Wyt ti mewn perygl gwirioneddol? Dwi'n cael gwaith credu hyn."

"Elli di ddim trystio'r un Rwsiad a dyma ti wedi mynd i'w canol nhw i aros," meddai'n chwerw. "Dwi ddim yn deall hynny o gwbl – a rhaid dy fod ti'n talu ffortiwn am dair noson yn y lle yna."

"Doeddwn i ddim isio cymhlethu pethau," meddwn yn gloff.

"Aiff pethau ddim mwy cymhleth nag y maen nhw nawr. Oes 'da dy foesoldeb rywbeth i'w wneud â'r peth?"

Do'n i ddim yn disgwyl hyn. "Nag oes. Fel ti, dwi'n rhydd."

"Wnes i ddim gofyn i ti gysgu 'da fi."

"Naddo, dwi'n dallt hynny. Dyna pam nad o'n i'n meddwl bod ots."

Wedi saib, meddai, "Ond petawn i – a fase hynny'n gwneud gwahaniaeth?"

"Anodd ateb hynna rŵan," atebais. "A beth bynnag, mae 'mhetha i i gyd yn y Mara."

"Diawch, oes ots am hynny?" Yna ymlaciodd, a dweud, "Nid dyna sy'n bwysig, wrth gwrs, nac unrhyw 'gysgu' chwaith… Mae bywyd mor fyr. Ry'n ni'n colli cyfleoedd o hyd. Ry'n ni'n gwastraffu'n bywydau yn gneud pethau nad y'n ni'n eu mwynhau gyda phobl nad y'n ni'n eu hoffi."

"Ti'n iawn, wrth gwrs."

"Does neb a ŵyr y dyfodol, a'r byd fel y mae. Neu falle'r aiff y byd ymlaen, a ninne ddim, a chael ein taro gan gar neu rywbeth gwirion arall, fel Tomaso."

Alla i ddim egluro pam yr oedais, ond roedd yna rai eiliadau pan allaswn i fod wedi newid fy meddwl. Yna dechreuodd *bleeper* Vladimir bipian eto. Am ryw reswm od, parodd hynny i mi roi fy llaw iddi ond roedd hi eisoes yn rhy hwyr. Cododd Maya ac wedi ffarwél byr, a gair gyda'r gweinydd, diflannodd trwy'r drws gyda Vladimir.

Roedd y rag gwirion yn dal i chwarae a'r angylion pinc, bronnoeth yn chwerthin am fy mhen. Yna sylwais fod llythyrau Tomaso a'r amlen yn cynnwys y llun ar ôl ar y bwrdd. Cydiais ynddynt a rhedeg at y drws.

Edrychais i fyny ac i lawr y stryd, ond doedd dim sôn am Maya na Vladimir.

★ ★ ★

Es yn ôl i Kafe Lulu a chynnig talu – ond doedd dim angen: roedd Maya wedi trefnu hynny eisoes gyda'r gweinydd. Roedd y blydi myfyriwr yn dal i ganu rhyw dôn wirion o ugeiniau'r ganrif ddiwetha. Aeth y cyfan o dan fy nghroen a rhuthrais allan i'r nos ac i'r oerfel.

Cerddais am ryw chwarter awr tua chanol y ddinas gan fwriadu codi tacsi, yna troi i mewn i far bach ar ben uchaf y Kalka Iela, y stryd brysur sy'n rhedeg fel gwythïen trwy ganol Riga. Archebais fodca i'm cynhesu, a'i lyncu ar ei ben gan mor surbwch y gwasanaeth. Roedd y lle'n llawn Rwsiaid a theimlwn fel dyn gwyn mewn *ghetto* yn Sweto.

Es allan i'r pafin. Am gachu gachu o noson. Gyferbyn â mi rhuai chwe lôn o draffig. Rhaid mai dyma'r Brivibas Iela a'r parciau agored gerllaw'r Tŷ Opera a'r Gynhadledd. Dyna lle byddwn i fory. Blydi grêt. Yna sylwais ar res o dacsis rownd y gornel, yn ffalancs o Mercs melyn.

Ond fel o'n i'n troi amdanynt, gwelais beth arall ar ganol y rhodfa: cerflun Rhyddid – symbol enwocaf Riga. Gwibiai'r traffig o amgylch y golofn hirfain a saethai fel pelydr gwyn i fyny i'r nos. Ar ben y golofn safai merch, ei breichiau i fyny, yn dal tair seren loyw yn yr awyr mewn hanner cylch.

Hi wrth gwrs yw Maya, ar ei newydd wedd. Y ferch sydd eisiau'r cyfan, y ferch nad yw'n cyfaddawdu, y ferch nad yw'n gofyn ddwywaith, y ferch sydd yn rhydd.

-20-

YN NENGRAFWR o ryw bymtheg llawr, safai gwesty'r
Metropole ar y Brivibas Iela, yn nodwedd bron mor
amlwg â Cholofn Rhyddid ei hun, a heb fod cymaint â
hynny'n is na hi. Camais allan o'r tacsi ger y brif fynedfa tua
hanner awr wedi un ar y pnawn Gwener.

Es allan i'r glaw mân ac i fyny'r grisiau i'r dderbynfa a holi a
oedd fy nghydgynadleddwyr wedi cyrraedd. Oedd, roedd yna
un J. Lloyd wedi cofrestru ryw chwarter awr yn ôl. Ffoniodd
y groesawferch drwodd i'w stafell ond doedd dim ateb.
Edrychwch yn y brif lolfa, cynghorodd.

Ac yno yn y ffenest yn ymlacio'n braf gyda choffi a bisgedi yr
oedd Lloyd a Sidoli; Sidoli'n tynnu'n hamddenol ar sigarét,
Lloyd a'i drwyn yn yr *Herald Tribune*, ei sbectol rhimyn aur yn
balansio ar flaen ei drwyn.

Trodd Lloyd ataf gan roi'r papur i lawr. "Croeso, Meirion!
Roedden ni'n trafod pa gasino yr awn ni iddo heno. Mi
ddylai fod yn weddol fywiog yma ar nos Wener. Unrhyw
gynghorion?"

Tynnais gadair atynt. "Mi wn i am un casino, ond faswn i
ddim yn ei argymell o. Ond y merched, Anna a Medwen
– ble maen nhw?"

"Doeddan nhw ddim yn rhy frwd i ddod, ac mi gawn ni fwy
o hwyl hebddyn nhw, yn cawn?"

Roedd 'na nifer o bethau yn y gosodiad yna nad oeddwn i'n
eu deall. Oeddwn i erioed wedi deall John Lloyd? Chwifiais
am baned i mi fy hun gan y gweinydd.

"O ddifri, does mo'u hangen nhw," eglurodd Lloyd. "Does yna ddim gwaith gweinyddol fel y cyfryw, ac fe gynigiodd Alun ddod yn eu lle nhw."

Sylwais fod Sidoli'n edrych yn fwy trwsiadus a golygus nag arfer, hyd yn oed. Mae ganddo wallt du a golygon Eidalaidd, ond cŵl a gogledd-ewropeaidd ydi ei ddull o ddelio â thrafferthion gweinyddol a thensiynau di-ben-draw ein plaid. Nid yw'n ddigon egnïol ym marn rhai, ac mae'n tueddu i fynd ar deithiau tramor ar ei ben ei hun ar adegau anghyfleus, ond ar y cyfan dwi'n ei weld o a Lloyd yn gweithio'n dda efo'i gilydd.

"Felly sut aeth hi neithiwr gyda Maya Dulka?" holodd Sidoli.

Agorais fy nghês a rhoi'r dogfennau iddynt. "Yn iawn. Dyma raglen y gynhadledd a'r bathodynnau a'r *passes*. Mae'r diogelwch yn dynn iawn, felly peidiwch colli'r rheina beth bynnag wnewch chi."

"Fasen ni ddim gwaeth â gwisgo'r bathodynnau yna'n syth," awgrymodd Lloyd. "Ro'n i'n sylwi ar rai yn eu gwisgo nhw draw fan'na. Criw o Sgotiaid, rwy'n meddwl."

Astudiodd y bathodynnau'n feirniadol. "Rwy'n gweld – jyst y wlad, *Wales,* a'r enw."

"Be sy'n bod ar hynny?"

"Dim byd, ond buasai'n braf petai enw'r blaid, *The Party of Wales,* yna hefyd yn rhywle. Mae'n reit ddifyr nad oes yr un aelod o'r Blaid Lafur yn agos yma. Mae'n bwysig ein bod ni'n defnyddio hynna."

"Nid dyma'r lle," atebais.

"Ond y busnes diogelwch 'ma – beth yw'r broblem, yn hollol? Pa drafferthion allai fod?"

"Dwn i ddim, wir. Ond ro'n i'n pasio'r Tŷ Opera bore 'ma ar y ffordd yma. Mae'r ardal yn llawn heddlu, ceffylau; milwyr hefyd."

"Ond mae'n naturiol yn tydi, mewn unrhyw gynhadledd ryngwladol."

"Wel dydi hon ddim yn gynhadledd gyffredin, ydi hi? Mae 'na wrthdystio parhaol y tu allan i embasi Rwsia. Roedd gan Maya ryw fath o *bodyguard* a chafodd ei alw yno neithiwr. Eironig braidd: yr heddlu a'r fyddin leol yn amddiffyn y Rwsiaid."

"A ble mae'r embasi, yn hollol?"

"Reit agos. Un o'r Boulevards sy'n rhedag allan o'r canol 'ma. O ystyried bod hanner poblogaeth Riga'n Rwsiaid, dydi o mo'r lle gorau i gynnal cynhadledd fel hon, a'r gelyn o gwmpas ym mhob man."

"Sut oedd Maya'n teimlo?" holodd Alun.

"Am be felly?"

"Wel am lwyddiant y gynhadledd, yntê."

"Roedd hi braidd yn nerfus. Gawson ni sgwrs reit hir. Mae ganddi gyfarwyddiadau i ni ar gyfer pnawn fory – mi ga i air â chi eto am hynny. Mi allai fod yn bleidlais agos. A bydd yn rhaid i mi ei gweld hi eto pnawn 'ma. Fe adawodd hi ryw bapurau personol ar ôl."

Nag oeddwn – do'n i ddim am ddweud wrthyn nhw mai gweld Maya eto oedd yr unig beth oedd ar fy meddwl dros y deuddeg awr diwetha, ac na wnes i gysgu fawr ddim neithiwr a 'mod i wedi gadael fy nghês yma yn y Metropole rhag ofn y gallwn i newid y trefniadau aros.

A hefyd 'mod i wedi bod yn mwydro 'mhen am gynhyrchydd posib i'r ffilm gan gribinio am enwau oedd yn gyfarwydd imi yn Sine Cymru flynyddoedd yn ôl, a 'mod i wedi penderfynu cysylltu ddydd Llun â Wil Isaac o Gaernarfon, sy'n arbenigo mewn cydgynyrchiadau tramor.

"Wel – gawn ni ginio fan hyn 'te, bois?" awgrymodd Lloyd yn y man. "Rwy'n gweld y cyfleusterau'n ardderchog."

Cytunodd Sidoli. "'Blaw bod gen ti, Meirion, awgrym arall yn sgil dy ymchwil yn y ddinas neithiwr?"

"Nag oes, rydach chi wedi bachu seddi reit dda yma. A wnes i ddim math o ymchwil neithiwr, gyda llaw."

"Duw, be ddigwyddodd? Ddim dy steil di'n hollol, Meirion," mynnodd Alun eto.

Roedd fy nhymer yn dechrau codi. "Clyw, mi dreuliais y noson yn trafod busnes efo Maya a milwr Rwsiaidd efo blydi *kalashnikov* wrth fy ochr i drwy'r nos. Roedd o'n lot fawr o blydi hwyl. Ac os oes raid i chi wybod y cyfan, mi ges i un fodca mewn bar llawn Rwsiaid ac un arall, ola yn y Mara, eto mewn bar llawn Rwsiaid."

"A Rwsiesau?"

"Oes, mae digon o'r rheini, hefyd, ym mariau a strydoedd y ddinas 'ma. Chei di ddim problem yn fan'na, Alun."

"Gen ti mae'r broblem, Meirion, nid gen i," atebodd yn siarp.

"A be uffar ti'n feddwl wrth hynna?"

"Gweithia fe mas, os ti'n gallu."

Nag o'n, do'n i ddim ar fy ngorau, ond pam oedd Sidoli mor bigog? Oedd yna ryw eiddigedd yn llechu yna'n rhywle? Ac yn waeth, roedd hwyliau Lloyd yn ddigon da i ennill regata. A do'n i chwaith ddim yn deall sut oedd o a'r lleill yn gallu ymddwyn fel petai'r gynhadledd yma yn rhyw fath o drip Ysgol Sul.

Aeth Lloyd ymlaen i drafod yr atyniadau dinesig y gellid eu disgwyl mewn dinas gosmopolitan fel Riga. Meddylais, tybed oedd o ar ryw *high* am ei fod o heb ei wraig? Neu oedd o'n mwynhau'r fuddugoliaeth wleidyddol yr oedd y trip yn ei olygu iddo fo? Do'n i ddim yn deall y newid yma o'i gymeriad cysetlyd arferol.

Do'n i ddim chwaith yn deall pam o'n i fy hun yn obsesu am Maya o hyd. Nid mater o ddeall ydi'r petha 'ma, wrth gwrs. Roedd yn rhaid i mi gyfaddef i mi fod fel ioio emosiynol ers derbyn ei llythyr hi. Ond roedd y sefyllfa bellach yn hollol glir. Roedd hi wedi gobeithio y buaswn i'n aros gyda hi neithiwr a heno. Yn amlwg, felly, roedd hi am barhau'r berthynas. Ond a o'n i wedi cachu ar y gambren neithiwr, dyna'r cwestiwn.

Wrth ddisgwyl i'r bwyd gyrraedd, edrychais allan ar yr olygfa niwlog drwy'r ffenest. Roedd yna groesfan o draffig trwm ar y dde ond darnau o wyrddni a choed yn torri ar y darlun llwyd. Roedd yn dal i bigo bwrw ond roedd yn bosib gweld, yn y pellter, y golofn â'r ferch ar ei phen yn jyglo'r sêr.

Yn ein clustiau canai synthffiwsig pibol o hen ganeuon pop Saesneg yn rhedeg ar bymtheg milltir yr awr. Dros y fynedfa roedd yna gloc digidol mawr, sgwâr, gwyn ar ddu fel petai dim ond deillion yn dod i'r blydi lle – a gorau oll os oeddach chi'n fyddar hefyd.

Yna am ryw reswm cofiais am erthygl Hitt. Ar ddydd Gwener maen nhw'n arfer ymddangos.

"Welsoch chi'r *Welsh Mail* bore 'ma?"

"Do, ces i gopi yn Heathrow – mae e yn y stafell," atebodd Lloyd.

"Oedd 'na gyfweliad ynddo fo rhyngdda i a Hitt?"

"Oedd," atebodd Sidoli, "ond efalle y buasai'n well iti 'i weld e nes 'mlaen heno wedi fodca neu ddau?"

"A be ddiawl ti'n feddwl wrth hynny?"

"Dyw hi ddim yn erthygl i'w darllen ar stumog wag."

"Ond be oedd ynddi hi, felly?"

"Wel, ymosodiad go giaidd ar yr Oriel, a'r sefydliad celf yn gyffredinol. Yn beirniadu polisi prynu'r Oriel, yn dweud bod angen bod yn fwy cynhwysol, a bod 'na gawcws o arlunwyr Cymreig didalent a chostus yn cael ffafr a blaenoriaeth dros bawb arall. Ac os rwy'n cofio, fe ddwedaist ti rywbeth hefyd ynglŷn â mynd 'nôl at safonau traddodiadol mewn celf."

"Ond ddeudais i 'rioed mo hynny!"

"Mi gymera i di air di – ry'n ni i gyd yn gwybod sut rai ydi newyddiadurwyr."

"Ond sut yn y byd alla fo gyfiawnhau gosodiad felly?"

"Wel, roedd e'n reit ddoniol, a dweud y gwir. Oes gen ti lun o Fenis acw yn rhywle?"

"Oes, fel mae'n digwydd – ond wnes i ddim sôn dim am hynny wrtho fo."

"Wel mae e wedi cael hynna'n iawn, o leia."

Myn asan i – rhaid mai Llio oedd o. Rhaid ei bod hi wedi dweud wrtho fo. Achos mae'r llun yn fy stafell wely. Does neb wedi gweld y llun, dim ond pobol sy wedi bod yn fy stafell wely, a does 'na ddim llawer o'r rheini.

Rasiodd posibiliadau trwy 'mhen. Ai hi ddywedodd wrtho fo, neu ai fo ofynnodd iddi hi? Na, fasa hi byth wedi mynd ato fo mewn gwaed oer dim ond i sôn am hynny. Rhaid mai fo oedd wedi gofyn iddi hi – ond sut yn y byd y daeth o i wybod am y cysylltiad?

"Cei di 'i weld e pan awn ni o'ma," cynigiodd Lloyd yn

hael. "Dydi'r *Welsh Mail* yn fawr o bapur ond mae'n gneud y tro i ladd amser mewn stafell aros deintydd neu lownj maes awyr."

★ ★ ★

"And the best o' luck tomorrow boys," bloeddiodd llais bas, Sgotaidd y tu ôl i mi, a ninnau ar ganol bwyta'r cinio.

Troesom. Roedd pedwar ohonynt yno, bois mawr, lond eu copis, os gellir dweud hynny am y ddau oedd yn gwisgo cilt tartan. Roedd glasied hael o chwisgi ym mhob llaw.

"Och aye, ye done bloody good to get in the final, fair play to ye. And ye did proud against the South Africans last Saturday. A wee bit o' luck, aye, but we canna blame ye for that, can we?" meddai un.

"But ne'er forget," meddai'r talaf, *"we beat the fucking English for ye."*

"Yes, that was a real favour," meddai Lloyd gan droi ei gadair tuag atynt. *"Why not join us, boys? We've got to work together to beat the fucking English, in sport as in politics."*

"But I reckon it's your turn now. We've done our bit, haven't we, lads?"

"True, true," meddai Lloyd yn llawen. *"We've got to give it to you. You've been taking the political lead in recent years. But we'll be there, doing our bit tomorrow afternoon for the new European league!"*

"Aye – so when'll ye be seeing the game? Got one of those little micro tvs?"

"No, no," aeth Lloyd ymlaen, ei hwyliau'n codi eto. *"First things first. Look at it this way, boys."* Yn awr cododd ar ei draed a chwifio'i *Herald Tribune* at y ffenest. *"See that column there in front of us, standing there in the mist, in the mist of our hopes and dreams?"*

"Aye, the one with that wee lassie on the top?"

"Aye, her with the stars in her eyes!"

"Well, boys," meddai Lloyd, yn dod at uchafbwynt ei berorasiwn, *"she is the reason why we're here, why we're all here today. We're doing it all for the ideal of freedom, for that girl up there who's really free!"*

"And we'll certainly all drink to that, won't we, lads!"

Ac fe gododd pawb yn gytûn, a chlecian gwydr ar wydr, a chwpan ar gwpan.

Mewn difri, be o'n i'n ei neud yma?

Wrth fy ochr yr oedd Sidoli, o'm blaen i Lloyd a rhyw yrrwr Rwsiaidd, ac ar fy nglin i gês yn cynnwys llythyrau Tomaso, sgript Maya, copi o'r *Welsh Mail* nad o'n i am ei ddarllen, rhaglen cynhadledd nad o'n i isio mynd iddi ac ro'n i mewn tacsi oedd yn cymryd mwy o amser na taswn i'n cerdded.

Pam yr oedi, do'n i ddim yn deall. Roedden ni'n troelli i mewn ac allan o chwe lôn draffig yn rhywle rhwng y Metropole a'r Tŷ Opera, yn un o bedwar tacsi a adawodd y gwesty gyda'i gilydd. Trwy'r ffenest gallwn weld plismyn â *walkie-talkies,* eraill ar geffylau, faniau darlledu teledu lloeren, a grwpiau o filwyr Latfiaidd yn stelcian o gwmpas, hwythau hefyd â *walkie-talkies.*

Dywedodd y gyrrwr fod 'na drafferthion eto o flaen embasi Rwsia, un o'r staff a rhai protestwyr wedi eu hanafu. Ie, dyma beth ydi sbort a sbri – ac i beth?

Oedd, roedd Lloyd yn iawn yn ei araith fyrfyfyr yn y Metropole: rhyw ffantasi o ferch oedd yn ein gyrru ni i gyd, rhyw rith anghyraeddadwy oedd ar yr un pryd yn gwahodd ac yn gwrthod, merch oedd yn iawn i'w rhoi ar ben cerflun, ond amhosib ei thynnu i'r gwely. Yn y tacsis oedd nawr yn stopio o flaen y Tŷ Opera, fi oedd yr unig ddyn gonest. Dim ond fi oedd efo nod real, o ferch real, sef Maya. Dim ond fi oedd yn wirioneddol ddigyfaddawd yn fy amcan.

A dim ond fi oedd ddim yn ffantaseiddio. Pam fod ffantaseiddio gwleidyddol yn fwy derbyniol na ffantaseiddio personol? Onid ydi o'n filgwaith fwy peryglus?

Ond ro'n i'n dal i fethu gweithio'r busnes Hitt yna allan. Sut allai Llio fod wedi dweud wrtho am y llun? Roedd yna frad personol yn hyn. Reit, doedd o ddim yn beth arswydus o bwysig, ond eto, wedi i'r erthygl ymddangos, mi fyddai hi'n gwybod 'mod i'n gwybod − sef, hynny ydi, dau fys ata i.

Roedd y peth yn awgrymu bod gan Llio fwy yn fy erbyn na jyst diflastod carwriaethol. Tybed oedd hi dan ddylanwad Griffiths a'i griw? Neu oedd gan y peth rywbeth i'w wneud â byd celf? Oedd hi efo'r criw yna o artistiaid siwdowleidyddol sy dan ddylanwad Knight? *Megalomaniacs* i gyd serch hynny yn cyhwfan safbwyntiau eithafol jyst i wneud eu marc.

Oeddwn i wir eisiau dychwelyd i'r byd yna ac i'r nonsens yna i gyd?

Nag oeddwn, penderfynais, roedd yn well gen i hyn − ac roedd hynna'n ddweud mawr.

Cyffredinoli ydi'r drwg, am fywyd neu am ferched. Does 'na ddim rheolau, wrth gwrs. Mae pob achos yn unigryw, fel mae fy achos i a Maya'n unigryw. Dim ond fi oedd efo hi a Tomaso, dim ond fi oedd wedi rhannu'r nosweithiau o ramant ofer efo hi ym Mhrâg a Krakow. A dim ond fi y gwnaeth hi ei wahodd i aros yma − a dim ond fi wnaeth lanast o'r cyfan.

Aethom i fyny grisiau'r Tŷ Opera a thrwy gynteddau baróc yr adeilad. Dangoson ni ein *passes* wrth y cownteri a derbyn ein tocynnau pleidleisio; yna fe'n tywyswyd i'n seddau oedd â'n henwau cywir arnynt, er gwaetha'r newidiadau munud ola. A dwi'n cyfaddef, roedd yr adeilad yn eithriadol hardd.

Ar y llwyfan roedd trefnwyr y gynhadledd a lle i'r siaradwyr, gyda lle arbennig i gynrychiolwyr gwledydd y Baltig. Fe drowyd chwaraefa'r gerddorfa yn ail lwyfan ac yno roedd y trefnwyr a'r cyfieithwyr. Erbyn tua tri o'r gloch roedd y rhan fywaf o'r cadeiriau wedi'u llenwi, ac yno yn eu plith yr oedd Maya, yn awr yn gosod taclau cyfieithu am ei phen, a meic o'i blaen, yn eistedd mewn rhes o ryw chwech o bobl.

Yn sydyn teimlais yn normal eto. Mae hi yma, mae hi'n real a tydi hi ddim yn sefyll ar ben cerflun. Byddai'n gwbl naturiol i mi fynd ati â llythyrau Tomaso a'r llun gwerthfawr yna ohono. Yn wir, mae'n rhaid ei bod hi'n pryderu amdanyn nhw. Mi fydd yn ddiolchgar iawn o'u cael nhw'n ôl.

Dechreuodd y gynhadledd, y system gyfieithu'n cymryd amser i'w sefydlu, fel y bydd bob amser. Dyfalais mai yn Saesneg y byddai'r rhan fwyaf o'r areithiau, ac ro'n i'n iawn – dyna oedd iaith pob un ond dau Bwyliad. Diawlad haerllug, annibynnol ydyn nhw bob tro.

Roedd Lloyd a Sidoli wrth fy ochr yn chwarae â'u papurach er eu bod yn gwybod mai go ffurfiol fyddai'r gweithgareddau'r pnawn.

Edrychais ar y colofnau addurnol, y gwaith rococco, a'r angylion eto fyth, rhai bach noeth yn dal cregyn llawnder, neu'n dal trwmped i'w gwefusau, neu jyst yn dangos eu bronnau perffaith. Nid adeilad ar gyfer cynhadledd wleidyddol ydi hwn, ond un ar gyfer dychymyg a rhamant. Ond wrth gwrs yr un yw'r ddeubeth heddiw…

Digon sych, er hynny, oedd y trafodaethau. Egwyl, a Maya'n dal yn ei sedd. A ddylwn i fynd ati rŵan? Ond na, roedd hi'n siarad yn brysur efo'r trefnwyr. Meddyliais: gwell aros tan y diwedd. Yna ailddechreuodd pethau. Mwy o areithiau ffurfiol. Ro'n i bron â mynd i gysgu pan yn sydyn gwelais Maya'n codi ac yn ildio'i sedd i gyfieithydd newydd.

Roedd hi wedi gwneud tro go hir er nad o'n i'n siŵr i ba iaith yr oedd hi'n cyfieithu iddi, os o gwbl. Yna canodd clychau yn fy mhen: beth petai hi'n gadael y lle 'ma rŵan? Gallwn ei cholli. Ac yn awr roedd hi'n cropian allan ac yn gadael y llwyfan.

Gan ddangos yr amlen iddynt, eglurais wrth Sidoli 'mod i am fachu Maya tra medrwn i. Cododd rhai i adael i mi fynd heibio. Yn gyflym, es rownd cefn yr awditoriwm a thrwy un o'r drysau ac i mewn i goridor oedd yn arwain at ochr y llwyfan. Ceisiodd un o'r swyddogion fy rhwystro ond rhoddodd ganiatâd ar ôl gweld fy mathodyn.

Rŵan ro'n i mewn penbleth, ai troi i'r dde neu i'r chwith. Penderfynais y buasai'n ddoethach troi i'r chwith am y llwyfan, a dyna wnes i. Trwy gil y drws gwelais y cyfieithwyr wrth eu gwaith. Yna trois a dilyn y llwybr mwyaf amlwg allan, a dod at gyffordd.

Yn awr, gallaswn fod wedi troi'n ôl ar yr un ffordd. Dyna fuasai'n ddoeth, a dyna fuasai wedi fy arwain yn ôl i'r gynhadledd. Ond gwyddwn nad oedd Maya yno bellach. Mae'n debyg y byddai'n dychwelyd i'r gynhadledd yn y man, ond roedd yn rhaid i mi ei gweld hi ar unwaith a setlo ar y trefniadau aros ar gyfer heno.

Penderfynais droi i'r chwith eto. Cerddais ymlaen am dipyn. A dyna pryd gwelais i'r dyn yn y crys gwyn â'r gair *Security* wedi'i wnïo mewn melyn ar ddu ar draws ei boced.

* * *

"Way out?" gofynnais.

"Yes, come with me, sir," meddai ag acen drom. *"You follow me now."*

"Where are you taking me?"

"Out – out of the building of course."

"But hold on…"

"You just follow me, sir. I will take you out, OK. International conference here today."

Iawn, yn amlwg byddai'n rhaid i mi fynd allan ac yn ôl i mewn eto. Roedd y bathodyn gen i, os nad y *pass*.

Yn awr dyma'r dyn yn gafael yn ei *walkie-talkie* ac yn dweud rhywbeth yn Rwsieg ac roedd y gair Middleton yn y canol yn rhywle. Yna dywedodd *'Da Da, Middleton'* eto ac ailfachu'r peiriant; erbyn hynny roedd yna ddyn arall chwe troedfedd wedi cyrraedd o ben draw'r coridor.

"We turn right here," gorchmynnodd y cyntaf.

Dilynais ef a'r gadwyn o allweddi oedd yn bownsio ar ei din mawr. Roedden ni rŵan mewn coridor culach o lawer.

"You go back to hotel now?" holodd fi yn y man.

"No – I'm going straight back to the Conference."

Saib. *"You stay in Hotel Mara, I think."*

Ond sut oeddan nhw'n gwybod hynny? Oeddan nhw yn y bar yna neithiwr?

Curai fy nghalon fel morthwyl yn erbyn fy mrest. Ro'n i yn y cachu rŵan, at fy ngwddw. Sut gythraul oeddan nhw'n gwybod hynna? Ond roedd 'na amlinell o olau am y drws ar ben draw'r coridor. Byddai'n rhaid iddyn nhw fy ngollwng i rŵan, neu byddai'n fater i'r heddlu. Ond rhyw ddwylath cyn cyrraedd y drws caeedig, dyma'r ddau yn aros a sefyll.

"But your pass? Where your pass?"

"It's on my desk. Anyway, look at the badge."

"My friend, anybody can print badge. Everybody do it. A pass is different, is for getting in and out."

"But I have a pass!"

"If you have pass, what you do running around ze building like chicken wiz no head?" meddai'r un mawr gan fy mhwnio yn fy mrest.

"Ze handy," pwyntiodd yr un cyntaf at fy ffôn symudol ac fe gipiodd yr un mawr y Siemens o 'mhoced. Doedd wiw i mi ei rwystro, ond roedd amlen Tomaso gen i'n ddiogel.

"Now we go for little ride," meddai'r cyntaf. *"You give us no trouble, we give you no trouble. You comprehend? And then we have little drink, my friend?"*

"I don't want your drink. You can't do this to me!"

Agoron nhw'r drws. Yr oedd yng nghefn yr adeilad, gyferbyn â llond iard o finiau sbwriel. Y tu draw i'r rheini yr oedd dau Rwsiad arall yn disgwyl o flaen Mercedes Benz lliw melyn â'r gair *Taxi* arno fo.

-21-

GWIBIODD Y MERC trwy dde'r ddinas gan groesi un o'r
pontydd a gyrru ar lan yr afon. Wedi 'ngwasgu rhwng y
ddau Rwsiad, gwelwn y Mara yn floc sgwâr yn y pellter ond,
yn hytrach nag arafu, gwasgodd y gyrrwr y sbardun i lawr.

"Ond dyna'r Mara!" protestiais. "Stopiwch!"

"Peidiwch poeni, ffrind. 'Dan ni'n mynd â chi i westy tipyn
neisiach na'r Mara."

Ymhen tua milltir fe dynnon nhw i fyny o flaen grisiau
llydan y Riga Royale, y lle oeddan nhw'n ei hysbysebu yng
nghyntedd y Mara. Ag un ohonynt yn gafael ym mhob braich,
aethon nhw â mi i'r lifft a thrwy nifer o goridorau ac at *suite* o
ystafelloedd ym mhen draw'r adeilad. Gadawodd y gyrrwr ar
ôl sicrhau 'mod i'n ddiogel yn yr ystafell gyda'r ddau arall.

Roedd yr hynaf yn un tal, tenau, creithiog, ac yn amlwg wedi
gweld tipyn o'r byd, efallai yn y fyddin. Meddai wedi cloi'r
drws, "Diod, syr?"

Gwrthodais yn bendant. Beth oedd yn mynd ymlaen yma?
Beth oedd yn mynd i ddigwydd i mi?

"Dowch, dowch, ymlaciwch. Waeth i chi ddim."

"Na, dim diolch." Mi allai fod wedi'i sbeicio a doeddwn i
ddim am syrthio i'r trap yna.

"Daw Mr Zander i gael gair â chi yn y man…"

Cododd a swagro at y cabinet gwirodydd oedd yn dyblu fel
system sain mawr, henffasiwn. Ar ei bwys hongiai paentiad
olew gwael o dŷ fferm yng nghefn gwlad Rwsia. Daeth yn ôl
â photel o fodca a rhai gwydrau crisial. Gosododd y gwydrau

ar fwrdd coffi ac arllwys y fodca'n flêr iddynt.

"Fodca Rwsiaidd, ffrind – Stoli, y gorau. 'Dan ni'n ei gynhyrchu o rŵan yn Latfia."

"Fydda i ddim yn cyffwrdd â gwirodydd," atebais yn gelwyddog.

Yn awr siaradai dau o'r Rwsiaid â'i gilydd tra oedd y trydydd yn brysur ar un o'i ffonau symudol. O'r diwedd trodd clo'r drws a daeth Zander i mewn: boi mawr, siwt Hugo Boss, sgidiau du, llygaid mawr du a chroen gwyn, pwdinog. Estynnodd ei law feddal, fodrwyog, chwyslyd i mi.

"Ydych chi'n teimlo'n gartrefol, Mr Middleton? Ydi'r bois wedi'ch trin chi'n iawn?"

"Does gynnoch chi ddim hawl o gwbl i'm dal i yma!"

Gwgodd, ac edrych o'i gwmpas yn ffug feirniadol. "Rwy'n gweld eich pwynt chi. Dydi hi ddim yn ddymunol yma. Dim system awyru. Mae hi'n dipyn mwy dymunol yn f'ystafell i."

A'r diodydd yn ein dwylo, gwthiodd y Rwsiaid fi drwodd i ystafell arall ym mhen draw'r adeilad, yn edrych dros yr afon Daugava a draw at Riga ei hun. Yma roedd y celfi'n fodern a minimalaidd, a thafell o groen crocodeil ar draws y llawr pren. Fe'm gwahoddodd i eistedd yn un o'r cadeiriau lledr du.

Cynigiodd Zander sigâr i mi, ond gwrthodais.

"Tydach chi ddim yn licio sigâr dda?" meddai gan ffugio syndod.

Safodd o flaen y ffenest, edrych allan, sugno'i sigâr, a throi ataf. "Rydych chi yn y Gynhadledd yma, gyfaill?"

"Ond chi gipiodd fi o'na!"

"Ie, cynadleddau, gwleidyddiaeth," meddai gan siglo'i ben. "Mae'n rhaid i ni wrthyn nhw, mae'n debyg. Fel y tywydd, fel y tlodion, fel annwyd 'dach chi'n methu cael gwared arno fo."

Aeth ymlaen gan chwifio'i fraich a'r wats Rolex. "Dyn busnes syml ydw i. Bachan o'r wlad. Dwi'n prynu a gwerthu yma yn Latfia. 'Sgen i ddim angen gwleidyddiaeth. Gwell gen i hebddo fo."

Arhosais yn fud.

"Mae'n fusnes digon brwnt, yn tydi – gwleidyddiaeth?"

Be o'n i i fod i'w ddweud?

Yna'n galetach, "Ond 'dach chi'n deall rhywbeth am wleidyddiaeth, dwi'n credu, Mr Middleton?"

Amneidiodd ar y ddau Rwsiaid arall i ddod yn nes ata i ar ôl sicrhau bod y drws ynghlo.

"Mae'n rhaid eich bod chi'n gwybod *rhywbeth* am wleid-yddiaeth, Mr Middleton. Ychydig *bach,* o leia… onid chi yw El Presidente Plaid Genedlaethol Cymru?"

"Ie, mae'n debyg."

"A *Commander-in-Chief* y Lluoedd Arfog Cymreig?"

"Nac ydw, wir! Dydan ni ddim wedi cyrraedd cweit mor bell â hynny eto, a dwi ddim yn disgwyl y gwnawn ni chwaith."

"Os dyna 'dach chi'n ddweud…"

Ond do'n i ddim yn mynd i ddiodda mwy o'r ffars yma. "Edrychwch, does gynnoch chi ddim hawl i 'nal i yma. Dwi'n mynnu eich bod chi'n mynd â mi'n ôl i'r gynhadledd ar unwaith, neu mi fydda i'n galw'r heddlu."

"Yr heddlu Latfiaidd?" meddai gan chwerthin yn amrwd. "Does gynnon ni ddim problem efo'r heddlu Latfiaidd, a ph'run bynnag," meddai gan dynnu ar ei sigâr, "dim ond cael sgwrs gyfeillgar ydyn ni. Dyna'r cyfan sy'n mynd ymlaen yma.

Rydych chi'n chi'n ddyn dylanwadol, Mr Middleton. Mae'n naturiol iawn ein bod ni'n cael sgwrs i drafod buddiannau cyffredin."

Roedd yn rhaid i mi ddilyn tacteg arall. "'Drychwch, Zander, dwi'n sosialydd fy hun. Mi allwn yn hawdd ddychmygu fy hun yn trafod petha efo chi – ond fel dyn rhydd."

Edrychodd draw ataf â golwg o benbleth sarcastig. "Felly 'dach chi'n sosialydd, ydach chi? Ardderchog wir. Wel mi fyddwch chi'n falch o ddeall y cewch chi gyfle yn y man i drafod sosialaeth, ac unrhyw syniadau o'r fath, efo Natasha…"

"Natasha? Pwy ydi hi? Dwi'n mynnu…"

"Peidiwch cynhyrfu, ffrind. Roedd Natasha yn lector ym Mhrifysgol St. Petersburg ac mae hi'n medru saith o ieithoedd. Ar wahân i hynny mae hi'n wraig brydferth iawn. Rwy'n berffaith siŵr na fydd gennych chi fel gŵr normal wrthwynebiad i'w chyfarfod hi."

Yn amlwg roedd y sefyllfa allan o reolaeth a rhaid bod hynny wedi dangos ar fy wyneb i.

"Mi fydd popeth yn iawn, Mr Middleton. Rhowch chi ychydig bach o help i ni, ac fe wnawn ni edrych ar eich ôl chi."

Yn awr edrychodd i lawr ar ar ryw allbrint oedd ganddo ar ei ddesg. "Cyn mynd ymlaen, mae'n bwysig i chi ddeall y sefyllfa rydych chi ynddi. Mi all fod yn fwy difrifol nag ydych chi'n feddwl. Os canfyddir eich bod chi'n euog o droseddau yn erbyn y wladwriaeth Rwsiaidd, yna mi allwn ni'ch cadw chi am amser hir iawn. Ydych chi'n deall hynny?"

Fe sobrodd hynny fi, dwi'n cyfaddef.

"Mae gan bob gwlad yr hawl yna, on'd oes, pob gwlad yn y byd?"

"Ond y wlad yr ydan ni ynddi rŵan ydi Latfia."

"Fel dwi wedi egluro, ffrind, dydy hynny ddim yn broblem i ni. Mae eu heddlu nhw'n amddiffyn ein hembasi ni'n dda iawn y dyddiau diwethaf yma. Ac yn ein helpu ni fel arall hefyd," meddai gan ddal y papur i fyny. "Rhwng 19.30 awr a 22.15 awr neithiwr roeddach chi yn Kafe Lulu, Stryd Uliski, yng nghwmni Maya Dulka, terfysgwraig Lithwanaidd beryglus. Ydych chi'n cytuno â hynna, neu ddim?"

Rŵan ro'n i wedi dychryn go iawn. Yn amlwg roedden nhw'n gwybod y cyfan. Rhaid mai'r milwr Rwsiaidd yna oedd y ffynhonnell.

"Oeddwn, mi ro'n i yno, ar lefel gymdeithasol. Dwi ddim yn ei nabod hi'n ddigon da i wybod a ydi hi'n derfysgwraig ai peidio. Faswn i ddim yn meddwl ei bod hi, am un eiliad."

"Cymdeithasol, aie? Neu rywiol, tybed? Gynnoch chi record reit dda fel cnychwr, Mr Middleton…"

"Felly pwy 'dach chi? Mary Poppins?"

"A be ddiawl 'di ystyr hynny?"

Ond doedd wiw i mi wylltio. "Celwydd llwyr ydi dweud bod gen i unrhyw ddiddordeb yn Maya Dulka."

"Ond ry'ch chi'n ei nabod hi ers sbel go hir."

"Rhyw bedair blynedd."

"Ie'n hollol. 'Dach chi'n gweld, does 'na ddim llawer nad ydyn ni'n ei wybod a does 'na ddim pwynt i chi guddio dim."

"Ond does gen i ddim i'w guddio. Digwyddon ni gyfarfod mewn cynhadledd neu ddwy yn ymwneud â byd ffilm. Ro'n i'n gweithio yn y cyfryngau am rai blynyddoedd."

"Mi alla i weld hynny. Roedd o'n ffrynt cyfleus iawn, Mr Middleton, on'd oedd?"

"Ffrynt? Dwi ddim yn eich deall chi…"

Siglodd ei ben fel petawn i'n bathetig o naïf, yna sylwi ar y gwydryn llawn a ddaliwn yn fy llaw. "Dwi'n credu y byddai'n syniad da i chi gael llymaid bach o'r Stolichnaya yna. Mae o'n help i lacio'r cof."

"Mae 'nghof i'n ardderchog, diolch," ond llyfais rimyn y gwydryn, rhag ei ffyrnigo.

"Mae'n dda gen i ddeall hynny," meddai gan ailafael yn ei drywydd. "Esboniwch i mi, felly, beth oeddech chi'n ei wneud yn y cyfnod yna, cyn i chi droi'n wleidydd proffesiynol. Gwlad Tsiec, Slofacia, Slofenia, Califfornia, Ynys yr Iâ, Estonia, Sweden, Berlin, Vancouver, Ffrainc, Sbaen, Portiwgal, yr Eidal wrth gwrs a'r Almaen; yna Catalwnia, Gwlad y Basg… Mae'n rhestr reit *impressive*." Hoeliodd ei lygaid duon arnaf. "I bwy oeddach chi'n gweithio, Mr Middleton?"

Roedd yn rhaid i mi chwerthin. "I neb – roedd hynna i gyd yn rhinwedd fy swydd!"

"Tybed? Meddyliwch eto, ffrind. Catalwnia, er enghraifft. Oedd hynna efo'ch gwaith? Gwlad y Basg – cynhadledd wleidyddol, yntê?"

"Ond mae hyn yn jôc…"

"Jôc? Does neb yn teithio fel'na o ran hwyl," chwipiodd Zander. "Felly be oedd o, Mr Middleton? Rhowch chi esboniad credadwy i mi, ac mi gewch fynd oddi yma'n ddyn rhydd."

"Ond does 'na ddim esboniad fel y cyfryw…"

"Dim esboniad?" meddai gan ledu'i freichiau. "Ond mae 'na esboniad i bopeth yn y byd 'ma. Mae 'na reswm pam mae'r haul yn codi. Mae 'na reswm pam mae rhech yn taro. Beth oedd o, ffrind? Ychydig bach o *import-export* efallai? Yn gallu bod yn broffidiol iawn. Neu *immobilien*? *Real estate?* Mi wn i o 'mhrofiad fy hun bod delio mewn eiddo yn gallu bod yn reit fuddiol. Does dim o'i le ar hynny. Rydyn ni fel Rwsiaid yn deall y pethau 'ma'n weddol, wyddoch chi. Beth oedd o, Mr Middleton?"

"Fel dwi wedi'i ddeud," atebais mor gŵl ag y medrwn i, "roedd 'na ambell daith bleser ond roedd y rhan fwyaf yn ymwneud â'm gwaith, a dwi'n cynnwys y cyfarfodydd gwleidyddol yn y categori yna hefyd."

Roedd Zander yn dechrau laru. "Ond pleser hefyd, yntê… gawn ni fynd yn ôl at y derfysgwraig yma, Maya Dulka. Mi fuoch chi'n gohebu â hi am sbel?"

"Dim ond dwywaith neu dair, flynyddoedd yn ôl."

"Ond pam? Diddordeb ysol mewn ffilm? Ynteu gwleidyddiaeth, Mr Middleton? Gwleidyddiaeth wrth-Rwsiaidd? Roedd hynny'n ddiddordeb cyffredin i'r ddau ohonoch, on'd oedd?"

"Wel os ydach chi wedi hacio i mewn i'r e-byst, 'dach chi'n gwybod nad oedd o ddim o'r pethau yna."

Cododd Zander oddi ar ei eistedd a dechrau cerdded o gwmpas yr ystafell gan chwifio'i sigâr fel ffon ysgolfeistr. "Dim, dim? Dim diddordeb mewn gwleidyddiaeth, er i chi ymhen blwyddyn wedyn esgyn i'r swydd o El Presidente Plaid Genedlaethol Cymru? Neu does gan y blaid honno ddim diddordeb mewn gwleidyddiaeth chwaith?"

"Nonsens…"

"Felly beth ydi hi? Clwb golff? Neu fath newydd o sioe deledu?"

"Dim o gwbl – ni sy'n llywodraethu. Rydan ni mewn

clymblaid efo'r Blaid Lafur."

Ochneidiodd yn ddwfn. Roedd o'n dechrau gwylltio. "Bois
– ydach chi'n credu hynna? Naill ai mae un peth yn wir, neu'r
llall. Naill ai wnaethoch chi grwydro'r byd yn gwbl ddiniwed,
neu 'dach chi ddim be 'dach chi'n dweud ydach chi."

Rholiodd diferion o chwys i lawr ei dalcen. Culhaodd ei
lygaid, a gofyn, "Dowch, os nad chi ydi El Presidente Plaid
Genedlaethol Cymru, be ffwc ydach chi?"

"Llywydd Plaid Cymru – *The Party of Wales.*"

Siglodd ei ben mewn anobaith ac annealltwriaeth. Trodd at ei
fownsars eto. "Ydach chi'n derbyn hynna? Be ddiawl mae'r
boi 'ma'n trio'i ddweud? Ydi o'n deall ei hun?"

Wrth drio meddwl am ei dacteg nesaf, sylwodd ar yr amlen
frown ro'n i'n ei dal yn fy llaw. "Hei, be sy gennych chi
fan'na?"

"Dim byd. Rhai llythyrau personol. Nid rhai i mi – rhai
Pwyleg…"

"Pwyleg ddywetsoch chi?"

"Y ffycin Pwyliaid eto," meddai'r dyn tal, creithiog, wedi
deffro'n sydyn. "Allwch chi mo'u trystio nhw. Dim ond ffycin
trafferth fu'r bastards erioed."

"Rhowch yr amlen yna i Niko!"

Ond roedd hwnnw eisoes wedi'i chipio. "Hei, mae hynna'n
lladrad!" protestiais. "Rhaid i mi gael honna'n ôl, a fy mobeil,
neu bydda i'n ffonio heddlu Riga ar unwaith!"

"A sut ydach chi'n mynd i wneud hynny?" meddai Zander
gan chwerthin yn chwerw. Gwasgodd fonyn ei sigâr i'r
llwchflwch arian, a throi at y lleill. "Be wnawn ni â fo, bois?"

"Peidiwch â'i wastio fe ar Natasha," meddai un.

"Dyna dwi'n feddwl hefyd. Mae hi'n rhy dda i'r twat yma."

"Be 'dach chi'n feddwl, Igor?" wrth y trydydd. "Gadael i'r ffycar 'ma fynd?"

"Na," meddai hwnnw, yr un creithiog. "Dwi jyst ddim yn gallu cael fy mhen i rownd y boi 'ma. Mae rhywbeth amdano fe sy ddim yn gneud sens. Dwi'n credu y dylai gael mwynhau breintiau llawn ein croeso ni."

"Rhowch o iddi, felly," meddai Zander gan nodio. "Mae gen i waith i'w wneud – gwaith go iawn," a stwffio'i grys i ben-ôl ei drowsus.

Gafaelodd dau o'r Rwsiaid ynof a'm llusgo gerfydd fy nwy fraich allan o'r stafell ac o'r *suite* ac i lawr y coridor. Doedd dim pwynt imi drio ymladd. Fyddai gen i ddim gobaith mul yn eu herbyn.

"No worry, friend," meddai un wrth fy nhynnu ymlaen, *"she very beautiful. You be glad you no go free."*

"Glad? But I didn't choose this!"

"Well, it come to ze same thing in ze end, don't it?"

-22-

FE'M TAFLWYD i mewn i'r lifft a gwelais i nhw'n gwasgu'r
botwm Casino. Gollyngon nhw'u gafael arnaf wrth i'r
lifft hercio i'r llawr gwaelod. Yna gafaelon nhw ynof, un ym
mhob bôn braich, a'm trosglwyddo i ofal y pedwar bownsar
a safai wrth ddrws y Casino. Wedyn aeth dau ohonynt â mi
drwy stafell yn llawn peiriannau gamblo ac ymlaen at ddrws
arall, sef drws y casino ei hun.

Cyn imi adennill fy synnwyr cyfeiriad, pwyntiodd un ohonynt
at ferch a eisteddai ar stôl uchel draw wrth y bar. Ychydig
ymhellach i lawr roedd merch arall yn difyrru rhyw foi tew,
canol-oed.

Mewn dychryn, edrychais ar y bownsar. Roedd yr awgrym yn
glir: gallwn fynd o wirfodd, neu gallwn ailymuno â Zander a'i
fêts.

Roedd yn rhaid i mi handlo hyn mor cŵl â phosib. Roedd
y sefyllfa wedi dirywio'n sydyn o'r *bizarre* i'r peryglus. Allwn
i ddim ffoi heb gytundeb dau bâr o fownsars. Ffoi trwy
gytundeb yr hwren oedd yr unig obaith, ond pa fath o obaith
oedd hynny, os oedd hi'n gweithio iddyn nhw?

Y trap melys oedd o'm blaen i rŵan, yntê. Beth bynnag
ddigwyddai, rhaid i mi beidio cael fy nal â bagad o Rwsiaid
yn neidio ar fy mhen i a'm trowsus wrth fy nhraed. Es draw at
Natasha'n araf ac ansicr.

Amneidiodd ataf a'm gwahodd i eistedd. Tynnais y stôl yn
araf oddi tanaf. Rŵan roedd yn rhaid imi ennill amser, cadw'r
ymennydd i weithio yn y cefndir. Do'n i ddim am gymryd
rhan mewn cyfweliad arall.

Un dal oedd hi, ei choesau wedi'u goleuo'n wyn gan y tiwbiau ffliworesent dan y bar. Gwisgai wisg ddu, ei gwallt golau yn dusw tyn y tu ôl i'w phen a *choker* o sidan du am ei gwddf. Plymiai'r rhwyg yn ei gwisg i lawr i'w bogail a sylwais ei bod hi'n gwisgo bra o ryw blastig meddal, tryloyw – do'n i ddim wedi gweld hynna o'r blaen.

"Helô, Meirion," meddai'n gynnes.

"Felly 'dach chi wedi eich brîffio'n barod…"

"Peidiwch talu sylw iddyn nhw. Gen i job i'w wneud, dyna i gyd."

"Ie, i'r FSB."

Cododd ei hysgwyddau. "Dwedwch chi. Ai dyna maen nhw'n galw'u hunain?"

"Ond i'r *Organization,* dyna'r pwynt, yntê."

Yna daeth gweinyddes atom, hithau hefyd yn ei du i gyd, yn dal hambwrdd pinc ac arno ddau wydryn o siampên, a'u cynnig i ni.

"Gwell gen i ddiod blaen am y tro – dŵr *mineral* efallai. Fel y gwyddoch chi, dwi newydd fod trwy 'gyfweliad'. Mae'n rhaid eich bod chi'n gyfarwydd iawn efo hyn i gyd."

"Wnaiff tropyn o siampên ddim drwg i chi."

"Na, dim diolch!"

"Ond pam lai?"

"Wel yn un peth, mi all fod wedi'i sbeicio."

"Meirion, jyst dewiswch chi un o'r ddau, ac mi gymra i'r llall."

"Ond mae 'na ryw dric, on'd oes?"

Chwarddodd. "Ry'ch chi wedi bod yn gwylio gormod o ffilmiau James Bond!"

Yn llawn amheuon, cymerais y gwydryn agosaf a diolch i'r weinyddes. Cefais gyfle i edrych draw i'r casino. Roedd yn ystafell eang, dywyll yn llawn o fyrddau gwyrdd yn tywynnu dan res o lampau crynion. Chwaraeai pobl yn dawel a diwyd arnynt – rhai mewn siwtiau ffurfiol – ac roedd *croupiers* ifanc, golygus wrthi'n taflu a chasglu'r cownteri.

Cymerodd Natasha lymaid o'i siampên hi. "Meirion, gallwch chi 'nhrystio i. Rwy'n wahanol iddyn nhw. Mae'n rhaid eich bod chi'n gallu gweld hynny. Ro'n i'n academydd. Ydi Zander wedi dweud hynny wrthych chi? Mae hyn jyst yn job i mi, dim mwy."

"Dydi hynna'n ddim cysur i mi o gwbl. I'r gwrthwyneb. Mae'n rhaid eich bod chi'n rhoi canlyniadau iddyn nhw. Tydyn nhw ddim yn eich talu chi am wneud dim byd."

"Rwy'n taflu ambell asgwrn bach atyn nhw weithiau, i'w cadw nhw'n hapus, os na fydda i'n hoffi'r dyn…"

"O, felly mae'n gweithio, aie?"

Edrychodd ataf yn serchog. "Ymlaciwch, Meirion, ac yfwch ychydig o'r siampên yna. Ry'n ni'n dau yn hyn gyda'n gilydd – a galwch fi'n Natasha," meddai gan godi'i gwydryn. "Waeth i ni fod yn ffrindiau ddim."

Ond yna sylwais ar ryw *diode* yn fflachio uwch ein pennau. "A be uffar ydi diben y ddyfais yna?"

"Dim byd ond system ddiogelwch y casino."

"A beth am eich stafell wely? 'Dach chi'n siŵr nad oes gynnoch chi ddyfais yn fanno yn eich ffilmio chi?"

"Yn beffaith siŵr. Roedd hynna'n amod gen i."

"*Big deal.*" Gan sipian y diferyn lleiaf o'r siampên, dywedais, "Dwedwch i mi, pam 'dach chi'n gneud hyn, os ydach chi'n medru'r holl ieithoedd yma? Mi allech chi fod yn ennill cyflog ffantastig yn cyfieithu yn Ewrop neu rywle arall."

"Rwy *yn* ennill cyflog ffantastig."

"Ond mi allech ennill yr arian *a* gneud rhywbeth sy'n eich bodloni."

"Dwy ddim yn anfodlon."

"Dwi'n synnu."

"Rwy'n ifanc. Gen i ddigon o amser. Mae o i gyd yn brofiad. Mi dria i bethau eraill."

"Ond mae ganddon nhw afael arnoch chi, on'd oes? Rydach chi'n gwybod pethau."

"Mi sortia i'r broblem yna pan ddo i ati. Mae gen i ffrindiau yn eu plith nhw, hefyd."

"O, felly wir? Gêm beryglus iawn, ddwedwn i."

Cododd ei hysgwyddau. "Mi ges i gynnig da, dyna i gyd. Daeth un ohonyn nhw draw i'r Brifysgol a chynnig deg gwaith beth o'n i'n ennill fel *lector.*"

"Roeddech chi'n dysgu ieithoedd modern yn St. Petersburg?"

"Na, athroniaeth, fel mae'n digwydd."

"Athroniaeth? Iesgob – ydyn nhw'n dal i ddysgu'r pwnc yna y dyddiau hyn?"

"Nac ydyn. Roedd yr adran ar fin cau – rheswm arall dros dderbyn y cynnig."

Yfais ddiferyn o'r siampên. Er mor rhyfedd oedd ei stori, roedd yn gredadwy. Mae 'na lawer o ferched o Rwsia sydd mewn sefyllfa waeth na hon. Mae hi'n un o'r rhai lwcus.

Plygodd ymlaen ataf a chyffwrdd yn fy llaw. "Ond dyna ddigon amdana i, Meirion. Beth amdanoch chi? Ry'ch chi'n ymddangos yn ddyn diddorol a diwylliedig. Wedi teithio tipyn?"

"Do, dwi wedi, dwi'n reit hoff o deithio."

"O ran pleser, neu gyda'ch gwaith?"

"Ges i hynna gan Zander hefyd. Rhaid i chi ddeall: mae teithio'n eang yn hollol normal yn y gorllewin. Mae prisiau hedfan mor rhad y dyddiau hyn. Does dim dwi'n mwynhau'n well."

Yna dechreuodd clychau ganu yn fy mhen. Roedd y sgwrs hon yn adlais o'r cyfweliad cyntaf. Beth yn union *oedd* y Rwsiaid am gael allan ohona i? Pa fath o wybodaeth, os o gwbl, fyddai'n fy rhyddhau?

Yna cofiais am Lloyd a Sidoli. Oedden nhw wedi gweld fy ngholli erbyn hyn? Oedden nhw wedi cysylltu â'r awdurdodau neu â'r heddlu?

Y diawl peth oedd y buasen nhw'n tybio mai gyda Maya oeddwn i ac efallai'n mwynhau fy hun gyda hi – y peth pellaf posib o'r gwir. Ond y broblem ychwanegol oedd nad oedden nhw'n nabod Maya wrth ei golwg ac felly ddim i wybod a oedd hi yn y gynhadledd ai peidio.

Ro'n i'n chwysu. Roedd hyn yn waeth na hunllef. Mi allwch chi ddod allan o hunllef. Ro'n i'n garcharor, ond am ba hyd? Fe allen nhw wneud unrhyw beth i mi. Petaen nhw'n fy lladd i, pa dystiolaeth fyddai yna i neb ei gweld? Welodd neb fi'n gadael y gynhadledd gyda'r Rwsiaid.

"Ry'ch chi'n araf iawn yn yfed y siampên, Meirion."

"Chymera i 'run tropyn yn fwy," dywedais gan godi. "Dwi'n garcharor yma. Ydach chi'n dallt hynny? Ac mae 'na bobl allan yna allai fod yn chwilio amdana i rŵan hyn."

Rhoddodd ei llaw ar fy mraich. "Ymlaciwch, Meirion. Rwy'n garcharor yma hefyd. Ond mae'n dal yn bosib mwynhau. Gadewch i ni eu twyllo nhw. Y gamp ydi mwynhau ein hunain, a'u twyllo nhw nad ydyn ni ddim."

"Twyll go wag fyddai hynny."

"Na, twyll go dda, ddwedwn i!"

Rasiai posibiliadau drwy fy mhen. Mi allwn wneud y tro efo pisiad erbyn hyn. Mi allai'r daith honno gynnig ryw obaith am dihangfa.

"Dwi am fynd i'r tŷ bach, beth bynnag," cyhoeddais.

"Dim problem," meddai gan amneidio at un o'r bownsars wrth y drws.

Be ddiawl? Daeth bownsar mawr moel draw a'm hebrwng i'r tŷ bach; nid yn unig hynny, fe safodd wrth fy ochr gan biso'n braf ei hun.

"He lucky man tonight," meddai gan edrych i lawr ar fy mhidlen. "She nice chick."

"He's not going anywhere," atebais. "He's staying in," ychwanegais gan synnu at fy hiwmor fy hun.

"What car you drive?" meddai'r bownsar. "BMW the best."

"Acutally I do drive a BMW, an old one," atebais – ond be ddiawl o'n i'n wneud yn rwdlan efo'r lembo yma?

"Old the best," atebodd. "Old guys the best, too. I like talk to old guys."

Diolch yn fawr, dywedais wrthyf fy hun gan gau fy malog fel yr oedd ef yn swingio'i bidlen fel riwbob er gwaredu'r diferion olaf.

Dychwelais at y bar a sylwi bod y weinyddes arall newydd fod yn sgwrsio efo Natasha. Pasiais y cwpwl arall ar y ffordd. Roedd yr hwren arall bellach yn eistedd yng nghôl y boi, ei braich yn gwlwm am ei wddwg. Byddai ganddo un cyfri banc yn llai erbyn y bore.

"Ai dyma bolisi diogelwch arferol y Casino?" gofynnais i Natasha. "Cheith dyn ddim hyd yn oed biso mewn heddwch?"

"Maen nhw'n gorfod bod yn reit llym o ran diogelwch mewn lle fel hyn. Mae 'na lot o arian yn cyfnewid dwylo."

"Ond mae hynna'n chwerthinllyd!"

"Ddim y dyddiau hyn."

"Pam, y dyddiau hyn?"

"Y sefyllfa ryngwladol ac ati. A dyna pam mae ganddyn nhw ddiddordeb ynoch chi, wrth gwrs."

"Ond dwi ddim yn dallt. Dwi ddim yn dallt be sy gen i i'w neud efo'r sefyllfa ryngwladol."

Cymerodd fwy o'i siampên. "Wel, gwybodaeth maen nhw eisiau, yntê? Ydi eich mobeil chi ganddyn nhw?"

"Wrth gwrs – 'dach chi'n dallt y gêm yn berffaith – ac mae pob un rhif ffôn fuo gen i erioed rŵan yn cael ei fwydo o'r cerdyn SIM i un o'u compiwtars nhw!"

"Os ydych chi'n defnyddio ffôn, mae pob un o'r rhifau gan eich llywodraeth chi, hefyd. Ymlaciwch, Meirion. Mae popeth yn iawn ac mae'n iawn i ni fwynhau ein hunain heno."

"Does gen i ddim problem efo hynny, petawn i'n rhydd ac yn gwneud hynny o ddewis."

"Dwedwch wrtha i, Meirion, beth yn hollol fuasech chi'n ei wneud heno petaech chi'n 'rhydd'? Cynadledda?"

"Felly mi wyddoch chi am y gynhadledd hefyd?"

"Meirion," meddai gan godi'i breichiau a thacluso'r tusw y tu ôl i'w phen, "prin rwy'n cyfarfod yr un dyn nag yw e wedi bod, neu ar fin mynd, i ryw gynhadledd neu'i gilydd.

Dwedwch i mi, beth arall y'ch chi ddynion yn ei wneud â'ch amser?"

Ond roedd yr ystum wedi agor y rhwyg yn ei gwisg gan ddadlennu ymchwydd naturiol ei bronnau a mwy o'r bra plastig, diangen. Ond pam y bra plastig? Oedd ganddi broblem lawfeddygol?

"Ydi," cytunais gan gymryd dracht araf o'r siampên, "mae o'n ddefnydd gwirion iawn o amser. Ond o leia ro'n i'n dewis mynd i'r blydi cynadleddau yna."

Gwenodd yn famol braidd gan fy annerch, efallai, fel un o'i disgyblion gynt. "Felly aethoch chi i'r gynhadledd o wirfodd. Da iawn. Nawr dwedwch wrtha i: aethoch chi'n wleidydd o wirfodd? Aethoch chi i'r coleg o wirfodd? Gawsoch chi eich geni o wirfodd? Rhowch restr i mi o'r holl bethau wnaethoch chi o wirfodd yn eich bywyd."

"Ond wnes i ddim o'r pethau hynny *yn erbyn* fy ewyllys."

"A does dim rhaid i chi fwynhau eich hunan gyda mi heno yn erbyn eich ewyllys, chwaith!"

Ac yna mi ddigwyddodd rhywbeth. Ai rhesymeg ei dadl a'm trechodd, neu rywbeth arall? Yn sydyn syrthiodd fy ngwrthwynebiadau i'r llawr fel gwisg oddi ar ddawnswraig Zumba. Mor wirion ac arwynebol y gwelwn fy nadleuon bellach. Golchodd ton o ddeallltwriaeth uwch trwof fel cerrynt o gynhesrwydd yn llifo i lawr o'r ymennydd i'r corff.

Edrychais draw at y ferch eithriadol hardd a deallus ac amlieithog a chosmopolitan oedd yr ochr draw i mi, a'r addewid yn rhwygiadau ei gwisg ddu, a gwelwn ei bod hi'n berffaith gywir. Dim ond rhyw syniad naïf am ewyllys rydd oedd yn fy rhwystro rhag mwynhau fy hun heno.

"Oeddech chi'n dysgu Kant, tybed?" gofynnais gan gymryd mwy o'r siampên.

"Oeddwn, wrth gwrs."

"Beth oedd ei bwynt mawr o? Gen i ryw hanner cof o'r dyddiau pell yna o'r flwyddyn gyntaf yn y coleg... mai'r unig wir dda ydi ewyllys dda?"

"Llongyfarchiadau, Meirion!"

Tynnais fy stôl yn agosach ati a chyffwrdd â theneuwch sidanaidd ei gwisg a thrwyddo at ei hasgwrn cefn. Roedd yn union fel pe na bai'r deunydd yn bod o gwbl. Rhedais fy mys yn ysgafn iawn arno a thros glip y bra gwirion ac fe ymatebodd hi gan ymwthio tuag ataf ac edrych i fyw fy llygaid.

"Rydach chi wedi ennill y ddadl, Natasha. Nid ewyllys rydd sy'n bwysig, ond ewyllys dda. A pheth arall..."

"Ie, Meirion?"

"Dydi'r bra plastig yna ddim yn eich siwtio chi, Natasha, ac ar wahân i hynny, 'dach chi mo'i angen o..."

★ ★ ★

Roeddan ni'n cerdded fraich-ym-mraich i'w hystafell, pan glywais ryw furmur y tu ôl i ni. Wnes i ddim sylw o'r peth, dim ond gafael yn dynnach yng ngwasg Natasha gan deimlo'r sidan du yn llithro ar ei chroen, o dan fy mysedd. Ond yna daeth y sŵn yn nes: sŵn sgidiau trymion yn carlamu ar garreg y corridor. Trois, a gweld dau Rwsiad yn cythru tuag atom.

"Militsia! Militsia!" gwaeddon nhw ar Natasha gan chwifio'u breichiau a'i gorchymyn i fynd 'nôl i'r Casino. Neidiodd hi o'r ffordd cyn i'r Rwsiaid afael ynof, fy nghodi i'r awyr fel taflegryn, a'm cario y decllath i'r lifft.

Roedd yna bâr oedrannus wrthi'n llusgo cês tuag at y drws ond fe'u sgubwyd yn greulon o'r ffordd efo'r geiriau, "Avaria

– Emergency!" Yna ces i 'nhaflu i gefn y lifft ac fe'u gwelais yn gwasgu'r botwm ar gyfer y llawr tanddaearol. Roeddan nhw'n chwythu fel bytheiaid wrth fy nal i lawr.

O'r diwedd safodd y lifft a dyma nhw'n gafael yn fy ngholer a'm llusgo dros y llawr at ddrws y stafell londri, a'i gicio ar agor.

Yn sefyll o'm blaen roedd rhesaid o fois croen tywyll mewn festiau gwyn yn stwffio cynfasau gwely i mewn i reng o beiriannau golchi. Roedd ager poeth yn codi ym mhobman a doedd dim modd gweld yn glir.

Trwy'r tarth clywais y Rwsiaid yn cyfarth at y bechgyn gan ailadrodd '*Militsia Latvia!*'. Ond wnaeth y bechgyn ddim cyffroi, fel petai'r math yma o sefyllfa yn codi bob dydd; yna gofyn '*Ond sut?*' gyda'u dwylo agored.

Pwyntiodd un o'r Rwsiaid at un o'r cynfasau a gwneud ystum rholio efo'i freichiau.

Cododd y talaf o'r llanciau ei ysgwyddau'n ddi-hid, ond yna cyfarthodd y Rwsiad reg fudr ato.

Ro'n i'n dal i bwyso yn erbyn y drws ac edrychodd y llanc arna i'n dosturiol. Ro'n i ar fin llewygu gan ofn.

"*Lie down, fucking stupid Welshman!*" gorchmynnodd y Rwsiad fi. Wedi fy ngwthio i'r llawr, rholiodd y llanciau fi mewn i un, wedyn dau o'r cynfasau gwely a'm taflu fel sach o datws i mewn i'r pentwr tywelion oedd yn aros am gael eu golchi.

Ro'n i'n ymladd am fy ngwynt – ac am fy einioes – mewn tagfa o ddüwch meddal.

Yna clywais fwy o Rwsieg, sŵn drws yn cau'n glep, yna tawelwch, yna ddwndwr deg o beiriannau golchi'n rhygnu fel tyrbeins ym mherfedd stemar yn mynd ar fordaith o ddragwyddoldeb i ddragwyddoleb.

-23-

BLE'R O'N I?

Roedd fy mhen i fel bwced – ond nid un a berthynai i mi.
Roedd yna enfysau gwyn a melyn yn llifo'n araf ac anarchaidd
i mewn ac allan o ryw wagle mawr.

Do'n i heb agor fy llygaid. Roedd y sylweddoliad yna'n gam
mawr ymlaen. Ond ildiais eto i'm cyflwr seicedelaidd cyn
magu'r ewyllys, o'r diwedd, i agor fy llygaid ar y byd.

Dim ond gwynder llethol, dallol oedd yna – ond yr haul oedd
o, yn uchel yn y nen. Ro'n i'n gorwedd ar draeth – un mawr,
llydan, llachar, gwyn.

Triais godi ar fy eistedd. Roedd rhywun wedi taflu tywel dros
fy nhalcen. Roedd gen i boen yn fy mhenelin a cheg sych
grimp. Rhwbiais fy llygaid. Roedd yna fôr glas o'm blaen, a
thywod gwyn yn ymestyn am filltiroedd. Roedd o fel bod ar
rimyn tragwyddoldeb.

Craffais a sylwi ar res o gabanau glan-môr henffasiwn yn
sefyll ar ymyl y traeth, o dan y creigiau. Uwchlaw iddyn nhw
roedd 'na gwpwl o westai tywyll, neo-gothig. Yn y pellter
roedd Jeep 4x4 du wedi'i barcio ger y graig, a dynion mewn
trowsusau duon a chrysau gwynion yn sefyllian o'i gwmpas.
Siaradai rhai i mewn i ffonau bach gan gario'u cotiau ar draws
eu hysgwyddau.

Dychrynais – blydi Rwsiaid eto!

Bellach yn gwbl effro, gallwn glywed sŵn pobol yn agosach
ataf. Trois rownd a gweld tri o fechgyn tal, Caribïaidd yr

olwg mewn shorts lliwgar, yn cicio pêl. Gerllaw iddynt roedd pedair o ferched llyfnfrown mewn bicinis yn lolian yn y tywod meddal, rhai ar eu boliau, eraill ar eu cefnau. Roedd *transistor* yn rhywle yn mudchwarae miwsig pop.

Do'n i ddim yn deall hyn. Ro'n i ar y naill law ar draeth ac yn rhydd, ond ar y llaw arall roedd Rwsiaid yma fel gwybed ar gachu. Taflais y towel yn ôl dros fy nhalcen ond roedd yna syched yn llosgi fel draig yn fy ngwddw.

Codais eto a throi at y bechgyn. Roedd rhywbeth cyfarwydd amdanynt. Roedd un o'r goliau ar ffurf tomen fach o ddillad ac ar ei bwys roedd potel fawr blastig o Pepsi Lite. Rhaid bod un ohonynt wedi fy ngweld i'n rhythu ato oherwydd dyma fo'n taflu'r botel ataf i.

"You OK, man?"

Llyncais hanner y botel a chynnig prynu un arall yn ei lle.

"Don't worry, man. Take it easy. Dem Ruskie bastards gave you rough time last night. But it was kinda funny too, ha ha."

Do'n i'n cofio dim. Be ddigwyddodd? Pwy oedd o?

"Don't ya remember, mista? We da laundry boys. Do da fucking laundry every night for da Ruskies. Tellya, it's no bloody joke washa thousand shitty bedsheets every night. But Sattaday free. Sattaday beach, Sattaday girls, Sattaday little bitta this, little bitta that. Get it, man?"

Ond ble ydan ni rŵan?

"Da fucking beach, man. Don't ya see? You're free – understand? Ruskies no want you." Yna trodd yn ôl i chwarae pêl-droed gyda'i ffrindiau.

Oeddwn i'n rhydd go iawn? Os felly, pam oedd y blydi Rwsiaid yna'n stelcian o gwmpas y traeth fel plorynnod du? A'r traeth yma – onid eu traeth nhw ydi o, yr un oedd ar y poster yng nghyntedd yr Hotel Mara: Jurmala? Sut goblyn y des i yma?

Darn wrth ddarn, dechreuodd clytiau o'r noson gynt ailffurfio yn fy mhen. Y ferch Rwsiaidd 'na gyda'r *IQ* o 300 a'r bra tryloyw; Zander wedyn, ffigwr cartŵn, a'r stafell londri – iawn fel golygfeydd mewn ffilm gomedi. Ond tybed ai breuddwyd oedd y cyfan, hunllef ffarsaidd? Doedd dim posib bod y cyfan yna wedi digwydd i mi go iawn?

Ond y dewis arall ydi, fy mod i mewn breuddwyd rŵan. Chwysais yn oer drosof. O'n i mewn breuddwyd na allwn i ddod allan ohoni – mewn trip gwael iawn, cyffuriol? Mi fuais i ar drip gwael o'r blaen, a do'n i byth am fynd ar y daith honno eto.

O'n i wedi cymryd côc neithiwr? Chwiliais yn wyllt yn y boced fach tu mewn i'm siaced lle dwi wastad yn cadw pethau felly ac, yn wir, roedd y *sachets* yno. Cyfrais. Roedd yna bedwar i gyd, a thri ar ôl. Popeth yn iawn, felly – ro'n i wedi agor un noson y gêm, yn y sesh yn Clwb Ifor. Dim byd yn bod.

Yn dal yn ansicr o realiti, chwiliais trwy'r pocedi eraill ac yn yr un olaf roedd y Siemens. Neidiais, bron, o lawenydd. Ond sut? Onid oedd un o'r *thugs* yna wedi cipio'r ffôn oddi arna i yn y Tŷ Opera? Neu a ddigwyddodd hynny ddim? Mewn dryswch, chwysais wrth feddwl y gallai'r atgof yna, hefyd, fod yn un ffals.

Roedd hyn yn wael, ac yn drwm. Roedd yn rhaid i mi gael rhyw gadarnhad o beth ddigwyddodd, a beth na ddigwyddodd. Llwyddais i dynnu sylw'r pêl-droediwr Caribïaidd. Dangosais y Siemens iddo a gofyn: welsoch chi hon o'r blaen?

"Yeah, I know. Da mobile. Ruskies no want it. Dem bastards chuck it at us, round midnight."

Haleliwia! Ond pam? Mi fyddai'n lladrad wrth gwrs. Ond doeddan nhw mo'i hangan hi bellach, oeddan nhw? Ro'n nhw wedi godro'r holl wybodaeth ohoni. Ond y peth pwysig oedd ei bod hi gen i. Gwyddwn felly fod y cyfan a ddigwyddodd yn wir.

Yna cofiais yn sydyn am yr amlen efo'r sgript, a llythyrau Tomaso. *"Was there an envelope? A big one? Did they throw an envelope in with it?"*

Edrychodd y dyn arnaf yn drist. *"Relax, man. Whassa problem? Bloody mobile no big deal, can get you one for nuthin, nicer than that."*

"But the envelope – did you see it?"

"Dunno what ya mean."

"So they didn't throw in an envelope, with the mobile I mean?"

"Cool down, man. Envelopes – who need pissin envelopes? Relax, man, enjoy – life's a beach."

Roedd y dyn yn iawn, yn berffaith iawn. Ciliodd y cof am yr amlen. Dylswn fod yn ddiolchgar, yn dra diolchgar. Traeth ydi bywyd. Dwi ar draeth, un eang braf. Be fwy dwi isio?

You're free. Ruskies no want you. Dyna ddywedodd y dyn, yntê? Ro'n i'n rhydd o'r Rwsiaid. Felly dwi'n rhydd, yn rhydd go iawn.

★ ★ ★

Rhaid fy mod i wedi syrthio i gysgu eto. Roedd fy nghorff i'n sgrechian amdano. Pan ddeffrais, roedd y bledran yn gwasgu'n ddrwg. Codais ar fy eistedd a sbecian rownd y traeth.

Sylwais fod 'na ryw griw yn sefyllian o flaen rhyw ganopi liwgar, ychydig islaw un o'r gwestai neo-gothig yna. Bar oedd o, wedi'i osod ar y traeth. Roedd yna nifer o ymbarelos lliwgar o amgylch y bar ac wedi craffu'n agosach medrais ddarllen y geiriau *Beer – Bière – Birra – Cerveza...* y geiriau hudol, dim llai!

Gallwn lofruddio glasied o rywbeth glân ac oer a chroyw. Llwyddais i godi, efo pheth straffig. Roedd fy mhenelin yn dal i frifo. Rhaid mai yn y blydi lifft yna y ces i'r niwed, ac roedd gen i friwiau eraill. Ond mae balm ar gael i bechadur. Wrth agosáu at y werddon liwgar, fe gadarnhawyd pob un o'm gobeithion.

Wedi galw yn y tŷ bach, es at y bar ei hun i brynu potel o Saku. Yn hapus, dychwelais at y llecyn lle'r oedd y merched a'r bechgyn yn dal i chwarae tennis traeth. Yna – dwn i ddim ai'r *transistor* bach yna daniodd rhywbeth yn fy mhen – ond fe ffrwydrodd fy mhenglog yn fyw.

Y gêm!

Ond mae'r gêm ymlaen pnawn 'ma – gêm derfynol Cwpan Rygbi'r Byd!

Edrychais ar fy wats. Roedd hi'n chwarter i dri. Dim ond chwarter awr i fynd cyn dechrau'r gêm. Diolch i'r Arglwydd imi gofio mewn pryd!

Es at un o'r merched a gofyn gawn i fenthyg y *transistor* am ychydig. *"No problem, friend,"* atebodd gan wenu'n swynol.

Bachais gadair haul a pharcio fy hunan yn strategol ar gyfer awr a hanner o gyffro a mwynhad eithafol. Cribais trwy'r tonfeddi fel cychwr ar goll yn yr Atlantig. Dim byd ar FM, VHF, ond ces i hi ar yr AM, yn Saesneg. O'r diwedd – buddugoliaeth! Yna rhedais at y bar i nôl potel arall o Saku. Ro'n i'n barod am y gorau, yn barod am y gwaethaf.

Clywais 'Hen Wlad fy Nhadau' yn atseinio trwy'r Stadiwm. Roedd y wefr rywsut yn ddwysach oherwydd teneuwch y sain. Wedyn anthem Ffrainc, y Marseillaise. Nid tôn i godi gobeithion yr un dyn. Holltwyd aml i wddf i gyfeiliant y blydi dôn yna. Diawlad peryglus yw'r Ffrancod, y gwaed Galig yn wylltach na bois De Affrig ond eu pennau'n oerach, pan fo'r galw.

Dechreuodd y gêm. Yn wynebu tua'r môr, gallwn weld pob symudiad yn glir ar sgrin lydan fy meddwl. Hefyd gwelwn y criw llawen yn mwynhau yn y Bar Croeso – ond y tensiwn yn cynyddu rŵan. Bob tro y digwyddai rhyw ymgais dda neu fethiant gwael, dychmygwn Huw a Deri a'r lleill yn gorfoleddu neu'n fflamio i'r cymylau.

Ni chwaraeodd Cymru'n dda yn yr hanner cyntaf ac ro'n i'n dechrau poeni o ddifri. Yr hen, hen stori yntê: pan ddaw hi i'r pwynt, tydan ni'r Cymry ddim i fyny i'r job. Y fuddugoliaeth foesol i ni bob tro, nid y fuddugoliaeth go iawn. Wrth gwrs, rydan ni wedi llwyddo i guro'r Ffrancod o dro i dro, pan fo'r gwynt yn digwydd chwythu'r ffordd iawn, neu anaf ffodus o'n plaid.

Ein bai ni yw rhoi ein ffydd mewn rhyw Waredwr o hyd. Ar un adeg, bois o Seland Newydd oedden nhw. Rŵan, Carwyn Jones ydi'r arwr, Cymro o'r diwedd yn hyfforddwr wedi i'r hwch fynd drwy siop yr hen undeb – ond does 'na'r un unigolyn all droi tîm eitha da yn dîm digon da i guro'r byd.

Rŵan yr ail hanner, a Chymru 9–3 ar ei hôl hi. Yna cais arall i'r Ffrancod, ond methu'r gic. Y chwarae'n pendilio'n beryglus o naill ben y maes i'r llall, yna, o'r llinell drichwarter, symudiad peryglus gan olwyr Gymru a Wayne Edwards – ie, Wayne Edwards, eto fyth – yn ennill cais dan y pyst – a'i drosi ei hun.

Clywais y gweiddi megis yn dŵad o dros y môr – ond roedd mwy eto i'w wneud wedi cais a throsgais arall gan y gelyn. Ond yna digwyddodd y wyrth, yr ergyd farwol mae Cymru'n

gallu galw arni yng ngwir awr angen: y gic adlam funud ola.
Yn llygad fy nychymyg byw, gwelwn y bêl yn hedeg oddi ar
droed Ambrose fel gwylan dros y trawst a thros y môr oedd
o'm blaen i.

Ac yna'r olaf chwib – y chwythiad triphlyg, tyngedfennol.

Yn anghrediniol, lluchiais fy mreichiau i'r awyr. Ro'n i wedi
colli arnaf fy hun mewn gorfoledd. "'Dan ni wedi ennill, 'dan
ni wedi ennill!" gwaeddais dros y traeth.

Trodd un o'r bechgyn tywyll at y llall, *"Hah, mista happy now!
But he funny man. Go up an down like a yo-yo, and he speaka
funny language too."*

Ond roedd yn rhaid i mi rannu fy llawenydd efo rhywun
heblaw nhw. Tynnais y Siemens o'm poced. Allwn
i ddim ffonio Lloyd na Sidoli – mi fydden nhw yn y
blydi gynhadledd, a gwibiodd cwmwl sydyn fel brân
ddu ar draws fy wybren fewnol wrth gofio am y boen
yna i gyd – ond fe allwn drio Deri Smith. Mi fyddai o'n
gwerthfawrogi.

Ffoniais rif Deri. Methu mynd trwodd. Ond wrth gwrs – y
rhagrifau rhyngwladol. Yn grynedig, tapias nhw i mewn – ac
yna llwyddiant!

"Deri – ti sy 'na?" gwaeddais. Roedd y sŵn cefndir yn
fyddarol.

"Meirion bachan! Ble yffach wyt ti?"

"Ar ryw draeth ym mhen draw'r byd. Ar ryw lan tu hwnt i
amser."

"Swno fel nefoedd i fi."

"Ydi mae o, ac mae 'ma far, ac mae 'ma ferched a 'dan ni
wedi curo'r blydi Ffrancod!"

"Ond welest ti'r gêm?"

"Glywes i hi ar y radio, ond yn llygad fy meddwl roedd o fel sinema. Anhygoel – be ti'n feddwl, boi?"

"Wel be alla i weud, Meirion bach? Mae emosiwn yn drech. Y'n ni jyst methu cretu'r peth. Be allwn ni weud? Dim byd, dim ond diolch i Dduw!"

"Yn union. Digon yw. Mae fy nghwpan yn llawn."

"Bydd 'yn cwpane ni i gyd yn llawn heno, alla i warantu hynny i ti, Meirion bach!"

Edrychais o'm cwmpas ar y traeth, yr haul, y merched hanner noeth, y bar bywiog fan draw oedd yn prysur lenwi, a'r ymbarelos lliwgar yn dusw o'i gwmpas. Llyncais weddillion y botel Saku a'i thaflu fel jyglwr i'r awyr a'i hyrddio wedyn i'r môr.

Roedd hon am fod yn nos Sadwrn fwya fy mywyd.

Ro'n i'n hapus, ro'n i'n rhydd, ro'n i'n fyw – ac roedd Cymru wedi ennill. Doedd Maya na Llio na'r lleill ddim yn bwysig, ddim yn bod – yr holl rwtsh yna i gyd. Do'n i fyth am fynd yn ôl i'r stad caeth yna o feddwl. Byddai'n rhaid i hyn bara am byth.

Chwiliais yn fy mhoced am y pecyn *sachets*. Roedd y tri llawn yn dal yna. Torrais un ohonynt â'm gewin, a gosod y powdwr ar gefn fy llaw chwith, a'i araf dynnu i mewn i'm ffroen. O anadliad i anadliad, diflannodd y linell wen.

Taflais fy mhen yn ôl ar gynfas y gadair haul a daeth y gwynder, mawr, cynnes yn ôl i lanw fy mhen a'm hymwybod.

* * *

Fy Arglwydd, mae'r merched yma'n hardd. Roeddan nhw rŵan yn chwarae efo'r bechgyn â phêl fawr liwgar, tri yn erbyn tri. Roeddan nhw wedi codi rhwyd flêr ar draws y canol ar gyfer tennis traeth. Yn eu bicinis meicro, taflai'r merched eu hunain o gwmpas yn ffri, a chwerthin gan wybod fod pob dyn oedd yn eu gwylio nhw'n mynd o'i go.

Do'n i erioed wedi gweld merched mor hardd o'r blaen, ond yr harddaf o'r cyfan oedd yr un a orweddai'n unig ar y tywod ar dywel mawr, yn darllen llyfr. Roedd ganddi wallt du, croen olewyddaidd, a chorff y buasai Da Vinci wedi bod yn falch o'i gerflunio. Ond prin roedd hi'n symud. Rŵan roedd hi'n troi tudalen, a'i wasgu i lawr.

Daliais ati i edrych arni, wedi fy nghyfareddu. Oes gan ferch yr hawl i fod mor hardd? Llithrai ei chefn i lawr yn araf cyn crymu i mewn i'r bicini du. Yna'r milltiroedd o goesau hirion. Siglai un goes yn ôl a 'mlaen yn ddiog braf. Yna dyma hi'n cymryd dracht o'r botel ddŵr oedd wrth ei hymyl. A gosod y llyfr i lawr ac edrych tua'r môr.

Yna eisteddodd ar ei heistedd a phlethu'i choesau megis ar gyfer Yoga, a chymryd potel o eli croen a rhwbio'r hylif ar ei breichiau a'i choesau. Mae hi nawr yn cymryd mwy ohono a'i daenu dros ei chorff ac yn ofalus a chariadus dros ei bronnau – oddi tanynt, drostynt. Mae hi'n sefyll ar ei thraed, yn amlwg wedi gwneud y penderfyniad i fynd i mewn i'r môr. Ac mae'n edrych draw ata i!

Gabriele yw hi!

Anhygoel, anhygoel – Gabriele, y ferch o Fenis, yma ar draeth y Rwsiaid yn Jurmala. Sut yn y byd y gallai hynny fod? Roedd yn gyd-ddigwyddiad mor ffodus ac anhygoel a bendigedig!

"Hei, Gabriele!" llefais.

Ond chymerodd hi ddim sylw ohonof.

"Gabriele," taerais â hi, "ti ddim yn cofio'r noson yna yn Fenis, y pryd bwyd, y sgwrs yn yr eglwys pan wnaethon ni drafod y Gwirionedd, ac ydi o'n bod? Ti'n cofio'r gwahoddiad roddaist i mi? Yr un wrthodais i – camsyniad mwya 'mywyd i. Ond rŵan does dim gwahaniaeth, achos rwyt ti yma, Gabriele…"

Edrychodd arnaf am ennyd, cyn parhau i'w thylino'i hun. Doedd hi ddim yn fy nabod.

"Hei – paid esgus nad wyt ti'n fy nabod i! Gei di ddod allan o du ôl y masg 'na rŵan. Dwi wedi edrych arnat ti am flynyddoedd yn fy stafell wely, ond rŵan rwyt ti'n fyw ac yn symud. Gabriele, tyrd draw yma, i mi gael dy nabod ti. Dyna fy nymuniad ola i – i gael dy weld ti fel yr wyt!"

Ond roedd hi'n rhedeg i mewn i'r môr, ac oddi wrthyf am byth, y ferch harddaf a fu yn Fenis erioed, a'r ferch fwyaf peniog ac enigmatig a llawn hud.

Beth oedd yn bod? Pam na cha i dy nabod di? Be wnes i o'i le, Gabriele?

Dim ond smotyn yn y môr oedd hi rŵan; yna diflannodd am byth.

★ ★ ★

Am byth?

Beth oedd hynna i gyd?

Estynnais i'm poced ac agor *sachet* arall; wedyn cau fy llygaid a suddo eto i'r gadair gynfas.

Caeais fy llygaid. Roedd yn brynhawn rhyfedd, yn brynhawn anhygoel.

Gadewais i'r haul fy nhrochi, fy nhrosgynnu, fy nileu.

Yna gwelais y clown.

Roedd o'n rhwyfo'n araf mewn gondola i lawr y Canal Grande, het driphlyg ar ei ben a chlychau'n hongian o'r pigau. Ac roedd o'n edrych draw ata i, yn syllu arna i wrth i'r gondola lithro 'mlaen yn dawel yn y cyfnos.

Ond welwn i mo'i wyneb o. Fel pawb arall, roedd o'n gwisgo masg.

Trois at y plant. Roedd Elliw a Guto'n chwerthin. Roedd o'n ddoniol iawn iddyn nhw.

"Be am yr hufen iâ 'na ti wedi addo, Dad?" dywedodd Nia, y wraig. "Mae 'na stondin wrth Bont y Rialto, on'd oes?"

Doeddan ni ddim yn bwyta allan – roedd hi'n rhy ddrud yr adeg honno. Felly Pont y Rialto amdani, ac ar unwaith dyma ni'n cerdded i mewn i dorf y carnifal – yn farchogion, yn foneddigesau, yn hwrod, yn gondolieri, yn glowns, yn adar ac yn anifeiliaid hefyd.

Bron i'r dyrfa ein sgubo ni gyda nhw. Ond roedd y plant wrth eu boddau. Roedd o'n rhyfeddod llwyr, yn freuddwyd fyw. Roeddan ni jyst yn methu credu. Fuon ni erioed mor hapus.

Yna ar lan y gamlas, ym mhalas y Casa d'Oro, roedd 'na ddawns yn dechrau. Roedd hi bellach yn dywyll, a thrwy'r ffenestri golau gwelem barau gwallgo – rhai â phlu anferth yn saethu allan o'u pennau neu o'u tinau – yn gafael yn nwylo'i gilydd ac yn dechrau dawnsio i gyfeiliant rhyw 'Sarabande' neu 'Gavotte'.

O'r diwedd cyrhaeddon ni'r dyn hufen iâ. Rhoddodd glamp o gornet i ni'n pedwar, pob un yn fynydd o hufen a fflwff a siocled a darnau bach o geirios.

"Hei, awn ni ar y bont!" meddai Guto. "Gallwn ni' i weld o i gyd o fan'no."

Ac i fyny grisiau Pont y Rialto â ni. Fuon ni erioed mor hapus fel teulu. Roedd o i gyd mor anhygoel. Arhoson ni ar ganol y bont ac edrych i lawr, rhwng y stondinau, ar y Canal Grande ei hun.

Ac yn dod i fyny, oddi tanom, mewn gondola du, roedd y clown – yr un clown, yn yr un het wirion – ac wrth iddo agosáu gallwn glywed sŵn clychau bach ysgafn yn dod oddi wrtho.

Rŵan o dan y bont, gwelwn o'n gwthio'r ffon rwyfo'n dawel, yn unig, yn ddi-hid.

Wnaeth o ddim edrych tuag ata i y tro hwn.

Fe lithrodd heibio i mi fel rhywbeth o fyd arall – neu o fywyd arall y gallaswn fod wedi'i fyw.

Yna torrodd rhyw ysgrydiad afreolus trwy fy nghorff.

★ ★ ★

"Mista, you OK?"

Ro'n i'n chwysu eto. Ble oeddwn i?

"Who are you?"

"But you know me, Mista. Da beach boy! You donna look too good…"

Wrth gwrs, ro'n i'n dal ar y traeth. A'r un boi oedd o, ond ei fod o rŵan mewn *jeans* a chrys-T gwyn.

Rhaid mai breuddwydio roeddwn i.

"No, I'm fine. Don't worry. I'll be OK."

Yna cofiais am y peth anhygoel a ddigwyddodd – y peth gwir ardderchog. *"I'm just celebrating, you see. Don't you know Wales has won the World Cup?"*

Edrychodd y bachgen i lawr ataf. *"Wales? Never heard of him. He play golf, or what?"*

"No – rugby."

"Never heard of him… you wanna good time, mista? Real good time?"

"I'll consider anything."

"We go clubbing now. Go to downtown Riga. You know Club Maxx down by tha river? Taxi waiting for us. We go now, understand? We show you how to have a good time…"

Be wnawn i?

Roedd y gwahoddiad mor sydyn, ond y bois du 'ma mor gyfeillgar. Roedd yn benderfyniad anodd. Byddai'n brofiad newydd, arall. Ond clybio mewn hangar gyda mil o bobl ifainc i gyd ar alcopops ac *Es*? A'r holl fflachio a bangio yna trwy'r nos? Na, do'n i mo'i angen o heno. Ro'n i'n hen ddigon uchel yn barod.

Edrychais o'm cwmpas. Roedd y merched wedi diflannu o'r traeth, ond roedd y criw wrth y bar traeth wedi tyfu, a chriw arall yn uwch i fyny yn cynnal rhyw fath o barti yng nghardd y gwesty gothig. Ac roedd 'na ferched yno, hefyd: Rwsiesau tal, hardd mewn blowsys gwyn, tyn…

"Thanks a lot, man, and thanks for saving me from that bloody laundry. But I'm happy here. I'm OK, man."

Cododd y dyn ei aeliau yn gyfeillgar ond amheus.

"Yeah, but its Sattaday night. You sure you're OK?"

"I'm fine."

"OK man, you do what you like. As I said, you're free."

-24-

Roedd y daith yn ôl yn uffernol – sut arall alla i ei disgrifio? Yn yr awyren anghywir, ar y dydd anghywir, heb fy nghês, ac heb eillio – doedd 'na ddim amser i ffeindio cyfleusterau'r maes awyr. Ac yn union wedi esgyn i'r awyr o Riga, dechreuodd fy nhrwyn waedu.

Y blydi côc 'na oedd o, wrth gwrs. Mae o'n codi pwysau'r gwaed ac yn gyrru'r galon. Ro'n i mewn afrwydd difrifol o'i herwydd o, beth bynnag. Gofynnais i'r *hostess* am fwy fyth o ddŵr. Rhaid ei bod hi'n meddwl fy mod i'n ddrygi go iawn.

Do, mi gymerais i ormod. Mi es i dros y trothwy. Fe arfer dwi'n iawn, dwi'n gallu'i reoli o, jyst fel dwi'n rheoli fy smygu. Fydda i byth yn cymryd mwy na rhyw dri Panatella mewn diwrnod. Dwi ddim yn cyfri fy hunan yn smygwr. Does 'na ddim camp mewn cadw rheolau. Gall unrhyw ffŵl wneud hynny. Y gamp ydi gwybod pryd i'w torri nhw.

Bu ddoe – dydd Sul – hefyd yn uffernol. Wnes i ddim dod ataf fy hun tan amser cinio. Roedd fy ngheg i'n brifo fel y diawl, ond nid achos dim byd o'n i wedi'i gymryd, ond achos y blydi *thug* Rwsiaidd 'na ymosododd arna i nos Sadwrn, yn hollol ddirybudd. Bastard. Roedd Maya'n iawn amdanyn nhw, o leia.

A wnes i ddim o'i le. Wnes i jyst dechrau siarad efo'r ferch yma yn y lolfa yn y gwesty mawr gothig uwchben y traeth. Wnes i ddim hyd yn oed cyffwrdd yn ei llaw hi. Ond roedd 'na gabal o Rwsiaid yn y gornel i gyd a'u trowsusau duon yn bochio gan mobeils a Duw a ŵyr beth arall i gyd, ac mi ffois cyn i ddim byd gwaeth ddigwydd i mi.

Ro'n i wedi hen golli'r awyren fore Sul ac mi ddaliais dacsi i'r Metropole. Ro'n nhw'n derbyn cardiau credyd, diolch byth. Ond doedd dim sôn am fy nghês i yn fan'no. Doedd o ddim yn y lle cadw cesys – a rhaid bod 'na gant ohonyn nhw yno yn y stafell – a doedd y blydi portar ro'n i wedi siarad efo fo fore Sadwrn ddim yno chwaith, a doedd gen i ddim math o dderbynneb. Be wnawn i?

Meddyliais am ffonio'r embasi, ond maen nhw i gyd ar gau ar y Sul – sy'n beth reit anhygoel – ond wedi myfyrio am y peth mewn gwaed oer yng nghyntedd y Metropole, sylweddolais fod y pethau pwysicaf gen i: tocyn, teitheb, cardiau credyd, y Siemens. Gallwn ailbrynu cynnwys y cês am lai na £500, a hynny ar arian yswiriant.

Wedi cael peth cysur o hynny, penderfynais aros yn y Metropole nos Sul. Do'n i'n bendant ddim am fynd allan ac mi es i'n syth i'r gwely.

Ond cyn gwneud hynny, ces i un pleser bychan na ches i o'r blaen, sef y profiad amheuthun o ffonio Lloyd tra oedd o – fe obeithiwn – ar ganol ei swper nos Sul, neu o leiaf yn gwylio'i hoff raglen deledu. Do'n i ddim yn teimlo fel arwr ond mi ddwedais y gwir plaen, sef imi gael fy nal gan y blydi Rwsiaid nos Wener, a chael fy nyrnu a'm hanafu ganddyn nhw nos Sadwrn a gofynnais iddo drefnu awyren i mi ar gyfer bore Llun.

Ffoniodd Lloyd yn ôl i ddweud nad oedd hynny'n bosib ac y byddai'n rhaid i mi fynd i'r maes awyr i drefnu pethau fy hun, a dyna wnes i. Yna – yn llai na brwd – holais ef am y gynhadledd. Sut aeth hi? "Ardderchog," meddai, "fe aeth y cynnig yna drwodd yn iawn. Y Sgotiaid yn siarad yn dda, gyda llaw – yn llawn tân."

"Ond beth am yr argyfwng? Beth am y Rwsiaid?" holais.

Roedd Lloyd fel petai'n synnu at y cwestiwn. "Wel does 'na ddim newid, oes 'na? Doedd neb yn meddwl y buasai'r Rwsiaid yn tynnu'n ôl jyst achos y blydi gynhadledd."

"Y *blydi* gynhadledd? Dwi'm yn dallt, Lloyd. Onid oedd y byd i fod i newid? Onid oes 'na gynghrair newydd o wledydd bychain wedi dod at ei gilydd i achub y byd?"

Atebodd Lloyd, "O, dwi'n disgwyl y daw hynny i fod, ryw ddydd."

Pa fath o ateb oedd hynna?

Yn y cyfamser edrychai un o'r *hostesses* awyr draw ataf yn bryderus. "Ydych chi'n iawn, syr? Dim angen *oxygen?*"

"Nag oes – dwi jyst ddim yn teithio'n dda. Dim byd i boeni amdano fo, Miss."

Yna sylwais nad oedd dim mwy o waed ar yr hances. Diolch byth am hynny. Do'n i ddim am gyffwrdd â'r stwff yna eto – mae gen i ddigon o bechodau eraill 'i 'nghadw i'n brysur. Edrychais allan ar y cefnfor o gymylau gwynion islaw i mi. Felly dyna fo. Dyna i gyd oedd o. Cynhadledd arall heibio – a minnau'n teithio eto fyth…

Ond ni allwn anghofio am y blydi busnas Tomaso 'na. Er fy ngwaethaf dôi atgof euog i'm plagio. Trueni imi golli ei lythyrau a'i luniau neu beth bynnag oeddan nhw. Ond na, cysurais fy hun, nid fi collodd nhw – y Rwsiaid ladratodd nhw. Eu cymryd nhw o'm llaw i, trwy drais. Ro'n i'n ddieuog. Fel 'na mae hi, a dyna hi. A beth bynnag, mae'r boi wedi marw, ac os caiff ei enw ei anfarwoli mewn ffilm o gwbl – peth annhebygol iawn – go brin fod cynnwys yr amlen yna'n mynd i wneud gwahaniaeth.

Ond ro'n i'n dal i deimlo'n rŷff, ac i edrych yn rŷff – a oedd, rywsut, yn waeth. Wnes i ddim licio'r golwg ar fy wyneb ym mhisdy'r maes awyr: cysgod o farf flêr, llygaid coch, ac

roedd y graith ar fy moch yn dechrau troi'n felyn a du. Buasai
Royston Griffiths yn hapus iawn o'm gweld i fel hyn. Ac
roedd y busnes hwnnw'n dal i'm poeni, hefyd. Do'n i'n dal
ddim yn deall sut allodd Hitt gyhoeddi i'r byd bod gen i lun o
Fenis ar wal fy stafell wely.

Oedd Llio wedi agor ei cheg? Rywsut, allwn i ddim credu
hynny, oni bai ei bod hi'n rhan o ryw gynllwyn mawr
yn berwi yn fy erbyn i yn rhywle. Yna cofiais gyda pheth
cywilydd am y weinyddes fach yna o'r Roma a ddaeth draw
acw ryw naw mis yn ôl; er mai prin oedd ei Saesneg, mi
fyddai, fel Eidales, yn gwybod yn iawn llun o ble oedd o.

Nid cyn pryd, cyffyrddodd yr awyren â daear Heathrow. Ro'n
i'n falch o fod ar dir cyfarwydd eto. Diffoddodd yr arwyddion
diogelwch uwch fy mhen. Yn reddfol, aildaniais y Siemens, a
gweld bod 'na neges destun wedi cyrraedd:

Meirion, ffonia fi ar unwaith ar 07709 628 923. Cyn gneud dim.
Pwysig IAWN, John Lloyd.

★ ★ ★

Roedd hynna'n swnio'n ddifrifol. Ro'n i wedi derbyn
galwadau oddi wrth Lloyd ers blynyddoedd a do'n i ddim yn
cofio un mor daer. Cerddais i'r lle *Baggage Reclaim* – nes cofio
nad oedd gen i uffar o ddim i'w gasglu – ac yna fe'i ffoniais
wrth wylio bagiau pawb arall yn troi mewn cylchoedd.

"Diolch byth, Meirion," meddai Lloyd. "Rwy'n ddiolchgar
iawn, iawn i ti. Mae 'na fater wedi codi mae'n rhaid i ni
weithredu arno'n syth, ac yn wir rwy wedi dechrau trefnu'r
peth yn barod."

"Ond be sy wedi digwydd?"

"Dim byd. Dim byd fel y cyfryw. Dim ond y busnes Rwsiaid
'ma. Mae'n rhaid i ni ei ddefnyddio fe, ei sbinio fe mas.

Chawn ni ddim cyfle tebyg i hyn am ganrif, Meirion. Bues i'n meddwl am y peth drwy'r nos neithiwr."

"Drwy'r nos? Ond lle ydw i yn hyn i gyd? Be ti am i fi neud?"

"Dim byd mewn ffordd, jyst dod i gynhadledd i'r wasg rwy wedi'i threfnu ar gyfer pedwar o'r gloch pnawn 'ma yn y Celtic Bay."

"Cynhadledd i'r wasg? Dwi ddim yn deall be sy gen ti."

Dylswn fod yn gallu darllen meddwl Lloyd erbyn hyn, ond doedd y geiniog ddim wedi syrthio.

"Meirion – soniest ti neithiwr am y diawlaid Rwsaidd 'na. Wel, ti yw'r arwr. Ti ddim yn gweld? Jyst dweud dy stori, dyna i gyd."

"Ond Iesu – alla i byth neud hynny…"

"Ond weli di mo'r penawdau bore fory: *'Welsh Hero Defies Russian Spies'* neu *'Plaid Leader Escapes Russian Honey Trap'* neu…"

Ces i uffar o ofn. "'*Honey Trap*' ddeudist ti? Dwn i ddim lle ddiawl gest ti'r syniad yna."

"Wel meddylia am rywbeth gwell dy hun ar y trên yna. Rhywbeth i danio dychymyg Dave Hitt. Sdim ots beth yw e, dim ond i ni gael y cyhoeddusrwydd. Mi fydd yn stori ryngwladol, wir i ti."

O'r diwedd roedd rhesymeg Lloyd yn dechrau treiddio trwodd. "Iawn – ond alla i mo'i neud o. Mae o'n ormod. Dwi ddim mewn cyflwr rhy dda, a deud y gwir. A dwi heb siafio – mi gollais i 'mhethau i gyd. Gad i mi feddwl am y peth a dy ffonio di'n ôl pan fydda i ar y trên."

Bron na theimlwn Lloyd yn brathu fy nghlust. "Be ddwedaist ti, Meirion, *heb siafio?*"

"Gollais i 'nghês on'd o. Mi ddiflannodd o'r gwesty."

"Ti ddim yn dweud iddyn nhw ladrata dy gês di?"

"Alla i ddim profi'r peth wrth gwrs."

"Meirion," meddai Lloyd yn ddramatig, "beth bynnag wyt ti'n ei neud o fewn y ddwyawr nesa, *paid siafio!* Ti ddim yn gweld y lluniau? Wnei di addo i mi, ar gorff dy fam-gu?"

Aeth Lloyd ymlaen, yn amlwg wedi'i wefreiddio gan y syniad, ond y mwyaf ro'n i'n sylweddoli beth oedd ganddo mewn golwg, y lleia brwd o'n i. Ar wahân i fater fy nelwedd gyhoeddus mi faswn i, yn y cyflwr oeddwn i, jyst yn methu rhaffu'r geiriau at ei gilydd.

"Ond paid poeni am hynny. Mi fydda i a Sidoli a Rhodri Lewis yna i wneud y siarad i gyd. Gorau po leia ddywedi di, a dweud y gwir. Mi wnaiff argraff lot gwell. Ti'n gweld y pwynt?"

O'r diwedd ro'n i'n dechrau newid fy meddwl. O safbwynt personol, byddai'n troi'r byrddau ar benwythnos a oedd o leiaf yn embaras os nad yn dipyn o drychineb. Yn lle cuddio be ddigwyddodd, buaswn i'n ei arddel. Ac wrth gwrs roedd cnewyllyn y stori yn berffaith wir. Mi *ges* i fy nghipio gan y Rwsiaid, a'm hanafu gan y bastards.

Ond roedd gen i un gwrthwynebiad arall: "Yn fwy difrifol, Lloyd, dwi ddim yn gweld sut bydd hyn yn helpu pethau'n wleidyddol. Y blydi Rwsiaid a'r sefyllfa ryngwladol ac yn y blaen. Does gen i ddim syniad faint o gyhoeddusrwydd gaiff hyn i gyd, ond mi allai waethygu pethau, os ti'n gweld be sy gen i."

"Paid poeni gormod am y sefyllfa ryngwladol, Meirion."

"Ond ti, Lloyd, sy'n dweud ei bod hi'n argyfwng o hyd."

"Meirion – does 'na ddim gobaith esbonio hyn dros y ffôn –

ond dydy pethau ddim yn hollol fel maen nhw'n ymddangos."

"Pwy fase'n meddwl, yntê?"

"Rhaid i ti gymryd 'y ngair i. O'n safbwynt ni fel Plaid ac fel Senedd, mae'n bwysig ein bod ni'n dal pob mantais ar yr argyfwng yma. Fel arall, mae 'na berygl o ladd y stori cyn ein bod ni'n ei chael hi allan."

Roedd hynna'n anhygoel i mi. "Ac mae 'na un peth arall hefyd, lot symlach," ychwanegais. "Dwi ddim eisiau mynd i'r afael â'r ffycars eto. Dwi ddim eisiau dod yn darged iddyn nhw."

"Ond ti'n ddigon diogel ar dir cartre. Does dim Rwsiaid yn Llanfihangel, a fydd 'na byth. Mae'n wahanol lan yn oerfel Latfia."

Ond roedd y cyfan yn digwydd yn rhy gyflym i mi. "Lloyd, rhaid i mi gael amser i feddwl am hyn."

"Gei di ddwy awr yn y trên i feddwl. Dylai hynny fod yn ddigon. Rwy'n weddol ffyddiog y gweli di synnwyr y cyfan."

"Ond bydd hi'n rhy hwyr wedyn, a'r blydi gynhadledd yma eisoes wedi'i threfnu."

"Meirion – mae hyn yn gyfle unwaith mewn bywyd. Mi fydda i'n dy ddisgwyl di gyda'r car yng ngorsaf Caerdydd. Gawn ni sgwrs bellach wrth yrru i'r Bae. Mi fydd gynnon ni ryw hanner awr yn sbâr. Dim ond un peth rwy'n ofyn i ti nawr – cofia paid siafio!"

Roedd yn ddigon hawdd iddo fo roi'r ordors. Nid fo fyddai'n gorfod perfformio. Nid fo oedd ar y ffrynt lein.

-25-

G YRRAI JOHN LLOYD ei Audi'n gyflym ar lôn allanol
Ffordd Bute, y ffordd lydan sy'n cysylltu gorsaf Caerdydd
a'r Bae. Rhedai *monorail* ar y lôn allanol, a hwnnw ddim ond
blewyn cyflymach na ni. Roedd gennym amser mewn llaw
ond doedd Lloyd ddim am wastraffu amser yn gyrru os gallai
ei ddefnyddio i lyfu tinau newyddiadurwyr yn y Celtic Bay.

"Rydan ni yn stafell tri, yr un arferol. Mae dydd Llun yn
ddiwrnod iawn i ollwng stori, er y buasai diwedd y bore wedi
bod yn well, rwy'n cyfadde."

Roedd gen i draed oer eto. Oedd 'na stori? Petai hyn yn
mynd o'i le, gallwn fod yn gyff gwawd y byd, a'm gelynion
yn cael llond trol o arfau rhad. Byddai gan Griffiths bennod
gyfan newydd ar gyfer ei gofiant amdanaf, a Loony Mary lond
dalen A4 o bwyntiau bwled dros fy nisodli fel llywydd.

Mewn gair, mi allai'r gynhadledd hon roi diwedd ar fy ngyrfa
wleidyddol.

Ond be allwn i ei wneud? Roedd yn rhy hwyr. Ro'n i'n
ddiymadferth ac yn frau o hyd tra oedd Lloyd, ar y llaw arall,
yn llawn egni manig.

Edrychais allan trwy'r ffenest. Wrth inni agosáu at y Bae,
gwelwn faneri bychain coch a gwyn a gwyrdd yn hongian
rhwng y lampau golau, ac yna faner fwy, *Wales Champions of
the World*. Ac yna, yn hongian uwch ein pennau yn yr awyr,
dim llai na balŵn anferth siâp pêl rygbi. Roedd yn *carriage
balloon* go iawn gyda rhaffau'n dal y gawell i'r bobl oedd yn
hwylio ynddi. Ar draws y balŵn roedd y geiriau 'Well Done
Wales With the Compliments of Telecom Cymru', ac yn fach oddi

tano, *'Da Iawn Cymru'*.

Yn gam neu'n gymwys, dychmygwn mai'r merched Telecom Cymru a welais yn y gêm wythnos yn ôl oedden nhw, yn yfed siampên wrth hwylio fel angylion uwch ein pennau.

"Gwych yn tydi," meddai Lloyd. "A wyddost ti ei fod e'n goleuo yn y nos! Ffantastig! Mae hyn i gyd yn ardderchog, Meirion, wrth gwrs. Mae'r cyfnod yma o ewfforia ac o ddathlu cenedlaethol yn berffaith ar gyfer elfen o arwriaeth – a dyna fydd gen ti iddyn nhw pnawn 'ma!"

Teimlwn yn uffernol eto. Roedd hyn am fod yn ffars ac yn llanast mwya fy mywyd ac yn goron addas ar yrfa wleidyddol droellog, ansicr a sylfaenol ddigyfeiriad.

Roedd Sidoli a Rhodri Lewis yn disgwyl amdanom yn yr ystafell ac yn ymgomio'n fywiog ger y *percolator* coffi. "Cym' baned, Meirion," meddai Sidoli'n harti, "ti yw'r arwr pnawn 'ma. Y dyn a drechodd y Rwsiaid. Mi gawn filltiroedd o sylw allan o hyn."

"Jyst glasied o ddŵr i mi," dywedais yn frwysg.

Craffodd Sidoli arnaf. "Diawch, Meirion, ti *yn* edrych yn rŷff…"

"Ond mae hyn yn bwysig," eglurodd Lloyd yn frwd, "ac rwy'n cymryd y bai yn llwyr. Mi fynnais bod Meirion yn aros yn union fel yr oedd e. Ac o adnabod Meirion, rwy'n gwybod fod hynny'n dipyn o aberth."

Llyncais y dŵr, a gofyn am lasied arall.

"Ti'n OK, Meirion?" meddai Sidoli'n fwy consyrniol. "Ti'n ddigon da i handlo'r cyfarfod 'ma?"

Dyna'r cyfan o'n i eisiau'i glywed, a dau dîm teledu bellach yn chwipio'u gwifrau ar hyd y llawr.

Dechreuodd y seddau lenwi: cwpwl o ohebwyr Cymreig i'r papurau Saesneg, y BBC, prif ohebydd gwleidyddol *Y Byd*, ac yn dal i yfed ei goffi, fy hen ffrind Dave Hitt. Roedd hyn am fod yn uffern fwy hyd yn oed na'r daith awyren.

Be allwn i ddweud? Sut allwn i berfformio? Doedd 'na 'run gair, yr un syniad, yr un gosodiad clir yn fy mhen. Am y tro cyntaf yn fy mywyd, doedd gen i ddim owns o hyder.

Cerddais at y llwyfan a'r sgrin fawr arddangos gyda'r slogan *'Winning for Wales / Yn Ennill Dros Gymru'* wedi'i daflu arno gan daflunydd pwrpasol o'r cefn, a'r logo holl bwysig coch a gwyrdd. Yn amlwg roedd asiantaeth Golley & Talfan wedi bod yn brysur eto ac wedi ychwanegu cysgod pêl rygbi ar waelod y sgrin.

Agorodd John Lloyd y cyfarfod gan osod y naws theatrig, angenrheidiol. Soniodd yn loyw a dramatig am benderfyniad y Senedd i fynd i Riga; am y ddirprwyaeth o aelodau o Blaid Cymru – yn unig – a aeth yno; ac am fy arweiniad dewr ac allweddol i fel Llywydd y blaid honno.

Yna fe'm cyflwynodd yn ddramatig i'r gynulleidfa. "Gyfeillion. Does dim angen i mi gyflwyno Meirion Middleton i chi yma heddiw. Mae e'n ffigwr amlwg a charismatig ac ry'n ni'n ffodus iawn o'i gael e'n arweinydd ar ein plaid ni. Ond mae'n amlwg i bawb sydd yn yr ystafell yma heddiw fod Meirion wedi cael profiadau anodd a chwerw. Nid gormodiaith ydi dweud ei fod wedi mynd trwy fath o uffern. Oherwydd ei gyflwr dydi e ddim yn gallu cyflwyno anerchiad, ond mae'n barod i ateb rhai cwestiynau. Mae'r llawr nawr yn agored i chi holi'r dyn ei hun – ac rwy'n credu ei fod e, cyn dechrau, yn haeddu eich cymeradwyaeth. Meirion Middleton, Llywydd Plaid Cymru The Party of Wales."

Wedi bowt o glapio gwangalon, cododd un o'r gynulleidfa ar ei draed, a siarad yn annisgwyl o dawel a pharchus. "'Dan ni'n gweld eich bod chi wedi cael eich cleisio'n ddrwg. Allwch chi egluro i ni sut y digwyddodd hynny? Ac a allwch chi gadarnhau mai'r Rwsiaid wnaeth hynny, ac os felly pa garfan ohonyn nhw, ai'r fyddin neu eu lluoedd cyfrinachol?"

Yn sigledig codais ar fy nhraed. Dwn i ddim o ble y daeth y llais, ond clywais fy hun yn llefaru, rhwng pesychiadau: "Do, mi ges i 'nghuro gan y Rwsiaid. Mae hynna'n berffaith wir. A'r FSB oeddan nhw, dwi'n siŵr o hynny. Dydyn nhw ddim yn ddynion i chwarae efo nhw. Mae gynnon nhw'r dechneg o gymysgu cyfweliadau caled a meddal…"

"Ond yn amlwg, yr un galed gawsoch chi. Gawsoch chi'ch arteithio o gwbl?"

"Mi ges i fy nyrnu, ond na, ches i mo fy arteithio yn ystyr dechnegol y gair. Ond mae arteithio meddyliol yn waeth nag arteithio corfforol. Mae'r bygythiad yn waeth na'r peth ei hun ac mae o'n llacio'ch tafod chi'n gyflym iawn."

"Be ddywedsoch chi wrthyn nhw, felly?" gofynnodd holwr arall, mwy haerllug.

Roedd hyn am fod yn anodd. Cliriais fy ngwddw. "Alla i ddim sôn gormod am hynny pnawn 'ma. Mi fyddwch yn deall, dwi'n siŵr, fod yn rhaid i mi ddibrîffio ein lluoedd diogelwch ni yn gyntaf. Ond mi alla i'ch sicrhau chi na wnes i ddim datgelu unrhyw beth niweidiol."

"Ond sut dalion nhw chi?" gofynnodd rhywun arall. "Mae'n swnio'n od iawn eu bod nhw'n gallu'ch cipio chi liw dydd allan o gynhadledd ryngwladol fel hyn?"

Oedais eto. "Mae'n stori reit gymhleth. Ond yn fyr, roedd gen i neges bwysig i'w rhoi i un o brif drefnwyr y gynhadledd, gwraig o'r enw Maya Dulka. Roedd gen i amlen yn fy meddiant, yn cynnwys dogfennau gwerthfawr ac unigryw. Fe gipion nhw'r amlen oddi arna i yn un o'r coridorau, wedyn fy herwgipio a'm cludo i westy lle mae eu pencadlys nhw."

"Beth oedd y dogfennau? Allwch chi ddweud wrthyn ni?"

Roedd hynna'n hawdd. "Does dim posib i mi ddatgelu hynna i chi pnawn 'ma. Mi roeddan nhw o natur reit bersonol, yn llythyrau ac yn lluniau. Ond dwi ddim am achosi trafferth i unigolion nac am wneud dim i ypsetio'r sefyllfa ryngwladol ddelicet sydd ohoni."

Wedi cwpwl o gwestiynau eraill nad oedd yn rhy anodd, gofynnodd gohebydd *Y Byd*: "O sôn am y sefyllfa ryngwladol, tybed gawn ni'ch barn chi arni hi? Ydych chi'n credu y bydd y Rwsiaid yn symud i mewn i Latfia?"

Roedd yn bryd i mi ddirwyn fy sioe i ben. Roedd fy lwc wedi para mor bell â hyn, ond mi wyddwn i'n reddfol na allwn i mo'i wthio ymhellach.

"Mae hynna'n gwestiwn pwysig iawn," atebais. "Ond fel ydach chi'n deall, dydw i ddim wedi darllen yr un papur newydd na gweld na chlywed yr un raglen deledu na radio ers y profiad yma. Does dim modd i mi wneud sylw ar y datblygiadau diweddaraf. Mi fydd yn rhaid i mi felly eich trosglwyddo chi'n ôl i'n his-lywydd ni, John Lloyd."

Wrth i mi eistedd, clywn glapio ysgafn – peth anghyffredin iawn mewn cynhadledd i'r wasg.

Cododd Lloyd o'i sedd ar ganol y llwyfan. "Diolch o galon i chi eto, Meirion, am gytuno i ddod i'r gynhadledd yma. Mi wn i nad oedd e'n beth hawdd i chi. Wel nawr, gawn ni droi at y sefyllfa ryngwladol.

"Mae'n rhaid i ni i gyd sylweddoli ei bod hi'n dal yn bur ddifrifol, ac yn parhau'n argyfyngus. Ond ein cred ni yw y bydd y Gynhadledd a ddigwyddodd yn ddigon i atal llaw y Rwsiaid. Maen nhw nawr yn deall bod yna gefnogaeth eang i Latfia ac i'w hawl i fyw. Ry'n ni wedi gofyn i Sue Davies, un o'n haelodau Ewropeaidd, godi'r pwnc yn yr eisteddiad nesaf…"

Ac yn y blaen. Ond Sue Davies? Oedd o o ddifri? Roedd Lloyd jyst yn sbinio'r peth yma gyhyd ag y gallai. A pham na thrafododd y mater efo fi ar ein taith i mewn yma, fel yr addawodd? Ro'n i'n amau ei fod o'n fwriadol yn cadw rhyw wybodaeth oddi wrthyf. Fe yr awgrymodd o yn ein sgwrs yn Heathrow, roedd o am gadw'r argyfwng yma i redeg.

Daeth Dave Hitt ataf i'm llongyfarch ar y ffordd allan. *"Not a bad performance, Meirion. You're a pro!"*

"Be ti'n feddwl wrth hynna, Dave? 'Mod i jyst yn actio?"

"I don't mean in an uncomplimentary way. It was a good act. It'll go down well with the media."

Do'n i ddim yn siŵr sut i gymryd hynna chwaith, ond dywedais: "Os oedd o mor dda, gobeithio y byddi di'n ei riportio fo'n fwy cywir nag y gwnest ti ein cyfweliad dwetha."

"Oh come off it, Meirion, it wasn't too bad. I can't just give you a free ad, can I?"

Yna sylweddolais y byddai'n rhaid i mi weld y boi yma'n fuan. Nid jyst mater y blydi llun yna o Fenis oedd yn fy mhoeni; roedd 'na bethau eraill, pwysicach y gallai fy ngoleuo arnynt. Mae ganddo'i fys ar byls ac mae'n gwybod am bethau nad ydynt yn cael eu trafod mewn cylchoedd pleidiol.

"Dave – ti ddim yn rhydd am sgwrs rywbryd? Sgwrs breifat y tro 'ma? Oddi ar y record fel petai? Yn y Cutting Edge eto?"

Yn amlwg, roedd y syniad yn apelio. *"Why not?"* meddai. *"What about now? Are you free?"*

Roeddwn i'n rhydd, ond allwn i byth mo'i wynebu o.
"Dwi'n bygyrd, Dave. A deud y gwir, dwi'n mynd yn syth i 'ngwely."

Edrychodd Hitt arnaf yn syn, os nad yn edmygus. *"So you really have been through it, Meirion? Now that does surprise me a little... So can we say Wednesday, eight o'clock?"*

"Hynna'n iawn. Bydda i wedi dod ataf fy hun erbyn hynny."

Wrth gerdded i ffwrdd, edrychodd Dave yn ôl arnaf â hanner gwên – ond wnes i ddim gwenu'n ôl.

-26-

Taenodd Anna'r papurau i gyd allan ar y bwrdd yng nghanol y swyddfa bore wedyn. Doedd y stori ddim yn yr *Independent* a'r *Guardian,* ond yn cael sylw da ym mhapurau Cymru, ac roedd yna eitem neithiwr ar y rhaglenni newyddion o Gymru. Gwelais i nhw fy hun cyn mynd i'm gwely. Ro'n i'n edrych yn uffernol ond, hyd y gwelwn i, yn argyhoeddiadol.

Darllenais adroddiad Hitt. Ddim yn rhy ddrwg, ond roedd y diawl wedi mynnu rhoi dyfyniad gan Royston Griffiths ar ddiwedd ei ddarn. Dyfynnaf y Saesneg gwreiddiol:

" *'I think,' said Griffiths, 'that the Russians have made a big mistake, if they were looking for a man of any influence or stature. Middleton's credentials are deceptive. But once again he has shown a mastery of media manipulation – the one skill he has plenty of.'"*

Pam uffar oedd raid i Hitt ofyn i'r diawl? Dyna dwi erioed wedi'i ddeall. Pwy uffar ydi Griffiths, a be mae o erioed wedi'i neud yn ei fywyd? Dim ond cyhoeddi rhacsyn diwerth, disylwedd a brwnt. Ond wrth gwrs mae'n grêt i Hitt. Dim ond ffonio Griffiths, ac mae ganddo fo ei *instant quote* heb symud troed o'r bar y mae o'n yfed ynddo.

Ond dwi'n derbyn y bydd 'na ryw Griffiths neu'i gilydd yn chwydu'i wenwyn tra bydd gwleidyddiaeth yn bod; ac mae'n anodd rhwystro'i racsyn tila fo. Yn yr achos yna, anwybyddu ydi'r arf orau. Ond mae'r llyfr yma'n beth gwahanol. Roedd yn rhaid i mi dod o hyd i ffordd o'i rwystro neu mi fydd ar gael am byth fel ffynhonnell o ffeithiau enllibus amdana i. Do'n i ddim am golli'r fuddugoliaeth yma o achos pryfyn fel Griffiths. Penderfynais y buaswn i'n rhoi tro i weld Huw ar ddiwedd y pnawn, os oedd o'n rhydd.

Llifo i mewn wnaeth y llongyfarchiadau. Daeth llawer ar e-bost, gan gynnwys un gan Guto'r mab, "Great, Dad, a roeddat ti'n real good laugh ar y telly. Rock on!" Gwyddwn fod Lloyd a Sidoli wrth eu boddau hefyd, ac roedd hynny'n beth newydd a braf. Ond daeth llongyfarchiad arall o gyfeiriad annisgwyl.

Roedd yn rhaid i mi ffonio Jenny Stewart ddechrau'r pnawn ynglŷn ag un arall o'r cynigion seneddol yna y mae'n rhaid i ni fel dwy blaid gytuno arnynt cyn eu cyflwyno ger bron y Senedd.

"Heard about the great adventure, Meirion," meddai, *"and very glad the Russians haven't kept you. Where would our coalition be?"*

"It's nice to think one is not totally pointless," atebais.

Yna dechreuson ni drafod y mater astrus a diflas oedd gerbron. Ar ôl pum munud o hyn, mentrais ofyn iddi, *"Look, Jenny – do you believe in sometimes combining business with pleasure?"*

"In principle I'm in favour of it and it's a great pity it's not done more in practice."

"You couldn't find an hour to spare tonight in the Plough and Harrow? We could cover all this over a glass of wine."

Na, doedd heno ddim yn bosib, ond roedd hi'n rhydd ddiwedd yr wythnos – yn arbennig petai yna *ddim* busnes i'w drafod.

"That's a deal, then," meddwn yn llawen. *"I never thought you'd accept."*

Atebodd hithau: *"I never thought you'd ask."*

★ ★ ★

Doedd Huw ddim yn rhydd ddiwedd y pnawn ond llwyddais i'w ddal yn y maes parcio.

"Be sy'n dy gorddi di mor sydyn?" gofynnodd. "Ro'n i'n meddwl dy fod ti wedi penderfynu dygymod gyda'r Griffiths 'ma. Paid sylwi ar y ffŵl – dyna fy nghyngor i. Heb sylw, dydi boi fel'na ddim yn bod."

"Mynnodd Dave Hitt ei ddyfynnu o eto bore 'ma, yn sgil rhyw stori amdana i…"

"Do, fe glywais i am hynny ac fe welais i ti ar y bocs. Ac fel mae'n digwydd, rwy'n cytuno ag e y tro yma. Rwyt ti'n feistr ar drin y cyfryngau."

Diawch, do'n i ddim disgwyl hynna gan Huw – a dim gair o longyfarch, chwaith.

"Nid hynny, ond y llyfr 'ma sy'n fy mhoeni i braidd – ti wedi clywed amdano fo, on'd o?"

"Ond mae cyhoeddi llyfr yn broses hir. Fe gawn ni air rywbryd eto am hynny."

Do'n i ddim yn siŵr ai ar frys yr oedd Huw, neu beth. Roedd o'n fy nabod i'n rhy dda i dderbyn esgusodion.

"Ti'n iawn. Ond mae 'na bethau sy'n fy mhoeni. Dwi wedi sôn wrthat ti o'r blaen am fy nheimlada cymysg am yr holl wleidyddiaeth 'ma…"

"Dwyt ti ddim yn swnio'n rhy ansicr i fi!"

"Ac mae gen i elynion sy'n barod iawn i gamu i mewn i'm sgidia i…"

"Nonsens, Meirion! Dwi ddim yn deall be sy arnat ti heno. Dydi plaid heb dri neu bedwar o bobl sydd am gymryd lle'r arweinydd ddim yn werth ei galw'n blaid wleidyddol!"

Roedd hyn am fod yn anodd. "Ond dychmyga dy hun yn fy sefyllfa i, a rhywun yn cyhoeddi llyfr sy'n llawn honiadau enllibus amdanat ti. Beth petai'r llyfr yn newid dwylo mewn bariau, mewn swyddfeydd, mewn stafelloedd cyffredin, mewn siopau wrth gwrs – a'r cyfan yn ddim ond celwydd noeth."

Ochneidiodd a gosod ei gês ar fonet y Volvo. "Mae'n dibynnu ydi'r cynnwys yn enllibus – a wyddon ni ddim byd am hynny eto."

"Ond o nabod Griffiths, mi *fydd* yn enllibus. Lledu cachu amdana i ydi'i unig hobi o, ei unig ddiléit o mewn bywyd."

Ond mynnai Huw ddal ei dir. "Mae 'na ddau ddewis, on'd oes? Naill ai bydd e'n llyfr da, ffeithiol neu bydd e'n llyfr gwael a disylwedd. Os mai'r ola fydd e, fydd y llyfr *ddim* yn newid dwylo ym mhob bar a swyddfa yn y wlad. Chaiff e ddim sylw oni bai ei fod e'n cynnwys ffeithiau pendant y gellir eu profi'n gywir."

Oedd o mor syml â hynny? Yn amlwg, ro'n i wedi gwneud camsyniad o drio taclo Huw fel y gwnes i, ond roedd yn rhaid i mi ddod â hyn i ben rŵan.

"Huw," dywedais, "y cyfan dwi am wybod ydi: oes 'na ffordd o stopio'r bastard?"

"Yr ateb ydi, na."

"Diolch yn fawr iawn, Huw."

"Meirion, dwi ddim yn hollalluog," meddai, ei dymer yn codi. "Alla i ddim rhwystro pobol rhag gwneud pethe. Y cyfan alla i ddweud wrthyt ti yw y byddai'r Griffiths yma'n annoeth iawn i gyhoeddi llyfr petai e'n wyllt o enllibus."

"Ond ydi cyhoeddi rhywbeth mewn llyfr yn wahanol i'w gyhoeddi yn y *Mochyn Du*?"

"Ddim yn gyfreithiol – ond mae'n fwy tebyg y byddai yna

achos llys. Ac fe ellid ei garcharu petai e'n methu talu costau ac unrhyw iawndal."

"Ond mae o'n ddi-eiddo!"

"Dydi hynny'n gwneud dim gwahaniaeth."

"Ond beth petai'r barnwr yn penderfynu yn erbyn carcharu?"

Mi welwn ei fod o ar bigau'r drain. Doedd dim pwynt parhau'r sgwrs, a beth bynnag, roedd o wedi crynhoi'r sefyllfa yn ei hanfod.

"Y peth pwysig i ti," aeth Huw ymlaen, "ydi nid poeni am Griffiths a'i siort, ond poeni ynglŷn â gwneud pethau sy'n dy osod di'n agored i'r math yna o berson. Dyw Griffiths ei hun ddim yn bwysig. Gallai fod yn rhywun arall. Yn y pen draw, dim ond un peth sy'n bwysig: dy gydwybod dy hun. Os ydi hwnna'n glir, caiff y byd fynd i'r diawl. Yn y diwedd, mae e rhyngot ti a dy Dduw."

Do'n i ddim yn disgwyl hynna. "Duw, ti'n ddeud?"

"Ie, ti'n gwybod – hwnnw ry'n ni'n addoli bob bore Sul yn yr eglwys."

Yna pwyntiodd ei goriad at y Volvo a fflachiodd hwnnw fel un o gerbydau Beelzebub. Caeodd y drws amdano'i hun, tanio'r peiriant, ac edrych yn ôl arnaf, am eiliad, trwy'r ffenest. Yna diflannodd y car allan o'r maes parcio mewn cwmwl o lwch.

Yr edrychiad yna aeth dan 'y nghroen i. Nid casineb, ond dirmyg wedi'i gymysgu – yn ael ei lygad chwith – â chwilfrydedd oer.

Be uffar oeddwn i wedi'i wneud iddo fo?

-27-

ROEDD HITT yn disgwyl amdanaf yn y Cutting Edge. Roedd o'n gwisgo cot denim yn hytrach na'i siwt arferol, gan bwysleisio natur answyddogol ein cyfarfod. Doedd 'run ohonon ni wedi bwyta; fe gawsom fwrdd ger ffenest y bistro, a phlatiad yr un o fwyd bar a photel o Chardonnay Sauvignon.

Roedd hi'n noson braf eto a thipyn o fynd a dod o gwmpas y cei. Roedd Telecom Cymru wedi codi *marquee* arbennig yn cynnig siampên am bunt y gwydryn, i hyrwyddo rhai cynigion ariannol newydd ac i dynnu sylw at y balŵn mawr yna oedd yn hongian dros y Bae i ddathlu buddugoliaeth Cymru ddydd Sadwrn diwethaf.

Diawch, roedd hynny fel oesoedd yn ôl i mi rŵan.

"So how's business?" holodd Hitt. *"You do look better after that shave, I must say."*

"Ydw, dwi'n teimlo'n dipyn gwell," atebais " – yn well na phan welais i dy stori di bore ddoe a'r plỳg yna roist ti i Royston Griffiths. Oes raid i ti gael ryw shit fel'na i mewn bob tro?"

"But you've got to admit it was good PR for you. You've got to add a bit of salt to a story – makes it stronger. Same as with that other story I did on you, the last one. You can't run a newspaper story like a free promo."

Ro'n i'n falch iddo godi'r mater yna mor rhwydd. "Ro'n i'n mynd i ddod at hynna, Dave. Dwi ddim yn cofio dweud 'mod i'n credu mewn mynd yn ôl at safonau traddodiadol mewn celf, na dim byd tebyg. Lle ddiawl cest ti hynna?"

"I'm allowed to do that. It was in my words, not yours. Nothing wrong with it."

"A'r blydi llun yna o Fenis. Lle uffar gest ti'r wybodaeth yna?"

"God, you're sensitive this evening. I saw it myself. Don't you remember the little press party you gave after you won the presidential election?"

Felly dyna beth oedd o. Nid y llun yn y stafell wely o gwbl, ond y llun arall o'r eglwys – yr un o Madonna D'ell Orto, fel mae'n digwydd – sy gen i yn y cyntedd. Yn y tŷ 'cw y trefnais i'r parti, wrth gwrs. Arllwysais ragor o'r gwin oer, ysgafn i mi fy hun. "Ti'n sylwgar, Dave – mi ro i hynna i ti."

"Part of my job. It was an article about art and it suddenly came back to me. And I don't remember seeing all that much Welsh art around the house, either."

"Bosib dy fod ti'n iawn, ond roedd hynna bum mlynedd yn ôl. Does gen i ddim byd yn erbyn celf Gymreig fel y cyfryw." Ond roedd yn rhaid mi gydnabod fod Hitt yn chwarae'r gêm o fewn y rheolau oedd ganddo fo'i hun.

Wedi ysbaid, meddai: *"But I'm sure you didn't want to talk to me about that."*

"Mae 'na rywbeth arall, ond cyn symud at hynna – wnest ti daro erioed ar ferch o'r enw Llio Matthews?"

Goleuodd llygaid Hitt. *"Ah, another old flame? Is she going to be in the book?"*

Atebais yn Saesneg: *"There isn't going to be a book, by the way. Put that in your notebook as well. In bloody red caps."*

"I haven't got a notebook tonight, as you can see."

Archebais botel arall o win i ni'n dau. Roedd o'n dda, a'r elfen sur, 'Sauvignon', yn gwrthbwyso'r elfen ysgafn, 'Chardonnay'. Roedd Hitt yn iawn: mae'n rhaid wrth y ddwy elfen i wneud stori, neu win, da. Tynnais y pecyn Panatellas o 'mhoced a thanio un ohonynt. Roedd ambell gwmwl yn dechrau clirio o'r awyr, ond doedd y ffurfafen ddim eto'n glir.

"Dave – be ydi dy farn hollol onest am y busnes Riga yma, y gynhadledd, yr argyfwng fel petai? Mi ges i wythnosau o boen gan Lloyd ac mae'r papurau'n dal i redeg y stori am y trwbwl rhwng y Rwsiaid a gwledydd y Baltig. Ges i 'mherswadio i fynd i'r blydi gynhadledd, ond mi gollais i'r rhan fwya o'r sioe pan ges i 'nal gan y Rwsiaid, felly dwi ddim…"

"Got to interrupt you there, Meirion – there's something about this business that doesn't ring true. The Russians don't work that way these days."

"Be ti'n feddwl?"

"Tell me first what really happened."

Rhoddais y gwydryn ar y bwrdd. "Ces i 'nal gan y bygars – a 'nhaflu mewn i ryw londri ym mherfeddion y gwesty 'ma. Ac roedd 'na hwren…"

"What, a prostitute?" meddai, ei lygaid yn gloywi.

"Rŵan mae hyn i gyd oddi ar y record, yn tydi?"

"You know me by now – but at last I can start to believe the story. And it's a bloody good one: Plaid Leader Escapes Soviet Sex Trap. Or did you escape it?"

"Naddo, es i ddim i'r gwely efo hi – ac mae hynna'n berffaith wir i chdi!"

"You protest a little too strongly, Meirion."

"Nid hwren oedd hi go iawn, a doedd y Rwsiaid yma ddim yn uchel yn y system. Jyst y maffia lleol, dwi'n meddwl. Roeddan nhw'n rhedeg cwpwl o westai a chasino mawr ac ella isio dangos i Moscow eu bod nhw o ryw iws."

"So it wasn't really the Russians…"

"Rwsiaid *oeddan* nhw, ond dwi ddim yn credu bod ganddyn lot i'w wneud efo stwff rhyngwladol, yr argyfwng 'ma."

Sipiodd Hitt y gwin eto a'i droi yn ei geg a chnoi cil dros yr hyn ddwedais i.

"It's all a bit phoney, isn't it?"

"Ond roedd y busnes *yna'n* wir."

"No, I mean the other business. Did you see the Financial Times *this morning?"*

"Naddo."

"Interesting little piece in it. An unconfirmed story about Elf, the French oil giant. That they're doing a deal with the Russians for buying in Russian oil. A deal that doesn't really make sense without some sort of government support."

"Ond dydi o'n gwneud dim synnwyr i'r llywodraeth Ffrengig ymyrryd yn hyn."

"Well, as a matter of fact, you're wrong. The French government has historically given a hell of a lot of support to Elf, as they do to Renault and all the rest of them. It's just that it's Brussels that's doing it now."

"Ond mae'n llwyr yn erbyn y rheolau ynglŷn â chystadleuaeth deg ac yn y blaen!"

Chwarddodd Hitt. *"You must be the most naïve MP in Wales if you believe that there's such a thing as free trade! Even the Americans break the rules — their own rules — whenever they feel like it."*

"Felly be sy'n mynd ymlaen?"

"My guess is as good as yours. But it doesn't need a genius to work it out. A backhander to the Russians via Elf if they pull out of Riga and a meeting in a closed room full of smoke between Brussels and the

Latvian government."

"Felly beth fydd y Latfiaid yn ei gael allan o hyn?"

"Again, I'm just guessing. But you can be sure Brussels want to keep the Latvians happy. They don't want a new league of nations, do they now?"

Codais y gwydryn at fy ngwefusau. Yn raddol bach disgynnodd y darnau i'w lle.

"Pa mor bendant ydi hyn i gyd?"

Eto chwarddodd Hitt yn fy wyneb.

"Of course it isn't definite. It's speculation. But what's the difference? There's nothing definite about politics. Or about life, come to that..."
– a tharo'i wydryn ar fy un i.

★ ★ ★

Aethom allan at ymyl y dŵr. Roedd *marquee* Telecom Cymru yn olau braf ac yn cynnwys criw bywiog a llafar oedd yn manteisio ar y siampên rhad. Roedd tusw o ferched hardd yn gweini yn eu siwtiau cochion, a boi yn y gornel yn bwrw'r allweddellau. Roedd yr awyrgylch yn hwyliog a charnifalaidd, a doedd yna ddim brys ar yr un ohonom.

Aethom i mewn am wydraid, yna ail un. Ro'n i'n dechrau simsanu, ond eto, yn rhyfedd iawn, yn dod ataf fy hun am y tro cynta ers y busnes Riga yna. Dim ond rŵan yr oedd Riga'n dechrau perthyn o ddifri i'r gorffennol.

Cerddasom yn araf i'r dde i gyfeiriad y Senedd ac adeilad y Mileniwm, heb un bwriad arbennig. Tacsi fyddai hi i'r ddau ohonom heno.

Yna gofynnodd Hitt: *"Carrying on, then, Meirion?"*

Mi wyddwn i beth oedd ganddo. Roedd yn gwestiwn

oedd yn dal i gosi yng nghefn y meddwl. Safais am ennyd, ac edrych tua'r môr, a'r gadwyn o oleuadau bychain a amgylchynai'r Bae.

"Oddi ar y record?"

"Tonight is different, Meirion."

"Beth amdanat ti? Rwyt ti'n cyrraedd oed ymddeol cyn bo hir."

"I've got no choice. You have."

"Fel dwi'n teimlo rŵan, wela i ddim pwynt o beidio cario 'mlaen. 'Dan ni wastad yn breuddwydio am ryw fan gwyn, fan draw. Newid gyrfa, mwy o ryddid, neu beth bynnag arall. Ond yma mae'r man gwyn, yntê?"

"You're right. Freedom is a dodgy concept, and it's always somewhere else."

Cofiais am gyngor y cyhoeddwr Sisilaidd, modrwyog yna a ddywedodd wrtha i yn y parti yn Sitges na ddylai gwleidydd beidio sgrifennu. Mae'n wirion i orfod dewis rhwng un peth a'r llall fel yna. Fe allwn i wneud y ddau.

"If you're staying on, then expect some competition."

"Pwy ti'n feddwl: Loony Mary, 'ta John Lloyd?"

"Could be them, or someone younger like that Carmarthen bloke. He could be dangerous for you. Do you really want all this? You could be running a really cushy quango."

"Ond a fasa hynny'n llai o boen, mewn gwirionedd? Mi gaiff Alun Cox ei gyfle. Mi fydd yn arweinydd ryw ddydd. Ond mae pawb yn cael ei bymtheg munud o enwogrwydd fel y dywedodd Warhol, a dwi'n barnu 'mod i wedi cael tua deuddeg ohonyn nhw."

Roeddan ni rŵan yn pasio'r Senedd ac adeiladau newydd y gwasanaeth sifil. Yno roedd Jenny'n gweithio. Cofiais yn sydyn amdani, a rhoddodd fy nghalon lam. Be ddaeth dros fy mhen i, i boetsho efo'r Maya yna?

Yna cofiais fod yna e-bost wedi cyrraedd ganddi bore ddoe. Wnes i mo'i agor. Yn holi am y blydi amlen a'r llythyrau mae'n siŵr. Dyna beth oedd ffantasi – yr holl fusnes yna ynglŷn â gwneud ffilm. Byddai'n rhaid i mi ei chael hi oddi ar fy nghefn.

Roedd y cyfan mor afreal rŵan. Fasan ni byth wedi gallu gwneud dim ohoni. A pheth arall – ro'n i'n eitha siŵr rŵan mai Pwyles oedd hi go iawn, mai dyna oedd yn berwi yn ei gwaed, ac mai dyna pam roedd hi a Tomaso mor agos. Roedd y Rwsiad yna'n iawn: dydi'r Pwyliaid ddim yn saff. Maen nhw wastad yn corddi.

Mae Jenny'n wahanol. Rydan ni'n gweithio yn yr un maes, yn byw yn yr un ddinas, tua'r un oedran. Mae hi'n aeddfed, yn hwyl, yn siarp, yn ddeallus. Iawn, mae hi'n briod ond yn ein hoedran ni tydan ni ddim yn chwilio am y Garwriaeth Fawr, ydan ni?

Wedi rowndio'r Senedd i gyfeiriad un o'r ranciau tacsi, clywson ni sŵn yn dod o'r Bara Bara, y bwyty Japaneaidd. Wedi agosáu, mi welson ni, trwy'r ffenestri, griw o wŷr busnes Japanî yn eu siwtiau duon yn ei morio hi i'r *karaoke*. Nos Fercher, wrth gwrs.

Roedd hi'n uffar o olygfa ddoniol. Roeddan nhw'n mwynhau o ddifri, y dynion bychain yna sydd fel arfer mor gwrtais a sidêt. Ond nhw sy'n iawn: mae'n rhaid ymlacio weithiau.

"Un diod olaf yn fan'ma?" gofynnais i Hitt.

"Not really a good idea – but on the other hand…"

Es i at y bar – a Suzy oedd yno! Yn amlwg, roedd hi wedi gorffen gweini wrth y byrddau heno. Gwenodd arnaf yn serchog a hyfryd. *"And what can I do for Mr Plesident tonight?"*

"Well shall we start with two glasses of saké.*"*

"My gleat pleasure, sir," – a'i llygaid yn loyw a chwareus.

Daeth â'r diodydd yn ôl mewn gwydrau Martini wedi'u coroni â thafelli o giwcymbyr. Rhoddais un i Hitt a gwthio fy ffordd heibio i'r Japaneaid at y ffenest lle'r oedd y stondin *karaoke*. Sylwais ar yr hysbysiad mawr ar y wal – *Johnny Lee Real Karaoke: Live Together, Drink Together, Sing Together. The hits, the prizes, the fun.*

Roedd un o'r Japs bach wrthi ei orau glas. Dwi ddim yn cofio beth oedd y gân, ond doedd o ddim yn Luciano Pavarotti. Roedd yn rhaid imi chwerthin am ben ei ymdrechion. Yna trois rownd a dal llygaid Suzy wrth y bar. Ond pwyntiodd hi'n ôl ataf, cystal â dweud, gwna di'n well.

Ond yna canodd y blydi Siemens. Cachu. Cydiais ynddo a gweld yr enw ar y monitor melyn: *Maya Dulka*. Sut uffar oedd hi'n gwybod fy rhif? Ond wrth gwrs onid oeddwn i wedi'i ffonio hi o'r union fan yma wythnos yn ôl? Diffoddais yr erthyl yn syth.

Y gân nesaf oedd '*My Way*'. Allwn i ddim gwrthod y demtasiwn, y dôn, y geiriau gwirion am fyw er gwaetha popeth. Cydiais yn Hitt a'i dynnu 'mlaen i'r llwyfan, ond gwrthododd yn lân. Wrth weld y symudiad, fe ddaliodd y Japaneaid eraill yn ôl.

"Mr Plesident, he sing tonight!" meddai Suzy o'r bar gan guro'i dwylo. Be allwn i neud? Dawnsiai'r geiriau'n wyn ar y sgrin las o'm blaen a dechreuodd rhai o'r Japaneaid gydganu gan fy ngwthio ymlaen:

> …*Yes there were times*
> *I'm sure you knew*
> *When I bit off*
> *More than I could chew*

But through it all
When there was doubt
I ate it up
And spat it out
I faced it all
And I stood tall
And did it myy waaay...

A do, mi wnes i esgyn i'r llwyfan. Doedd gen i ddim dewis.
Os gwneud, ei wneud o'n iawn. Be oedd yr ots beth bynnag,
be oedd yr ots am ddim. Taflais un fraich allan fel Frank
Sinatra, a gosod y llall ar fy mrest:

I've loved, I've laughed and cried
I've had my fill, my share of losing
And now, as tears subside,
I find it all so amusing...
I did it myyy waaaay...

Ro'n i'n feddw, roedd y nodau'n anghywir, roedd o dros
y top – ond clapiodd y Japaneaid yn frwd, a rhai'n bangio'r
byrddau. *"Special plize, special plize!"*

Crychodd Johnny Lee ei aeliau'n amheus, yna ymestyn i flwch
coch oedd wrth ei draed. A dyma fo'n cau ei lygaid ac yn nôl
het clown. Daliodd hi i fyny i bawb ei gweld. Neidiodd Suzy
i fyny ac i lawr yn y bar: *"Yes, give plize to Mr Plesident!"*

Roedd yn rhaid i mi roi'r blydi het ar fy mhen, neu faswn i
fyth yn cael dod o'na. Yna rhoddais y 'wobr' yn ôl yn syth.
Yna'n union wedyn dechreuodd y gân nesaf a daeth Japanî
arall ymlaen i gymryd y llwyfan yn fy lle – boi cymharol fawr,
a chanwr gwell na mi. Ffois yn ôl at y bar ac at Suzy a Hitt a
chael un *saké* olaf ar y tŷ.

"You no stay?" meddai Suzy'n siomedig.

Oedd, roedd hi'n neis – yn neis iawn, hefyd – ond roedd

yn rhaid i ni fynd. Roeddan ni wedi cael hen ddigon. Fe
ymladdon ni'n ffordd heibio i'r dynion Japanî oedd yn dal i
ganu a mwynhau, a mynd allan trwy'r drws.

Y tu allan i'r Bara Bara, roedd yn rhaid i ni oedi am ennyd.
Roedd yr olygfa mor hardd. O'n blaenau roedd y môr a'r
Bae yn banorama o oleuadau pefriog a'n cwmpasai ac a'n
cofleidiai. Yn uchel yn yr awyr nofiai balŵn mawr Telecom
Cymru, yn belen rygbi anferth, oren. Ar draws ei chanol
dawnsiai'r geiriau '*Well Done Wales / Da Iawn Cymru*'. Ac
yn hongian yn isel uwchben Penarth, roedd yna leuad denau,
croen lemwn.

Rhois fy mraich am ysgwydd Hitt, a dweud: *"Not bad, is it?"*

Atebodd: *"You're right, Meirion – but I'm not sure about that
bloody balloon."*